民話の森叢書7

資本主義をつくる

――ある韓国コングロマリットの社会的文化的創成

ロジャー・ジャネリ　著
協力・任敦姫
中西康貴／笹本弘一　訳
樋口淳　解説

民話の森

「一冊の書物に書き下ろして手本にできるような輝かしい資本主義の総合理論は見当たらない」とノーベル経済学賞の受賞者でマサチューセッツ工科大学教授のロバート・M・ソローは言った。「道は手探りで進むべし」と。

（一九九一年九月二九日付け「ニューヨーク・タイムズ」、第四部、一面）

謝辞

本書は、韓国という国の文化的、政治経済学的解釈の試みだが、二〇年以上にわたる議論とさまざまな経験をもとに、準備にはたいへん長い時間を要した。そのあいだに私は、幸運にも、聡明で寛大な心を持つ人たちに出会った。彼らの助力や励ましが、かけがえのないものであったことに感謝したい。誤りや誤解があれば、それは私の責任である。私が受けたさまざまな寛大な計らいに関しては、その都度注記することとする。もしまた、多大な協力をいただきながら、気づかなかったことがあれば、私のうかつさをお許しいただきたい。

本書に示された解釈の主要部分は、遠い昔の私のささやかな会計学の経歴に端を発している。ペンシルヴァニア大学ワートン校で私を指導してくださったリチャード・ウッズ（Richard Woods）先生、サミュエル・サピエンザ（Samuel Sapienza）先生、デビッド・ソロモンズ（David Solomons）先生には、知的にも物質的にもたいへんお世話になった。

彼らは、金融債権や金融取引の書類作成にひそむ問題性にまず注意を喚起し、権威あるものとして私が無反省に受け入れていた「ひろく普及している会計原則」の再考を促した。また彼らは、私が人類学と民俗学の研究のために博士課程に進んだ後には、親切にも教職を斡旋してくださった。私はまた、当時アメリカ陸軍に所属し、会計実務を一年間指導してくれたウォルター・J・ディグルス（Walter J. Diggles）先生にも感謝する。彼のおかげで私は「数字は嘘をつかないが、嘘つきは数字を使う」という言葉をいつも念頭に置くようになり、人為的で見映えのよい定量データの性質には人一倍敏感になった。

何年にもわたって私の相談に乗り、支援してくれたアメリカの人類学および民俗学の研究者各位にも感謝を述べたい。マイロン・コーエン（Myron Cohen）、リンダ・デーグ（Linda Dégh）、ローレル・ケンドール（Laurel Kendal）、キム・チュンスン（김중순）（Choong Soon Kim）、イゴール・コピトフ（Igor Kopytoff）、ジョン・マクダウェル（John, McDowell）、クラーク・W・ソレンセン（Clark W. Sorensen）、ジェイムズ・L・ワトソン（James L. Watson）、アーサー・P・ウルフ（Arthur P. Wolf）の諸氏からは、素晴らしい助言と励ましをいただいた。クラーク・ソレンソン氏はまた、原稿を読んだうえで数々の有益なコメントをくださった。インディアナ大学の民俗学専攻の学生と同僚にも、私は負うところが多い。伝統をそれと識別することの問題性が過去数年にわたって論議され、いまなお論議されていることに、また、彼らが私の調査と教育の仕事に快適な環境を与えてくれ、寛大にもたび重なる研究休暇の取得を許してくれたことに、さらには、正統的とはいえない私の知的キャリアに、忍耐をもって接してくれたことにも感謝しなくてはならない。

韓国という国の政治経済についての理解を、私はとくにブルース・カミングス（Bruce Cumings）とポール・クズネッツ（Paul Kuznets）の両氏に負うている。彼らは韓国政治と韓国経済それぞれの講義に私が出席することを認めてくれた。さらにポール・クズネッツは、本書の第二章を読んで専門知識を共有させてくれたうえに、たいへん有益な助言を与えてくれた。ワシントン大学国際研究学部ヘンリー・ジャクソン校で客員研究員として過ごした半年間も、国際政治経済に関する私の理解を進めてくれた。同校の教員と学生たちにも感謝したい。

私はまた、隣接分野で研究する韓国学の研究者にも感謝する。ジェームズ・B・パレ（James B. Palais）は、最初に、私が現代韓国の制度・組織のなかで人類学的調査をおこなおうと考えるきっかけを与え、私に歴史的文脈の重要性を印象づけ、過去、現在にわたる韓国およびその政治経済について有益な対話の機会を一度ならず提供してくれた。カーター・エッカート（Carter Eckert）、カール・モスコウィッツ（Karl Moskowit）、そしてマイケル・ロビンソン（Michael Robinson）とは、フィールドワーク中、またその後何年にもわたって議論を重ね、さまざまな重要な洞察を分かち合った。

私は、韓国の研究者の長きにわたる厚情にも感謝したい。延世大学経済経営学部（Yonsei University's School of Business and Economics）のユン・ソクポム（윤석범）（Yoon Suk Bum）と鄭求鉉（チョングヒョン）（정구현）（Jung Ku-Hyun）は、私の調査に温かい手をさしのべ、韓国のある一流企業で私がフィールドワークをおこなうことを可能にしてくれた。彼らはまた、韓国の政治経済に関する知見を私に共有させてくれたうえに、私の意見には辛抱づよく耳を傾けてくれた。朴興秀（パクフンス）（박흥수）（Park Heung Soo）は、フィールドワーク中の私にふさわしい所属機関として、延世大学校国際教育学院

(Yonsei University's School of International Education) を用意してくれた。

多くの韓国の人類学や民俗学の研究者が、私の調査に支援を惜しまず、韓国文化と社会に関する彼ら自身の知見を分け与えてくれた。彼らの研究がその真価にふさわしい国際的評価をまだ得ていないにもかかわらず、彼らは惜しみなく私を支援し続けてくれた。彼らの寛大さへの私の感謝のしるしとして、本書の印税はすべて韓国文化人類学協会 (Korean Society for Cultural Anthropology) に納めることにしたい。何年にもわたり私が受けた数え切れないほどの好意に対して、私はとりわけ崔吉城 (최길성) (Chŏe Kilsŏng)、崔仁鶴 (최인학) (Choi In-hak)、全京秀 (전경수) (Chun Kyung-Soo)、韓相福 (한상복) (Han Sang-bok)、姜信杓 (강신표) (Kang Shin-pyo)、李杜鉉 (이두현) (Lee Du-Hyun)、李光奎 (이광규) (Lee Kwang-Kyu)、そして王翰碩 (왕한석) (Wang Hahn Sok) に感謝を申し述べたい。

任晳宰 (임석재) (Yim Suk-jay) と彼の娘の任敦姫 (임돈희) (Dawnhee Yim) からは、さらに深い恩恵を受けた。任晳宰は、二〇年以上にわたって、私の韓国研究のよき指導者であり続けてくれた。彼が六〇年以上にわたる調査によって蓄積した膨大な価値ある知識から、韓国社会とその文化的慣習への彼の洞察から、私は多くを授かった。

任敦姫には、韓国の社会と文化について彼女の理解と知識を分かち与えてくれたことに感謝する。アカデミックな議論で主張すべきことを主張しながら、私の自尊心を否定することなく応答したその技量に、また、何回となく私の失態を未然に防いでくれたこと、とりわけ私と結婚し、我々の長期にわたる多文化的生活の実験を可能ならしめてくれたことに感謝する。彼女はまた原稿のそれぞれの版に目を通し、単刀直入な意見と批判を述べてくれた。

私はまた、アカデミズムの世界を離れて生きる韓国の人びとにもそれぞれ感謝しなければならない。彼らは気前よく情報を与えてくれ、私の間違いや文化的な無作法にも寛大で、愚かな、ときには私がうっかり口にした侮辱的な質問にも答えてくれた。また、彼らは、自身について語り、持てる知識を分け与えてくれることで、私の調査のインフォーマント（情報提供者）となることに同意してくれた。ティソンディ（뒤성뒤）（Twisŏngdwi）の人びと、とりわけ権謹植（クォングンシク）（권근식）（Kwŏn Kŭnsik）には、彼らの生活のなかに私が立ち入ることを許し、韓国の村落での生き方を教えてくれたことに対して、私は返しきれないほどの恩義を負っている。彼らなしには本書で示そうと試みた文化的変容を理解することはできなかったにちがいない。私が近年フィールドワークをおこなった組織のあらゆる階層の男性と女性は、反米主義が台頭するなかで、私の調査結果が彼らのキャリア向上にはほとんど役に立たないと知りながら、私が彼らの世界に入ることを許し、私を信頼して話してくれるなど、ひとかたならぬ思いやりを示してくれた。私は、彼らをとりまくさまざまな困難のなかで彼らが果たした多大な成果が、本書を通じてひろく世に知られることを望むが、たとえその望みが果たされたとしても、まだ彼らにふさわしい返礼をしたとはいえないだろう。

スタンフォード大学出版局のミュリエル・ベル（Muriel Bell）は、解釈の見直しが度重なり、原稿が遅れたにもかかわらず、常に私を励ましてくれた。彼女の聡明な助言と忍耐に感謝する。トム・レイシー（Tom Lacey）は、卓越した技量で私の文章を校正してくれた。そして私は本書の刊行にあたって、ジョン・フェネロン（John Feneron）の専門家としての助言に少なからず助けられた。

この研究の一部は、ワシントン大学ジャクソン校、ウッドロー・ウィルソン国際研究センター、ハーバード大学の韓国研究講座、オハイオのマイアミ大学で公表された。講座の出席者たちからは、その都度有益で建設的な意見をいただいた。

本研究のためのフィールドワークは、インディアナ大学が与えてくれた一年間のサバティカル（研究休暇）によって実現したものである。私のフィールドワークでの経験にもとづく考察と原稿執筆は、社会科学研究会議（Social Science Research Council）と全米専門学会評議会（American Council of Learned Societies）合同の韓国研究部会の助成金による支援を受けた。これらの助成金は、全米人文科学基金（National Endowment for the Humanities）およびフォード財団から提供された。

資本主義をつくる——ある韓国コングロマリットの社会的文化的創成・目次

はじめに

いまや、意味の問題に関心を向け解釈に特化したエスノグラフィックな実践と、調査プロジェクトの政治経済的・歴史的な含意との、完全な統合の機は熟したかに見える。

——マーカスとフィッシャー［Marcus and Fischer 1986: 85］

本書は、韓国社会の資本主義的な産業化と、それにともなう文化的変容の担い手（agents：行為主体）としての韓国の産業エリートと新中流階級について考察する。とくに、テスン（Taesóng ＝仮名）という韓国最大級の企業に勤めるホワイトカラー社員の経営管理の慣行（実践：practice）に光をあてる。

世界の各地域では、資本主義への移行の先頭に立つ特権階級が、自らの利益を増進すべく文化的に規定された彼らなりの選択をおこなっているが、テスンの新中流階級のホワイトカラーたちの実践も、そうしたローカルな特権階級の選択に対応している——このように見ることによって、人類学の視点と政治経済学の視点を結びつけるのが本書のねらいである。

西欧型資本主義の第三世界への進出が必然的にもたらす文化の変容は、ここ数年、人類学研究の定番ともいうべき問題意識になっている。政治経済学と社会理論が並行して発展するという考えにもとづいて、物質的動機と象徴的実践の結果を探求しようとした人類学者たちがいた［E. Thompson 1966; Bourdieu 1977; Wallerstein 1974, 1979; Giddens 1979, 1984; Scott 1985］。またこれらの研究者たちは、農民と新しいプロレタリアが、社会に急速にひろがる資本主義にどう対応したかを考察することをもって、一方では構造と行為主体のあいだの、また他方では各地域と国際システムのあいだの弁証法的関係を通じて、人間がどのように資本主義をつくりあげるのかを理解する一助とした［e.g. Taussig 1980; E. Wolf 1982; Mintz 1985; Comaroff 1985; Ong 1987; Roseberry 1988, 1989］。

ローカルな各地域のブルジョアジーと新中流階級が、そうした研究の中心に置かれることはなかった。研究は資本主義的産業化の初期段階に目を向けていて、そこでの主役を西欧型の資本家と農民やプロレタリアと見ていた。[1] この産業化からはほとんど得るものがなく、むしろ主として抵抗を通じてその変化に影響を与えた人びと（農民とプロレタリア）にまず焦点があたることになったのは、特権階級のほうを対象としたフィールドワークが困難だったためである。そのことによって資本主義的産業化への私たちの理解は大きく進んだが、ローカルなビジネスリーダーとホワイトカラー管理職も文化的存在［Hamabata 1990; Frykman and Löfgren 1987］であり、彼らもまた社会の資本主義化にともなう矛盾にとらえられていたにもかかわらず、その姿は見えず声もほとんど聞かれないままになっていた。[2] 本書の主たる目標は、人類学の陰の周縁部分に追いやられていた彼らローカルなエリートたちに光をあてることである。

資本主義的変化のトップランナーである彼ら（地域のエリートたち）の実践は、比較経営や企業文化、そして組織理論に関する言説において大きな関心を集めてきた。[3] しかし、それらの著作は独自の関心からスタートし、旧来の人類学の理論的概念を用いて語られている。それはパーソンズの理論に依拠しており、社会システムは構造と行為主体性（agency）とのあいだの弁証法的な相互作用［Bhaskar 1979; Giddens 1984; Archer 1988］に付随して現れるのではなく、むしろ伝統的な静的なものだと考える。こうした考え方は理念的原因と物質的原因、あるいは文化行動と経済行動とを分ける本質論的二分法［Tayeb 1988］であって、資本主義については、それを経営者個人の利益と企業利益（または「利益率」[4]）の最大化が一致することで実現される自然なシステムと解するわけである。

こうした仮説の問題性は、人類学そのほかの人間科学の、より近年の発展によって知られるようになった。たとえば、合理的選択理論は、個人と集団の利益が一致するという点に根本的な疑問を提起し［Elster 1986; Arrow1963; Callinicos 1988］、ポストモダニズムや関連する哲学の展開は、象徴的なものと物質的なものの双方を表象することとの重大な問題性を指摘し［Foucault 1971, 1978; Lyotard 1984; Rorty 1979; Clifford and Marcus 1986］、国際政治経済学は、経済的因果関係の選択可能で相反的な定式を生み出している［Gilpin 1987; Gill and Law 1988］。

韓国には、このような問題に取り組み、ローカルなエリート層を調査する場としての利点がいくつかある。ラテンアメリカや東南アジアの多くの社会に比べ、第二次世界大戦後の韓国には外国人の支配する大規模な多国籍企業が少なかった［Evans 1979; Ong 1987］。このために、生え抜きの大ブルジョアジーと新中流階級は韓国資本主義の変容に重要な役割を果たすことができた。一つの企業で人類学のフィールドワークをおこなう場合も、参考となる出版物は数多い。韓国の農村に関する重要な民族誌や、韓国の政治経済に関する膨大な著作があり、経営慣行に関する著作も数は少ないが増加しつつあって、いずれも韓国語と英語で読むことができる。韓国の経済成長はほかの多くの変化をともなったが、この二、三〇年はそうした変化があまりに急速で、それがまた資本主義化の流れをいっそう際立たせたのだった。

韓国の新中流階級は新・新中流階級である。電気が引かれていなかった地方の農村で幼少期を過ごしたオフィスワーカーたちは、その後大学を卒業し、仕事の行き帰りには自動車を運転し、コンピュータを難なく操作するようになっていた。より裕福な年配の管理職たちは、貧しくて空腹だった若い頃のことを語った。韓国に関わるようになった一九六八年以来、私はしばしば韓国人に「アメリカは変化の少ない国ですね」と指摘されたものである。

1. 方法論としての弁証法

本書は、韓国の企業組織で得られた参与観察者としての私自身の経験や、いくつかの理論的概念との取り組みのなかから生まれた。私がここで披歴するアイデアのうち、調査の初期段階から予測できたものはわずかしかない。むしろ新しい経験が新しい気づきへと私を導いた。つまり、仮説に疑義を呈し、書物を渉猟して新鮮な知見を得ることによって、私は、見聞きすることの裏に隠れた別の意味を知ることができたのである。私はまず、韓国の現代企業のホワイトカラー社員の実践のなかに認められる「伝統的」文化の役割を探ることから始めた。そのような研究に惹かれた主な理由は、私が韓国経済の変貌をこの目で見てきたこと、韓国の農村についてフィールドワークをすでにおこなっていたこと、そして経営学を学んだ経験があったこと、などであった。私の主な理論的前提は、「韓国文化は、それによって現実的な目標をいくつか達成できる一種の無形資産と考えられるのではないか」というものだった。当初私には、政治経済やよりひろい文化的変容、支配と抵抗、あるいは資本主義社会の形成といった問題にまで研究をふりむけるつもりはなかった。

私自身の変化を一つずつ数え直してゆくと、とても長い物語になる。おもに企業でのフィールドワークに依拠する第六章と七章では、私がテスンと呼ぶ企業で得た人びととの特別な出会いが、どのような形で私の理解を再構築してくれたのかを語ることになる。その出会いを経験し、自分の調査を立て直すにいたった経緯は、およそ次のようなものである。

私が最初に直面した困難の一つは、調査を許可してくれる企業を探すことだった。私ははるか昔にワートン校でＭＢＡ（経営学修士号）を取得していたので、調査の機会を与えてくれるのなら無償で勤務すると申し出たが、提案を受け入れてくれそうな韓国企業はなかった。ほとんど絶望する思いで、二、三の旧知の韓国の研究者に助けを求めた。すると、彼らが地元のビジネス・コミュニティーに接触し、私の研究の信頼性を保証してくれただけで、私はすぐに知名度抜群の韓国の大企業の本社でフィールドワークを始められることになった。私が社内で活動することを社長が決裁してくれたのだ。その会社、テスンは、過去二、三〇年の急速な成長で知られる韓国の巨大コングロマリット（ビジネスグループ）、四つの大財閥のうちでもトップクラスの企業だということがわかった。フィールドワークをおこなった一九八六年から八七年にかけての売上はおよそ一五〇億USドル、社員は八万人を擁し、韓国内のみならず国際貿易においても、当時も現在も、テスンは超一流企業である。総売上高は「フォーチュン」誌「グローバル五〇〇社」の上位一〇〇位に入り、その製品はアメリカほか多くの国にひろく流通している。[5]

大財閥は、マスメディアの報道や新聞の社説に頻繁に登場するテーマであり、私は、（フィールドワークに代わる）もう一つの情報源としてのメディアにさらに注意を払うようになった。メディアは、コングロマリットと国内の、また国際的な政治経済との相互関係について絶えず問題を指摘しており、そのおかげで私の調査は一企業を超えて、財閥へ、国民経済へ、さらには世界システムへと導かれていった。

テスンやその関係先が私を受け入れた動機はさまざまだった。私のビジネスに関する知識や経験に実際的な価値を認めて、自分の会社やオフィスに私を受け入れてくれたエグゼクティブ（上級管理職）が一人でもいた、という確証はまったくない。[6] 私を支援してくれたテスンの人たちの少なくとも一人は、「ここ一〇年のあいだ日本企業に関して多くの本が書かれたように、テスンや韓国の経営手法を称賛する本を書いて欲しい」と言った。私の研究の目標は、当初、暗黙のうちに、しかし私にはそのつもりがなかったのに、そうした願望を後押ししてしまったのだ。また、ほかの人たちは、私がフィールドワークの理由について「研究分野は韓国研究で、韓国社会を理解するために、私は二〇年前にまだ農村社会だった韓国を研究したが、いまは大きな現代的な組織を研究すべきだと考えている」とごく個人的に説明するうちに、私がみごとに工業化された韓国社会を描いた著作を刊行する可能性を彼らは暗に感じ取り、その予想に満足しているように見えた。

ことあるごとに自らの経営の実践が韓国文化の表現であると語ってきた組織のオーナーや上級管理職の目には、韓国の伝統に注目する人物は好ましく映ったにちがいない。自分の担当部署に私が机をかまえることに同意してくれた理事は、私が英文の翻訳と校閲の仕事をすることを表向きの理由にしていたが、自らまったく別の動機があることも認めていた。彼は自分の部下に、私を一人のアメリカ人として知ってもらいたかったのだ。彼の説明によれば、部下がアメリカ人と接する機会は、おおむねフォーマルなビジネス交渉の場にかぎられていた。アメリカ人はどんな国民か、とくにアメリカ人の感情やものの感じ方についてよりよく知る機会があれば、とても彼らの役に立つというのである。私は、自分が「インフォーマント」になるという皮肉を大いに楽しんだ。

フィールドワークが始まってからは、私はテスンの四つの部署で英会話を教えてほしいと頼ま

れ、ときには、ほかの部署や関連会社の社員からも校閲や翻訳を手伝ってほしいと頼まれることがあった。知り合いになった人たちのなかには、後にコングロマリットのほかの部署や系列会社に異動になった人がおり、私のネットワークをさらにひろげてくれた。私の翻訳や校閲の仕事は、ほとんどの場合、本部スタッフの比較的低い職階の人たち（一般社員〔사원〕や課長〔과장〕）と意見交換をして進めたが、彼らの意見や行動は、私が毎日顔を合わせるもっと年配の経営幹部とは食い違うことが多かった。会社への私の評価を肯定的なものに保つべく苦心していると、若手たちは、私の理解の足りない点を指摘するのが常で、ふと気がつくと私は、彼らの反抗の対象であるイデオロギーや慣行を擁護するという居心地の悪い立場に置かれているのだった。ときには、若手社員のどちらともとれるほのめかしや微妙な言葉づかいから、彼らの反抗がそれとなく感じられることもあったが、彼らと経営上層部との食い違いがもっとはっきりわかる場合もあった。こうして私は、共通の利益を求めて結束する集団を研究するという本来の関心からはずれて、支配と抵抗と利害の対立に常に注意を向けることになったのである。

この初期のフィールドワークのあいだ、私は極力詳細なノートをつけるようにしていたが、それは、参与観察の初期に受ける印象がとりわけ重要だとワード・グッドノウ（訳注：Ward Goodenough＝アメリカの人類学者）が教えてくれたからである。初期段階のフィールドワーカーは、見たものを誤解しやすいのだが、にもかかわらず、それまでほかの場所で経験したものと異なる実践にまだ慣れていないがゆえに、その初期の印象がことさら強くなるのだ。私の初期のノートには二つの事象がこと細かに記してあったが、そのどちらもが、アメリカや韓国農村部、あるいはソウルに住んだ数年間には経験したことがないものだった。つまりそれは、社内における目に見える対立の不在と序列付けの遍在、この二つである。これらはやがて、後の章で検討する大きなテーマになっていった。こうして、フィールドワークのごく初期の段階で、私は当初の調査目標を変更することになった。さまざまな慣行について、伝統的文化や利益志向、あるいはそれらの組み合わせから生まれる、などという説明を試みるかわりに、そのいずれによっても簡単には説明できない慣行に私は興味を持つようになった。これまでとは異なる解釈法を探して、フィールドワークを終えた後、書物の渉猟と考察に、私はさらに二、三年を要することになったのだった。

会社で最初に温かいもてなしを受けたこともあって、テスンの人たちが友好的な関係を築こうとする努力に私は感銘を受けた。一三年前に、任敦姫[7]と私が韓国の農村で調査を始めた時、私たちは（おもに任敦姫は）、自分たちで率先してラポール（心の通い合う関係）を築こうとしたのだが、テスン内では、会社のメンバーがそうした関係を築くための策を講じてくれた。責任ある立場の人たちは、さまざまに手を尽くして調査をやりやすくしてくれただけではなく、まるで私が新たに入社し、部署に配属された仲間であるかのように感じさせてくれた。ある理事（取締役）は、スーツの襟につける社章を私にくれた。祝日に職員が自社製品の詰め合わせをもらう時には、私も同じ物をもらった。私はまた、ある部署のひろいオフィスの最後列に、課長や部長と横並びの机を与

えられた。その位置は、私がその動きを研究したいと考えていた若手管理職たちのちょうど隣で、どの場所よりもオフィス全体がよく見えた。テスンでの初日、その部署の担当理事は、コーヒーを飲みながら話しましょうと言って私をオフィスに招き入れてくれた。本部長は、全部署の部長（부장）や課長を招集して短いミーティングを開き、私たちを互いに紹介し、私の調査がどういうものかを説明してくれた。その折に、本部長が「ところで、これはごく個人的なことだけれど、ジャネリさんの奥さんは韓国人なので、ジャネリさんは半分韓国人であるわけです」と短くスピーチをしたのを聞いて、私は、かつて農村で耳にした「義理の息子（婿）は、半分は本当の息子」という、義理の親子関係の親密さを強調する諺を思い出した。[8] その後、本部長が私たち全員をランチに誘ったので、我々はもっとよく知り合うことができたのだが、私がその場の支払いを申し出ると、「新入社員（신입사원）に奢るのと同じことだから、本部長が払いますよ」と皆が口をそろえて言った。私がもっと注意深ければ、私へのもてなしは経験豊富で熟練の部長たちの計らいだったということを、このコメントがそっと教えていることに気づくことができたかもしれない。

その部署の下級管理職たちも、友好的かつ協力的であろうと心をくだいてくれた。私に、歓迎されていると感じてもらい、周囲と友好関係を築いてくれるようにと、互いに競い合っているようにも見えた。とりわけ最初の数日間、どの課長も部長も私の机までやって来ては、その日の天気について話したり、いい趣味のネクタイですねと言ったり、最近起きたニュースを話題にしたり、コーヒーをご馳走してくれたりした。私の席の直近の課長は、タイプライターの騒音や電話の音や活発な話し声のなかでも、容易にコミュニケーションをとれるように、二人の机をくっつけてはどうかという私の提案を喜んで受け入れてくれた。私の相談相手のもう一人の課長は、私の名刺（職務は多少曖昧に「調査員」となっていた）や社員食堂の食券、専用電話、筆記用具のセット等の備品をそろえてくれた。その課長はまた、かなりの時間を割いて、自分の職歴を実例にしながら職階のシステムと報酬のランクについて説明してくれた。フィールドワークの初日、オフィスから家に帰った私は、不安からではなくコーヒーの飲みすぎで寝つかれなかった。

このようなふるまいはすべて、一〇年以上前にティソンディ村で最初に受けたガードのかたい対応とは対照的だったので、私はその違いを深く考えずにはいられなかった。ティソンディでの初期のフィールドワークは、韓国における参与観察についての私の予想と理解を形成し、社会的関係をうまく取り結ぶためのかけひきを私に教えてくれた。そして、テスンでの経験のおかげで、私は、村からオフィスへの生活の移行にともなうさまざまな変化と、新中流階級と村人とのさまざまな相違点を理解することができた。そのことを深く考えてみると、今度は、村の生活に関する自分の理解が刷新でき、以前のフィールドワークの経験のなかの、もう一つ別の深い意味に気づくこともできたのだった。

韓国のオフィスワーカーと村の人びととの最大の違いは、テスンの多くの人びととはある程度以上に親しい関係になるのが難しいという、その困難さのなかにあるのだということに私は気づいた。何人かのオフィスワーカーに、たびたびたいへん世話になったことはすでに述べたが、そのうちに私は、ティソンディで誰かと知り合いになったように、テスンでも何人かの面識を得た。[9]だが、（テスンでは）他者とラポールを築けない苛立ちが、私の心にのしかかり、私は考えを改めざるをえなかった。任敦姫と私は、同じような苛立ちをティソンディのある人物に抱いていたのだが、テスンでは、遠慮がちで控えめであることはふつうのことだったのだ。その極端な一例をあげよう。ある人が私に、「職階の低い者がイニシアチブをとる余地がない」と言って会社の経営システムを批判していた折のこと、別の同僚が私たちの論議に加わってまったく逆のことを言うと、最初に批判していた人は、説明抜きで、当初の立場と反対のことを言い始めたのだ。これは、話に加わった同僚の指摘によって、彼が限度を超えて自分の考えを表に出してしまったことに気づいたサインであるとしか、私には思えなかった。

数週間が過ぎ、そのあいだのいろいろな出来事によって、最初の数週間に感銘を受けた友好的関係のほとんどは（けっしてすべてではないが）作為的なものだったということを、私はゆっくりと、ほとんどそれと気づかないうちに確信するようになった。一人の若手管理職は、気さくで親しげなサインの多くは社会的連帯（第七章）の表現ではありませんよ、と教えてくれた。そして管理職の多くは、私の知る村人や研究者や古いタイプの中流階級の人びとのようには、個人的事情やものの見方を人前で気安くしゃべらないものだということがしだいにわかってきた。たとえば、アメリカ在住の経験や留学中の近親者のことを私に話した人もなかにはいたが、それはまわりに誰もいない時にかぎられていた。ある管理職は後に、自慢話に受け取られて嫉妬されるのは避けたいので、自分や同僚は家族の話を職場ではしないのだと説明してくれた。「自分や同僚が表に出すことと、心で感じていることとは違う」と指摘してくれた管理職も少なくなかった。

ふり返ってみれば、彼らの遠慮がちな態度にはさまざまな理由が考えられるし、そのいくつかは今ならすぐにわかるので、その頃は想像もつかなかったことを認めるのは恥ずかしいかぎりである。

テスンの社員には、生計を維持できる資産があるわけではなく、大学の教授職のような職の安定も、あるいは今の就職先に匹敵するような魅力ある転職先も見通せない。そうした点で彼らは、村人や研究者や、古いタイプの中流階級である商店主や専門職とは異なる。昇進のチャンスや終身雇用（第四章参照）の可能性さえも印象管理に大きく左右され、出世の機会は互いに厳しい競争にさらされている。こうしてみると、私がもっとも強いフラストレーションを感じたのは、私の配属された部署が、管理職たちが認めていたように、とくに激しい競争に満ちていたためだった。なかには、私の著書の出版が自分のキャリアに影響しないかと懸念する人も多少はいた。その一人は半ば冗談めいた口調で、「本が出版されれば、私はもうここでは働いていけないと思います」と言った。ほかの一人は、「あなたはA社のB部署でのC部長を研究したと書くつもりですか」と、一般的な韓国の出版スタイルにならって、会社名と部署名と自分の姓のそれぞれ頭文字を使って尋ねてきた。この部署でもっともはっきりと批判を口にするのは、転職しても失うものが一番少ないホワイトカラーの若い一般社員であることが多かった。そのため、私は調査のために買っておいた新しいポケットサイズのテープレコーダーを使うことをあきらめた。ここに記した会話はすべて私の記憶にもとづくもので、通常私はそれを一日の終わりにタイプすることにしていた。とはいえ、テープレコーダーを使ったとしても、ティソンディの村人から提供された情報と同じくらい明確で説得力のある情報はほとんど得られなかっただろう。ネイティブの流暢さにはほど遠いとはいえ、私の韓国語能力は進歩していたが、オフィスワーカーたちの発言は一般に、簡潔で隠喩に満ち、抽象的だった。オフィスワーカーたちは私が韓国の新聞各紙を読んでいることを知っていたので、誰でも知っている常識を一から説明する理由はほとんどなかった。たとえば、彼らは政府批判を長々とするよりも、全斗煥についてジョークを言うことで、政府の抑圧的性質をほのめかす。反米感情に関しては私はいささか理解不足と思われていたので、それについては意識的に、よりはっきりわかるような言い方で語られた（第六章）。

会社で多くの人と親しくなることが、ティソンディ村の場合よりもずっと難しかったのは、任敦姫がいっしょにいないせいもあった。ティソンディでは、私たちはどこに行くのもいっしょで、私は彼女の流暢なネイティブの韓国語や、対人関係の能力、村人とのあいだに友好関係を築く社交的センスに頼ることができたし、互いが見聞きしたことに対する感じ方や理解の仕方について日々議論することもできた。

テスンでは任敦姫がいなかったので、とくに女性社員の世界に踏み込むのが難しかった。男性とは、ランチタイムや仕事が終わった後には社交的になれたが、女性たちとはそういかなかったし、彼女たちはまた一日中おしゃべりに忙しかった[10]。それゆえ、残念ながら、私の調査は男性中心の視点によるものになった。商業高校出身の女性社員たちは管理職に進むことはなく、テスンに在職するのも一時的で、それゆえ新中流階級のなかでも異質で、はるかに恵まれない人たちだった。

しかし、彼女たちの視点で調査できていれば、彼女たちは貴重な洞察を付け加えてくれていたかもしれない。女性は男性と日々交流があり、男性の同僚たちは女性特有の抵抗のメッセージに常に気を遣っていた。会社組織内の女性社員の地位は低く、女性たちはそれゆえの不利益をこうむっていたが、社内の序列システムについては、男性の一般社員に比べて、はるかにストレートな物言いができたのかもしれない。たとえば、私がフィールドワークを始める前に、女性たちは自分たちの呼ばれ方（呼称）について不満を述べ、別の呼称にしてほしいと言った。私が男性たちに英語を教えているのを知ると、自分たちにも教えてほしいと言ったので、私はすぐに同意した。女性たちと言葉を交わすことができたこのわずかな機会に耳にした彼女たちの意見は、とくに貴重だった。彼女たちの発言は本書にいくつか収録されている（訳注：韓国社会では女性に呼びかける時に、たとえば金龍子〔キム・ヨンジャ〕であれば、当時はキム・シ〔씨〕、ミス・キム、ヨンジャ・シという三種類の呼びかけが用いられていた。この場合、女性社員は男性社員と同じくキム・ヨンジャ・シというフルネームで呼ぶことを求めたのであろう）。

心の通い合う関係を築くのに、私の調査はいささかタイミングが悪かった。韓国人のアメリカを見る目が厳しさを増した時期にちょうど重なってしまったのである。ある人たちは、私のことを自分たちの取引先のアメリカ人と同じ「アメリカ文化支配の代理人」（彼らはそう思い込んでいたのだろう）のように言っていた。さいわい、私をアメリカ人の見本として採用してくれた理事は、仕事が違えば人も変わると考える人だった。ビジネスで出会うほかのアメリカ人と比べて、私のふるまいを評価してくれる人もいたし、自分たちが苛立ちを感じるアメリカ式ビジネス行動の特異性を説明してほしいという人もいた。なかには、わずかだが、そのような区別をしない人もいた。たとえば、ある管理職は、よくアメリカ人がするように、ごく一般的な社員の姓を言い間違えてみせた。モロッコ研究者のポール・ラビノウにインフォーマントのイブラヒムがしたように[Rabinow 1977: 22-30]、韓国社会を理解させようとアメリカ人用に用意した手順を私に教えたがった人もいた（訳注：ポール・ラビノウはアメリカの人類学者。イブラヒムは、彼のモロッコ研究における重要なインフォーマント）。そして、アメリカと韓国の文化の違いに関する私の質問を、韓国に対する批判だと考えて、その違いを否定したり、「まもなく韓国も……（アメリカのようになりますよ）」と明言して守りを固める人もいた。私は、自分のフラストレーションについて考えるより、多くの人たちが援助し協力してくれた理由をこそもっと深く考えるべきだったのだ。

私は一人の企業人という立場に慣れていなかったので、ある種の社会的障壁を乗り越えることが難しかった。課や部、部門、さらには企業の枠を越えた接触をやってのけようと試みたために、自分たちの組織の一員として私を迎えようとしてくれた人たちを、うっかり傷つけてしまった。

フィールドノートを整理するなどの仕事を抱えていたので、職場の人たちと仕事後の付き合いができないこともしばしばだった。誰もが長時間働いていることを知っていたし、家族と過ごす時間がないという不満をいつも聞いていたので、彼らの仕事の邪魔をしたり、増やしたりすることは避けたかったから、ランチタイムなどの休憩時間を利用するようにしていた。さいわい、自ら進んで私のところに来てくれる親切な人が多かった。

社内の政治に関わりたくないという気持が私のいたらなさの原因の一つではあったが、そのような齟齬はフィールドワークの最初から起きていた。始業前に英語を教えることに同意したことで、私自身がハードワーカーのモデルになってしまっていることに気づかされた。ある年配の管理職が「あなたにできるのに、どうして自分の部下には早朝残業ができないのか」と言った時には、自分がこの会社にいるのはほんのわずかの期間ですから、と言って社員を弁護したが問題にされなかった。また、別の場面では、韓国を悪く言ったり韓国に対する批判に同調したりすることは気が進まなかったので、結果として、若い人たちが強く批判する慣行の正当性を自分が擁護し、それを支えていることに気づくこともあった。また、一対一の面談の場合には、同年輩であろうが年下であろうが、平等にふるまうことで私は、ヒエラルキー内での序列を前面に出すことを避けようと努めた。しかし、グループ会議の場合にはそれはほとんど不可能だった。誰もが序列に従って着席する場合（第五章、第七章）、私がどの席を選ぼうと、その席は社内での地位を象徴的に表現してしまうのだった。

2. 記述することのジレンマ

私の方法論的ジレンマは、ビジネスの解釈学を書き上げるところまでひろがってしまった。私がとった方法が最良だったのかどうかはわからないが、少なくとも私が考えうる最良の選択だったと思う。

私が二〇年以上にわたって韓国研究に没頭したことや韓国に九年間住んだという過去の経験はかけがえのないものであったが、私が何か特定の解釈を示そうとするときにはかえって障害になることもあった。新たなフィールドワークに挑む者には、範囲の限定された出会いからすべての情報を得るという、少なくとも一つの利点がある。私の調査に影響を与えた知識の多くは数年にわたって身につけたもので、なかには私が意識的にフィールドワークに手を染めていない頃に得られた知識もあるが、私にはネイティブなみの言語能力があるとはとてもいえないし、今となっては、そうした考えにつながるすべてのディテイルを集め直すこともできない。第一章と二章は、韓国の民族誌と政治経済に関する現存する著作を渉猟することで、このハンディキャップを手当しようとする試みである。

第一章の終わりには、現代の社会制度と都市化に関する、マーカスとフィッシャー［Marcus and

Fisher 1986: 40-44］いうところの「実験的民族誌」が含まれる。後の章でも同じく、折にふれてテスン以外の中流階級や郊外村落の人びととの対比を描いてみたが、論点を明確にするために省略しなければならないことが多かった。たとえば、毎日車で通勤する際にドライバーたちが暗黙に認め合っている非公式な交通ルールを理解しようとして、私は（韓国社会における）「人情（인정）」（困っている他人への同情。第六章参照）の役割を理解することになった。そして、フィールドワークの期間中に韓国を訪れた韓国系アメリカ人の女子学生に任敦姫が何気なく与えたアドバイスは、テスンにおける上役に対する部下の対抗戦略について一瞬のひらめきを私にもたらした。私の妻は、彼女に「毎晩八時には帰宅しなさいと祖父母に言われたら、逆らわないほうがいい」とアドバイスした後で、「八時には帰宅すると約束することね。そうすれば、帰るのが遅れた時にはごめんなさいと言えるでしょう」と付け加えたのだ。この任敦姫の言葉は、私が経営サイドからの監視を理解するのにすこぶる役に立ち、後にミシェル・フーコーを読むことで［Foucault 1978］この理解はさらに深まり、第五章に生かされることになった。

私は、文化的意味の形成が政治経済の生成とどのよう結節点を持つのかという理論的な議論を立ち上げながら、平行して個別の出来事や経験［Heffner 1990: xiii-xiv］に関する記述的な民族誌を執筆していた。もう一つ別のジレンマはそこからやってきた。私は、関連する理論的な諸問題を結び合わせるためには、構造と行為主体［Giddens, Callinicos］、物質的なものと象徴的なもの［Bourdieu, Sen］、地域的システムと国際的システム［Wallerstein, E. Wolf, Comaroff, Gilpin, Gill and Law］、政治と経済［Bourdieu, Gilpin, Gill and Law］、そして表象と実在［Marcus, Foucault, Rorty］などの関係を考察した研究者が展開する、いっそう重要な分析概念を参照しなければならないことに気がついた。しかし、彼らの抽象的な思考や特殊な言葉づかいは、アカデミックな関心が異なる読者からのアクセスの幅を狭め、具体的な出来事の説明を、ある部分だけを強調することで歪めてしまう。つまり、記述（description）の邪魔になってしまうのである。

おそらく、このジレンマは、記述的なエッセイと分析的なエッセイ［Foley 1990］という二つのタイプのエッセイを書くことで解決できたのかもしれないが、結局、その戦略は理論と経験とのあいだの弁証法を隠してしまい、具体的に何を示しているのかはっきりしない中途半端な理論的エッセイを残すことになるにちがいない。

そこで私がとった解決方法は、平易な英語で民族誌的な描写をすることによって、読者を可能なかぎり私自身の経験に近づけようというものだった。その後、分析的概念や用語法を説明するためにその民族誌を利用しようと考えたが、それはあまりに困難だったので、テキストや脚注のなかで少しだけ説明するにとどめた。

そしてさらに、いくつかの難問が控えていた。この調査の政治的な含意と、今回の調査が私自身の特権的立場にどのように関係しているのかという問題である。私は自分の行動を倫理的関与という言葉で解釈したいし、本書においてもそうしたいのだが、倫理的主張も物質的利益追求の手段であるという認識から自分自身を免除したり、倫理的義務［Bourdieu 1988］によってのみ導かれる公平無私な観察者として自分自身を規定したりするのはフェアではない。企業内部における支配と抵抗に注目すれば（この本が多くのアメリカ人に読まれるなどして）私の物質的利益はいくらか増進する。だが、それを是とするのではなく、私の利益の総合収支がとれる地点を見定めること、そこにこそ私の主要な課題があった。

テスンの新中流階級の社員や管理職たちのように、私は、アイデンティティと関心がさまざまに競い合う構造のなかで「矛盾する立場」に立つようになった。アメリカの大学研究者としての私は、韓国が達成してきたことを貶め、政治や経済、文化や知的領域［Said 1979］におけるアメリカの覇権を強めることで得をする立場にある。しかし、韓国研究者としての私は、アメリカの国民総生産（GNP）や貿易収支を向上させるよりも、韓国の行動をほめたたえることによって、はるかに豊かな個人的利益を得ることができるように思われる。近年のアメリカでは、韓国研究がにわかに隆盛をきわめ、高等教育機関での志願者増は顕著で、出版のニーズも増えている。こうした傾向は韓国経済の「奇跡」を目のあたりにしたことに端を発している。支配と抵抗を指摘することでこうした成果を暗に批判的に論じることは、恩を仇で返すことになる。[11] 私の描くテスンのポートレイトは、このジレンマを解決はしないけれど、いっぽうでアメリカの政策と実践に対するテスンの人びとの批判をできるだけじゅうぶん好意的に紹介し、他方で韓国の貿易慣行に対するアメリカからの批判を脱構築することによって、双方の利害対立のバランスをとることをめざしている。

こうしたジレンマはまた、韓国国内の利害対立の構造にも及ぶ。私たちは慎重に言葉を選び翻訳しても、知らぬ間に文化的、政治経済的現実をつくり上げている。たとえば、韓国語の「韓国（한국）」は、韓国の人びとが英訳すると、「コリア（Korea）」あるいは「リパブリック・オブ・コリア（Republic of Korea）と訳されることがほとんどだ。だが、私は、朝鮮半島の北半分を占める国家の存在が隠されるのを避けるために、用いる意味を歪めないかぎりにおいて、「サウス・コリア（South Korea）」という言葉を選んでいる（訳注：本書では、South Korea の訳語として、「南韓」は一般的ではないため、「韓国」としている）。

同様に、テスンの最高幹部を「オーナーたち（owners）」、「オーナー経営者たち（owner-managers）」と呼ぶと、彼らのオーナーとしての主張が競争の場にあることを表現できず、そのために彼らの主張を暗黙のうちに強固なものとして読者に印象づけてしまう。いっぽうで、彼らを「（大）ブルジョワジー」と呼ぶとなると、完全に受け入れられているとはいえない彼らのオーナーとしての主張に、今度は異議を申し立てる意味合いを含んでしまう。さらに、韓国の読者にとっては、「財閥（재벌）」という言葉は、「グループ」や「コングロマリット」よりもはるかに刺激的である。多くの場合、私は批判的な言葉を穏健な言葉に置き換えることで、このジレンマを解決しようとした。発言の引用には引用符（コーテーションマーク）を使用したが、ごく一般的な言葉が暗に深刻な問題を含む場合にも、注意を喚起するためにこれを使用した。韓国語の表現を慣用的な英語にしようとして、とくに言葉の意味や喚起力を犠牲にしてしまう時には、必ず引用符でくった

り脚注で説明を加えたりした。

ここで研究対象とした組織の定義と命名も、同じような困難をともなった。もともと私は一つの企業に限定した研究をめざしたのだが、最終的には、一つの企業を成り立たせているのは、政治・経済的な意味を含む社会的構造そのものであることに気がついた。韓国語の「大企業（대기업）」という用語は、財閥全体を指すこともあるし、財閥に所属する主要企業の一社を指すこともあり、曖昧である。私は、テスンという仮名を一企業とコングロマリットの双方に当てはめて、必要なときだけその二つを区別することによって、その曖昧さを伝えようと努めた。

最後の、しかし少なからず重要な一連のジレンマは、この調査を可能にしてくれた韓国のテスンやほかの企業に対して私が負うことになった両立不可能な義務に関するジレンマである。近年、人類学者は、研究対象の人びとや社会制度［Cornfield and Sullivan 1983］に対する研究者の責任にしだいに注目するようになってきているが、研究の対象となる人びとが多様でその利害が対立し合う場合には、その義務をどのように果たせばよいのだろうか。私は、誰とでも共感的に接し、対立する見方の双方の正当性を認めようと努めてみた。しかし、隠しようもないことだが、私が強い親近感を抱いているのは、多くの情報を提供してくれた地方の村人や研究者、管理職就任前のホワイトカラー、若手管理職といった人びとだ。「伝統的な」韓国文化のいわゆる権威主義のなせるわざで、これ以上の民主的な意思決定は、ほかのどの国にもまして現代の韓国にはなじまなくなっている――こうした見方には私は反感を隠すことができないし、隠そうとも思わない。そうした主張は長いあいだ、強圧的な実践を正当化するために、外国勢力のみならず韓国の特権的エリートによっても使われてきたのである。

私には企業オーナーたちに対する恩義があることを認める。彼らの許可がなければフィールドワークは不可能だった。自分たちの組織に私が入ることを彼らが厭わなかったのは、自分たちの実践は正当だという信念が強かったからだ。彼らの見方に対する私の評価はそれほど共感的なものではないが、それは、私とオーナーたちとの直接の交流の機会が、社交的な催しの折やエレベーターに乗っているあいだに挨拶を交わす程度にかぎられていたからだ。オーナーたちは私と会う機会を増やそうとはしなかったが、私から率先して働きかけるべきだったかもしれない。

フィールドワークの対象となった会社とコングロマリットの名前を完全に隠すことは、とくに韓国経済に詳しい人たちに対しては無理な話だが、否定的な評価を最小限に抑えるために仮名を使うことにした。そして、すでに企業の実名を知っている書評者やほかの人びとには、出版物や公開の場で本書に言及する際には名前を明かさないように求めた。さらに消去法によってテスンの素性が簡単に推測できないように、ほかの四つの大企業グループについても名前をあげないように努めた。オーナーたちを守るために、テスンに対する直接の評価を避けて、主要な財閥への一般的な批判を取り入れ、新聞や学術書や既存の出版物の批評を用いることで、私の評価の焦点をぼかした。私が描いたディテイルはテスンで得たものだが、私が注目したのは、すでに韓国メディアで報道されているホワイトカラーの日常ビジネスの慣行である。頻繁に公文書を使用したのは、守秘義務のある情報が表に出るのを避けるためである。

私はまた、中間管理職の人たちや管理職に登用される前のホワイトカラーたち、とくに私を全面的に信用して話してくれた人たちに対しても恩義を感じている。ローカルな力関係からくる制約だけでなく、国際的な力関係による制約のせいで声を上げることができなかった人たちの意見を表に出せたことは、私にとっていくらかの慰めになった。一部の人は、そのような声を、いや地方紙が伝えるような内容ですら、国外に伝えたくはないのだろうが。

本書は、できあがったら何冊か欲しいと数人の人から依頼を受けたこともあり、テスンのさまざまな職階の人びとに読まれる可能性がある。したがって、私は誰が誰について何を語ったのかがわからないように、とくに注意を払った。私は、たとえば、クリフォード・ギアーツ［Geertz 1973］が「厚い記述（thick description）」と呼んだような（行動だけではなくて文脈も合わせて描写する）ぜいたくをさし控えて、情報提供者の正体を示しかねない身元、職階、役職、所属部署、個人情報、コンテクスト（調査時の状況）を全面的に削除するか一般化するかした。私はそのために、伝えたかった詳細なエピソードの数を減らし、カムフラージュの手法を駆使した。管理職に対しては四〇歳を境にして「年長の」と「若い」という修飾語を使い分けることで、職位が特定されることを避けた。四〇歳を境にした「若年」「年長」という区分は韓国語の一般的な用法ではない。新中流階級の人びとは多くの場合、実際的（プラクティカル）な暗黙裏の、また明確な言説上の了解事項として、年齢の大きな境界線を奈辺にあるものと考えているのか、そのあたりについての私の判断と、さらには調査時の私の年齢（四三歳）をもとに選択したまでである。顔を修正したりマスキングしたりすると滑稽に見えるので、写真の使用は避けた。同様に私の文章は、一人ひとりの個性を消し、皆の思考からクレジット（著作者表示）を奪い、互いに約束した範囲を超える合意が表われている危険をはらむ。また私は、運よく良好な関係を築くことができた複数の部署のあいだの差異を研究したいと思ったが、そのためには彼らの活動をこと細かく明らかにせねばならなかっただろう。会社と財閥に仮名を使ったり実在の人物をX、Y、Zというふうに言い表わしたりする以外には、故意につくり変えたものは何もない。無意味のように見えるディテイルも、後々の発見に照らせば重要性を持つことがあるし、マイナーな事項もつくり変えてしまうと「ポストモダン運動」［Foucault 1978: 139-40; Marcus and Fischer 1986: 15］の精神に反することになる。私は、ほかの民族誌家と同じように、真実を語ることを約束するが、知っていることすべてを語るというわけではない［Crapanzano 1986: 53］。

各章はおおむね過去から現在へ、総論から各論へ、組織の上部から下部へと進行する。最初の二つの章は、新入社員たちが企業にもたらした文化的知識（cultural knowledge）と彼らの行動の背景を描くことをめざしている。第一章では過去二、三〇年にわたる韓国の農村文化と都市化によるその変容を検討し、第二章では政治経済に関する相反する解釈を紹介する。次に、ビジネスグループとそれを構成する系列会社について説明する。農村の民族誌から国内・世界システムの分析に移り、それから財閥について考察するとなると、私の話の流れを中断する大きな視点の移動は不可避である。私は、構造と行為主体性を関連づけ、ローカルな文化を大規模な政治的・経済的システムに統合するという、ジョージ・マーカスとマイケル・フィッシャーが人類学に提唱した［Marcus and Fischer 1986: 91-92］戦略を追求しようと試みているわけである。

コングロマリットの民族誌は、第三章のオーナー経営者たちのイデオロギー的主張の研究から始まる。第四章と五章では、ホワイトカラーの一般社員と若手管理職が受ける管理（コントロール）と監視の慣行について述べる。第六章と七章では、彼ら自身がその下で働いている伝統や政治経済そのほかの条件をどのように認識しているのかを、公式的イデオロギーや管理や監視に対する彼らの反応と合わせて理解しようとする。結論の章では、私がフィールドワークを終えた後に起こったいくつかの変化を取り上げて、この「はじめに」の最初のパラグラフで取り上げた理論的諸問題に関する総合的な立場を明らかにしたいと思う。

注

（1）例外としてはアメリカの管理職に関するジューン・ナッシュ［June Nash 1979］の研究がある。
（2）フリクマン Frykman とレフグレン Lögren の仕事に気づかせてくれたリンダ・デグ Linda Dégh に感謝する。
（3）この系統のもっとも独創性に富んだ研究としては Crozier［1964］、Pugh and Hickson［1976］、Bendix

[1956]、Morgan [1986]、Deal and Kennedy [1982] があり、日本に関するもっとも有益な仕事を一部あげるなら Abegglen [1958]、Yoshino [1968]、Nakane [1970]、Rohlen [1974]、R. Clark [1979]、Ouchi [1981]、Morishima [1982]、R. Smith [1989] がある（日本の経営管理に関する最初の書誌を提供してくれたジャネット・ニア Janet Near に感謝する）。最近では、韓国経営学協会 the Korean Association of Business Administration の「経営学研究 *Kyongyonghak yŏngu*」のいくつかの記事を含め、韓国の経営管理に関する研究も数多く出版されている。韓国のビジネスに関するその他の研究としては、Shin Yoo Keung [1984]、Lee, Jung, et al. [1986]、Jung [1987]、Yi Kiŭl [1988]、Chung and Lee [1989]、Kim and Kim [1989]、Steers, Shin, and Ungson [1989]、Kim Choong Soon [1992] がある。これらの研究のすべてが、私がここで特徴づけたような同じ問題性をはらんでいるわけではない。Bendix, R. Clark, Morgan, Yoshino, Jung の研究は、利益追求と人間の行為主体性（agency）の働きをさらに考慮したものになっている。

（4）利益率（rate of return）とは、収益（income）を生み出すための投資の総額に対する収益（income）または利潤（profit）の割合である。その意味するところは「個人は最大利益（advantage）を生み出すところに自らの資本を投資すべきだ」という考えに由来する。

（5）「フォーチュン」誌は、一九九〇年まで「年間世界上位五〇〇社」にアメリカ企業を含めていなかった。一九九〇年からは、アメリカの会社とアメリカ以外の会社を合わせてリストアップし、「グローバル五〇〇社」を作成している。

（6）社長への正式の推薦文書には、私のプライス・ウォーターハウス Price Waterhouse などの会社での会計の実務経験にはふれていなかったが、私がペンシルベニア大学で会計学を教えていたことは書き添えてあった。当時の私は、外部社会での経験よりもアカデミックな正統性による正当化が重要であることを理解していなかった。

（7）東アジアの著者名は、当人がその逆を好む場合を除いて、姓を最初に置く東アジアの形式にしたがって記してある。いっぽう、アジア系アメリカ人の著者の場合は、アメリカ人としての彼らのアイデンティティを暗黙のうちに否定することを避けて、西欧式に記した。ただし、引用と参考文献の一貫性のため、（出典を示す）東アジアの人名はすべて姓を最初に置いている。＊

（8）ほとんどのことわざ辞典では（たとえば、Han'guk minsokhakhoe 1972: 192）、「義理の息子」は「半分は本当の子供」と同じだとしている。

（9）初めて村に入った時に比べれば、私はそれほどよそ者ではなかった。後に知り合うことになる理事や部長の多くが卒業していた韓国の有名大学で、アメリカ人の学生が一年間の海外研修をする際に、私は事前研修講座で韓国の民族誌と民俗学を担当したので、そのことが私のアカデミックな評価に好ましい判定を与えてくれた。そのうえ、フィールドワークの最初の週には、私の個人的な人間関係が、家族や学会の知人たちを通じて韓国の新中流階級にまで行きわたっていたことに驚かされた。私を自分の部署に招き入れてくれた理事の妻は、何十年か前に大学で私の妻の父親（任晳宰）の講義を受けており、その理事の部下の本部長は、私の大学時代の友人だった経済学者の講義を受けていて、彼の部下の課長のうちの二人は、私の数年来の知人である韓国人の人類学者と民俗学者の講義を受けていた。

（10）調査の最終月に、この目的のために、私の調査に任敦姫を加えさせてくれるように要望したことは、断られた数少ないケースの一つだった。

（11）研究者を含め、増加する韓国人中流階級は、たとえば一九八八年のソウルオリンピックの際のNBCの番組のように、韓国に対してマイナスのバイアスがかかっていると感じられる解説には憤りを示していた。統治と抵抗の衝突にことさらに関心をはらうことは、この仕事を進める上で助力と協力を与えてくれた韓国人の研究者と私との関係を危うくすることになる。

＊訳注：「任敦姫」は原文では、Dawnhee Yim と記されているが、訳文での東アジア系の著者名は、初出時に欧文を併記し、欧文が名→姓の場合も、漢字表記は姓→名の順で統一した。なお、洋の東西にかかわらず筆者名がそのまま出典を示す場合は欧文表記を残し、または欧文表記のままとした。

第一章　韓国文化の表象

我々が伝統文化について語るとき、最初にふれるのは儒教道徳にもとづく上司と部下のタテ関係の序列と家長制家族の保守主義だ（……）。しかし、人類学的見地からは、そう簡単に語れるものではない。

李光奎［Lee Kwang-Kyu 1990: 198］

本章では、この二、三〇年のあいだに地方からの転入者が、都市に、とくにテスンのような大組織のオフィスにもたらした文化理解（cultural understanding）と実践的な知識の一端について叙述しようと思う。次に、学校、軍隊、都市に注目し、こうした近代的な社会制度によって培われた変化を細かく見てゆくことにする。この章では、どのような文化理解が、支配（コントロール）、正当性の獲得（レジティメーション）、抵抗、紛争管理などに関する認識と行動選択に影響を与えるかを見極めようとしている。国民意識（ナショナル・アイデンティティ）、リクリエーション、時間といった概念もまたテスンで起こる現象を理解するために重要だが、それらは後の章で論じられるのが望ましい。

こうした入社以前に経験される文化をごく短く紹介するのは、韓国農村の民族誌的な記述を提供することによって、「大規模な韓国の官僚組織と経営組織は、価値観、慣習、社会関係の具現化、あるいは慣性化の産物である」というおなじみの判断の危うさを示すためである。より具体的には、ここで幾つかの例をあげて、「現代韓国の企業や官僚組織の『権威主義』と非参加型経営のスタイルは、『伝統的な』社会的背景の下に培われた儒教の教えと服従の習慣、集団主義的慣行の表われである」と主張する企業のイデオロギー（第三章）と学術研究の偏見を暴くことである。

文化決定論だけではなく、このような解釈には少なくともさらに二つの大きな問題点がある。第一は、平等主義と権威への抵抗の例が民族誌のなかに多く見られることである。韓国農村の研究者のなかには、すでにこれまでとは別の解釈の構築に手を染めた者もいるが［Brandt 1971; Cho Dong-Il 1974; Chun 1984］、現代の大規模な韓国の組織について論じる研究者は、往々にしてそのような民族誌には不案内である。第二に、農村で生まれ育ったホワイトカラー社員は、農村から直接テスンの本部に新卒としてやって来るのではなく、軍隊や大学や都市での幅ひろい生活経験を経てやって来ることである。

私は、成否はともかく、農村社会の性格に関する論争の評価の定まった側に立つのを避け、むしろ農村と都市双方でのテスン社員の経験の多義性を示すことで、彼らの入社以前の経験が、後の章で述べるテスンの管理マネジメントにとっては助けになる場合も邪魔になる場合もあることを指摘しようとした。私は、農村生活に反覇権的動向が見られることをこれまでにも増して強調してきている。なぜなら「農村生活というものは権威主義的だ」という解釈がいまだに横行しているからである。農村における人間関係の経験が持つ二面性を認識することでしか、テスンで進行中の論争を理解することはできないし、権威主義的な見方がいまだにひろく受け入れられている理由を理解することもできない。いっぽうで、現代の社会制度と都市における慣行を論じる時には、私は、社会にひろく受け入れられている常識をいささかも否定することなく、より公平な説明を提示してみたい。

1. 産業化以前の韓国文化

韓国の農村社会は、地方文化がもたらす影響を研究するうえで、もっともふさわしい出発点となる。[1]ソウルは約六〇〇年にわたる歴史を有し、さらに長い歴史を持つ都市もいくつかあるが、ここ数十年のあいだに、人口の都市への集中が一挙に進行したために、多くの社員がテスンにもたらした知識のなかには、農村生活といくらかなじみ深いものがある。

一九五五年には、人口五万人以上の都市に住む韓国人は四分の一（二四・六パーセント）だけだったが、一九八四年には、その比率は四分の三（七七・八パーセント）以上に増加した［Moon and Kang 1989: 3］。農村部から都市部、とりわけソウルへの膨大な人の移動は、テスンのホワイトカラー社員の生い立ちに反映されている。コングロマリットの本部に勤務する者は、すべて首都の市街地か、少なくとも市街地に隣接する地域に住んでいたが、管理職の多くは若い頃には小さな町や村で何年かを過ごしており、今でもそこに住む親戚とつながりがあった。また彼らの会話のいくつかは、文学やマスメディアや学術研究や噂話をもとにしているという以上に、農村の慣行についての身近な知識の存在をはっきりと示していた（第七章の時間をめぐる議論を参照のこと）。二、三〇年前にテスンのコングロマリットを創設した男性もまた、最初の二四年のうちの二年のほかはすべて農村で過ごしたのだった[2]（訳注：テスン創業者は一九一〇年慶尚南道宜寧郡正谷面生まれ、一九三四年早稲田大学中退、一九三八年に大邱で創業した）。

こうして、農村文化の財閥への浸透が、ブルジョワジーと新中流階級の双方によって始まり、私のフィールドワークの時点まで続いていたが、その農村文化もまた変化を経験し続けていた。おそらく、コングロマリットの多くの若いオフィスワーカーや管理職、主要なオーナーたちが、今でも出身農村と関係があるためであろう、私には、純然たる「創られた伝統」[Hobsbawn and Ranger 1983]を識別することができなかった。しかし、それでも農村の過去の小さな断片とそれが現在とどのように結びついているかについての、大きな見解の不一致を目にしたのだった。

さいわい、韓国とアメリカ双方の研究者には、オフィスワーカーの多くが経験した農村社会についての広範な民族誌的記録の蓄積がある。私が一農村でおこなった初期のフィールドワークも、その一つである。それらの研究資料はおもに一九六〇年代と一九七〇年代をカバーしており、後の部長や課長、そして非管理職のホワイトカラー社員が農村で過ごした青春時代と部分的に重なってはいるが、その時代を完全にカバーしているわけではない。一九八六年から八七年にかけこのテスンでの私のフィールドワークでは、ほとんどの部長は一九四〇年代生まれ、課長は一九五〇年代初めの生まれ、もっとも新しい社員は一九六〇年頃の生まれだった。一九六〇年以前の農村生活については、間接的で数も少ない資料、つまり歴史学の成果、自叙伝、年長者の記憶、口承文学などからその姿を推測した。私が関心を抱いたのは第二次世界大戦以降、一九七〇年代後半までの期間だが、それ以前の時代を折にふれ垣間見ることも、戦後に韓国農村が経験した変化の方向を評価するうえで有益である。

一般に、こうした民族誌などの資料は、家族生活や親の権威よりも、階級制度にいっそうドラマチックな変化を見ようとする。とくに朝鮮戦争や一九五〇年代初期の農地改革後の時期についてその傾向が強い。また、一九五〇年代後半から一九六〇年代にかけてフィールドワークをおこなった韓国の農村社会学者や民族誌学者は、それ以前の数十年についても個人的に詳しい。彼らは韓国農村がどこまで変化したかについてさまざまな評価をおこなっているが［cf. Lee Man-Gap 1982: 73-77; Choi Jai-seuk 1975: 121］、その説明のなかに家族制度の根本的変化を見分けるのは困難である。なぜなら、彼らの家族生活の描写は、一般に、何十年も前から続いているそれ以前の家族研究や自叙伝の記述と変わらないからである［Kang Younghill 1931; Kim Tuhon 1949; Osgood 1951; Sorensen 1988］。

しかし、階級と地位に関しては、著しい変化が描かれている［Kim Taik Kyoo 1964: 166; Pak Ki-hyuk

1975: 195-96; Lee Man-Gap 1970: 345-46]。農地改革は、それまで両班（양반）として知られてきた地域社会エリートの経済基盤を短期間で事実上消滅させ、数多くの象徴的な文化的慣行（cultural practices）を変えた。たとえば、葬礼で棺を運ぶ行為は、公式には常民の地位にあることを示す慣行だとひろく考えられていたが、一九六〇年代には両班を名乗る人びとがそれをおこなうようになっていた［Lee Man-Gap 1960: 90; Janelli and Janelli 1982: 14, 26］。さらに、正式な祖先祭祀においては妾腹の子孫は参列者の後列に並ぶものだったのが、前列に加わることが当然と考えられるようになった［Kim Taik Kyoo 1964: 161-62］。一九七〇年代初頭、農村の住民たちはその変化を評して、多少誇張をまじえながら、現代では金のある者なら誰でも両班を名乗れるのだと語っていた(3)［D. Janelli 1984: 35］。

この数十年のあいだ、家族関係と血縁関係（kinship）は、非血縁的な関係とは対照的なものとして、しばしば民族誌に描かれてきたし［Brandt 1971; Chun 1984; Ch'oe 1988］、村人たち自身もそう考えてきた［Janelli and Janelli 1982: 21-22］。ここで考察すべき権威や抵抗や人間関係の和（harmony）といったテーマに関してはまさにそうである。韓国の農村では、男系による世襲という根本的原則がかなり厳しく適用されていて［Janelli and Janelli 1982］、日本の場合とは異なり、家族や血縁集団がそのまま（会社など）非血縁の組織形態のメタファーにはなることはなかった(4)。

韓国の農村文化に関する以下の私の説明は、一般に三つの主な社会制度とみなされている「家族」、「リネージ」、「村」に分かれて展開される。交代制の相互扶助金融のような社会集団（訳注：

「契(ケ)［계］」という日本の頼母子講に似た組織）やそのほかの任意団体はひとまず脇に置いておき、まず、もっとも小さな単位としての「家族」から始め、儒教的権威の古典的キーワードである〈父と息子〉という一対の組み合わせに焦点を絞る。次に、その人間関係を地域のリネージにまでひろげ、最終的には同じ村の人びととの関係へ、という三つの段階を検討するとしよう[5]（訳注：「リネージ」について、著者ジャネリ自身の定義を添えておこう。それは「少なくとも四世代前の祖先に、男子のみを通じてつながる〔父系の〕系統だった一群の人びと」（『祖先祭祀と韓国社会』R・ジャネリ」である）。

父と息子

何人かの研究者は、父親の家族への支配、とりわけ息子への支配を、管理職の部下への強固な支配を正当化し、説明する根拠としてきた［Shin Yoo Keum 1984:16-17; Lee Hak Chong 1989b:133-35; Rhee 1981: 53-54］（第四章）。それは、伝統を援用して経営慣行を説明するという、もっともよく目にするテーマである。経営学教授であるシン・ユグン（신유근）は、ほかの論者にもまして全面的に家族のアナロジーを用いており、その解釈として、家族―企業の対応関係を敷衍し以下のような主張を展開する［Shin Yoo Keum; 1984］。①家族の「和」が社内の人間関係の和（人和団結＝後出）を説く基礎となる、②父親と息子が一家の福利のために働くことが、管理職と部下が会社の福利のためにともに働く源(みなもと)となる、③家族の年齢重視が、第四章で述べる年功序列（연공서열）の賃金と出世の制度の基礎になる。シン自身も、現在の組織慣行の起源を伝統に求めるにあたって、

自らが文化決定論的（문화결정론적）立場をとっていることを強く自覚していた［Shin 1984: 10］。父権的支配と経営管理のあいだに類似性を見出すことができたため、シン・ユグンを始めとする韓国の研究者にとっては、家族と会社のアナロジーが受け入れやすいものになった。息子に対する父親の君臨は、人類学的関心が韓国の現代企業に向くはるか以前から、私自身の研究を含めて韓国民族誌の主要なテーマだった［Osgood 1951; Brandt 1971; Janelli and Janelli 1982］。

たとえば、私と妻が一九七〇年代初期と後半にフィールドワークをおこなったティソンディでは、息子が目立たない形で父親に抵抗することはあっても、公衆の面前で父親と議論する姿は見たことがなかった。少なくとも公衆の面前では、息子は父親がそばにいるときぎこちない素振りになり、それゆえに息子は父親を避けるのがふつうであった［Janelli and Janelli 1982: 45-48］。君臨する父親の支配と、その統制に公然と立ち向かうことの難しさを描いた胸を打つエピソードは、性別を問わず、韓国の子どもの生い立ちの記や文学作品に何十年にもわたって登場している［e.g., Lih 1966: 29; Kendall 1988; Kang Sŏk-kyŏng 1989］。

管理職と父親の類似性を論じることの難しさは、それが真実であるかどうかよりも、どこがどの程度似ているのかという点にある。現実の経験に照らして、その類似性が一般的に立証可能であるか無効であるかを判断するのは、あまりに抽象的である。父親は実際に息子に対してかなりの支配を及ぼすが、父親の権力は家族のほかの成員によってチェックされており、そのチェックは管理職による部下の支配の場合より厳しい。言い換えれば、家族は集団的な意思決定のユニットだという言い方もできるし、この表現には、一般に考えられている以上の大きな妥当性がある。

男性は形式的には家族や世帯の戸主（호주）とされてきたが、近年の韓国とアメリカの人類学者の研究［Kendall 1985; Cho Haejoang 1986; Lee Kwang-Kyu 1990: 197-208］は、これまで受け入れられてきた古い見方を改め、農村の家族経営において女性が果たす役割を再評価する方向にある。李光奎が述べるように［Lee Kwang-Kyu 1990: 204］、「韓国（我々の国）では、主婦（主婦権者婦人 주부권자 부인）の力は家長の権威を抑制する働きを持つ」のである。さらに、家族の意思決定に調停者としての女性の影響が働かない場合にも、息子はいつも父親の要求に唯々諾々と従うわけでもない（父権支配に対する息子の抵抗とテスンでの部下の対抗戦略とのあいだには類似性がある。そうした抵抗の形式は、この問題についての学術論文にも、テスン社内の会話にも表われてはいないが）。もう一つの父―子関係の解釈として、儒教的「孝」の観念や運命共同体（利益の共同体）という視点から、親による支配の正当性を強調したり、息子の側の、ごまかす、あるいは何が親や家族の利益になるかを再解釈する、といった抵抗を強調することもできるかもしれない。

「孝」また「孝行」という観念は、父親の権威を正当化するための主要なイデオロギー装置だが、韓国におけるこのモラル規範は、ユダヤ＝キリスト教や近代西欧における「両親に従う義務」という観念とは一致しない。西欧の親たちと同じく、韓国の親たちは「未熟さのゆえに自分の利益を理解できず、その追求のしかたもわからない子どもたちにとっては、親の支配に従うことがもっとも利益にかなう」という信念にもとづいて、折にふれ自分たちの権威を正当化しようとした。しかし反面、家族内の既成の利害関係一式が簡単に別のものに置き換わるわけではないし、常に子どもの権利を主張して親の支配をチェックできるわけでもない。子どもの最良の利益を守るためだとして子どもの監督権を争ったり、子どもの権利が侵害されたとして親の監督権を奪ったりすることは、とくに親子関係に関する韓国の文化理解にはそぐわなかった。韓国の親たちは、むしろ子どもとの意思の衝突や利害の対立を避けようとした。親たちは、たとえば子どもに懲罰を加えて脅すよりも、家庭の外にある危険を警告しようとする傾向が強かった［Janelli and Janelli 1982: 34-35; cf. DeVos 1986: 351, 365］。

西欧では当然と思われることをしようとする場合も、子どもが自分の能力が親と同等か、むしろ優れていると思う場合には、親子関係の難しさがあらわになる。こういう時にアメリカの親がよくとる戦略は、財産権という別の一連の権利に訴えることだ。「この家にいるかぎり、お前は私の言うとおりにしなければならない」という言葉にはまったくの冗談とは言い切れないものがある。息子や娘が親元を離れて別に家を建て、自分自身で収入を得るようになった後には、親の権威はなくなりはしないが、急激に減少する。西欧の資本主義的組織で、部下に対する経営管理を正当化するために財産権がよく引き合いに出されるのは、おそらく偶然ではない［Tosi 1984: 40］。

個人の権利と所有の権利、親対子の利害対立、そして服従の重視――こういった事柄は、「孝」をめぐる韓国の言説のなかでもっとも重視されるテーマだというわけではない。ある人は権利の代わりに互酬（相互利益供与＝後述）を見ようとし、ある人は利害を対立させるのではなく互いに福利を願い合うことに気づき、またある人には、はるかに多くの場合、両親への「服従」ではなく「恩返し」という言葉が耳に届くのである。これらの観念は、子どもたちの対抗戦略を可能にする別の文化理解に影響を与え、また、そうした文化理解の影響を受けてきた。

「互酬」は、孝行について書かれ語られる話のなかで、おそらくもっとも繰り返し登場するテーマである。子どもたちは、生を授かったこと、幼い頃に甘やかされて育てられたこと、子育てのために親が努力と犠牲を払ったことなどに対して、親に借りがあるのだとひろく考えられている。とくに息子は、その借りを永遠に返し続けなければならないと言われている。子が思春期を終えれば子育ては終わるが、子の義務は親が生きているかぎり消滅することはない。その義務は親の死後にも及ぶ。先祖を祀る家内祭祀で、子どもが死者に対して読み上げる礼拝文には「親に対する子の恩義は、まるで空のように果てしがない」とある。棺が村から墓地に向かって運ばれてゆくあいだに歌われる韓国の葬礼歌は、子どものために親が払った犠牲を列挙して、そのすべてに報いるのは不可能であることを延々と繰り返すのだった［Janelli and Janelli 1982: 66-67］。

しかしながら、どのようにこの返済をなすべきかは、まさに文化理解と個別の事情による。親の意志への服従と従属というユダヤ＝キリスト教的モチーフの代わりに、韓国でもっと重要視されるテーマは、親を悲しませず、親に慰めを与え、年老いれば介護をし、亡くなった後には祭祀をとりおこなうというものだった。孝行は時として、親の幸せを守るために率先して行動するという、さらにやっかいな責任を子孫に課す。ただ単に親の要求に応じるというよりも、息子には、目に見える要求に応えることが果たして親にとってベストかどうかを判断することも期待されている。こうした期待についてはおそらく、儒教の古典［Tu 1986: 181］やその他口頭の伝承がその正当性を保証していただろう。ヒロイックな孝行話の多くは、子どもたちが親の必要を理解し推測して、自ら進んで払う犠牲を主題としている［Choi In-Hak 1979: 163-76］。真に献身的な子どもたちは、何をすべきかを親に告げられる必要はないのである。

財産権の付与もまた、子どもたちに対する親の支配を正当化するために使われる。財産は、法的には世帯の戸主の名前で登録され、国は戸主の法的処分権を認めていたが［Sorensen 1988: 165］、村人たちは、財産は個人に与えられたというよりも世帯全体に対して与えられたものだと理解していた。(6) 財産権を誰が持つかという問題それ自体よりも、一家に起きた問題の処理のほうが、父親と息子の争いの的だった。「誰の利益が優先されるべきか」よりも、「誰が家族の共通利益を管理するのにふさわしいか」をめぐって世代ごとの意見が違うことが、彼らのあいだの長期的な利害の対立をわかりにくくしてしまうのだ。息子が複数の場合には、父親は取り分を少し取り除けておき、次男が家を出て世帯を別にしたときにその分を分け与えた。長男の取り分が多くなることは、長男が親の世話により多く責務を担い、祖先祭祀をとりおこなうことで正当化され、また分家の際の互いの世帯の大きさの違いで正当化されることもあった。財産分与は、かなり穏やかにおこなわれてきたと思われるが、父親が早逝したために残された息子たちに財産分与が委ねられる事態が起きた時には、利害対立が表面化することがある。後の章で述べるように、共通の利益という概念は、しばしば企業のイデオロギーに取り入れられるが、簡単に管理職と部下の関係に移植されたわけではない。

親孝行という観念と一家の財産の性格を一つの文化として理解することによって、父権の支配を弱めるためのもっとも効果的な戦略が何であるのかを知ることができる。子どもたちは、親と衝突したり、公然と反抗を口にしたり、独自の権利を主張して親を悲しませるよりも、親の命令をかわしたり、そらとぼけたり、あるいは双方にとって都合の良い別の解釈を提案したり、静かに対応をすることが多い。多くの農村の慣行は物理的に父親を息子から引き離すので、息子はしばしば親の監督を避けることができる。彼らのうち一人だけが、ふつうは既婚であれば息子のほうが村の会議に出席する[Choi Jai-seuk 1975 : 118]。そのほかの機会においても韓国の農村では息子たちは意図的に父親を避ける［Janelli and Janelli 1982: 48］。また、息子の農作業に対する父親の監視も、現代のオフィスにおける管理職の部下に対する監督よりもはるかにゆるやかである（第五章）。

息子がよく用いるもう一つの対抗戦略は、本心を隠して従順を装うことだった。親孝行の教えが、子どもの一番の義務は親を心地よくさせること、悲しませたりしないことだと強調しているからには、親を不愉快にさせなければ、不服従はそれほど非難すべきことではないのである（それは、もちろん周囲の年長の世代がそのことを見逃したり、気がつかないふりをしてくれれば、という話だが）。従順を装うことが、親を心配させない方便と認められれば、称賛に値することさえありえただろう。父親の命令に対する子どもの反応に影響を与えた韓国の文化的知識のなかには、公然と反抗的な態度をみせたり対立をあらわにすることは、黙って従わないでいることに比べて、はるかに深刻な侮辱になるという確信もあった。自分が本心を偽っていると公言する韓国の息子はまずいないが、それはアンソニー・ギデンズ Anthony Giddens［1979: 25］が「実践的意識（practical consciousness）」、つまり「いかにふるまうべきかに関する暗黙知」と呼ぶものの一種であるように思われる。最近、人類学者の姜信杓（カンシンピョ）が、「たとえそれが父に嘘をつくことを意味しても」不必要な悲しみを与えないために父を欺く息子が正しいとされた事例を観察して［Kang Shin-pyo 1987: 98］、それを言説的意識（discursive consciousness）のレベルに持ち込んだ。

さらに、とくに親たちの晩年に息子たちが採用する第三の対抗戦略がある。それは、親にとって何が一番よいのかの解釈に独自の思案をめぐらすことである。親孝行は、親に盲従するよりも、何がもっとも親のためになるかを考えて行動することを重要視するので、とくに親が高齢になった場合には、親の思いとは反対の結果になることがよくある。たとえ年長者の反対があっても、親の代わりに行動しているのだと言えば、息子は自分のおこないを正当化することができた。このことは、高齢の親は現役生活から穏やかに引退し、家庭の日々の問題には口をはさみすぎないことが期待されているという、もう一つの文化理解にも支えられていた［Janelli and Janelli 1982: 43-47; Sorensen 1988: 165］。

親の支配に対抗する戦略は、村の一人の年長者が淡々と語ってくれた、父親とのあからさまな対立のエピソードに示されていた。当初、妻と私は、高齢の親を介護する難しさを説明する例としてこれを用いたが、息子が父親の権威に対して上手に闘った好例でもあった。彼はその出来事の起きた年は伏せていたが、彼の両親の死にはさまれた一九六〇年代初期のことと思われた。

妻の死後、父親がとても寂しそうにしていたので、息子は父親を同年代の女性と付き合わせようとした。残念なことにその女性は陰謀家で、父親はどうしようもなくのぼせ上がってしまった。すぐに女性は、財産をすべて自分の名義にするように父親を説得し始めた。父親がついに承諾すると、私たちのインフォーマントの男性（息子）は家を出て行ってしまい、父親がその女と別れるまで帰るのを拒否した。長男の助けなしでは暮らしていけないことがわかっている老いた父親は、ついに息子に折れた［janelli and Janelli 1982: 49］。

この反抗によって、息子の評判が深刻な痛手を受けたとは思えなかった。それは彼が自分の相続財産を守るよりも、父親を含めた家族全体の利益を守ろうとしたのだと上手に説明したからである。実際、かつて彼は親孝行によって町役場から表彰されたことがあり、我々が知るかぎり、そのような認定を受けた村人は彼のほかにいなかった。

親孝行というイデオロギー的要求に対応するために、息子たちは、逃げたり、ごまかしたり、（親のためになる行動の）自分なりの再解釈をしたりすることはできても、無傷というわけにはいかなかった。すべてが道徳的規範にかなう行動だとして、もっともらしく正当化されるわけではない。戦略が成功するか否かは、その行動を個人的に不愉快だと感じる人たちを説得することができるかどうかにかかっていた。親に対する行動のなかには、道徳規範をどう緩めてみても正当化するのが難しいものもあり、年老いた親にふさわしい扱いをしていないと言って村人が子どもたちを批判することが少なくなかった。たとえば、ティソンディの二つの世帯では、中年の長男が、村の誰もが知っていたことだが、親と良好な関係を築くことができずに、文化的に期待される息子としてのありように反して親と離れて暮らしていた。

社会的地位の低い世帯では、親孝行に反するさらに目に余る事態が起きていた。道行く人に見えるよう道路沿いに建てられる孝行息子の顕彰碑が示すように、孝行は人に地位を与え、その地位は韓国の農村社会における政治的経済的な優位性をもたらしていた。しかし、地位が物質的な成果を生みにくいコミュニティでは、見た目を維持しようという動機は働かない。グリフィン・ディックスは、村人たちが両班階級に対してほとんど自己主張できない村を研究対象とし［Dix 1977: 120］、父と息子の衝突が暴力や流血沙汰にさえ及ぶ事例を折にふれ観察している。そして京畿道長南面漣川郡ソクポを調査したヴィンセント・ブラントはこう記している［Brandt 1971: 202, 205-207］。「息子と父親、あるいは兄弟間のあからさまな対立は、頻繁ではないがまれでもない。一〇八世帯のうち、この件で常軌を逸しているといえるものが少なくとも一〇軒はある」と。こうしたケースは、すべてソクポ集落の社会的地位の低い人たちのあいだで観察されている。いっぽうで、地位争いに関係のない、社会的にいっそう高い階層に属する人たちにとっては、徳を守ること自体が報奨であった。
「支配する父親」は、どの村でもただのフィクションではなく、そのイメージは人びとの経験と文化理解の一部をなしていた。青春期の息子は、そうした文化理解の求めに従うのにじゅうぶんな年齢に達してはいても、息子独自の見解を受け入れてもらうにはまだ若すぎるので、父親の強い要請の言葉から逃れるのは至難のわざだった。この時期の父親の支配は、戸主の権力を重視するシン・ユグンを始めとする研究者が描く「戸主の絶対的な権力」に、おそらくきわめて近いものだったろう。

しかしながら、このモデルを企業社会の人間関係にまで敷衍するとなると、さまざまな難しい問題が現れる。幼少期に受けた福利への恩義や財産共有の意識はもとより、「回避」を始め息子がとりうる抵抗のメカニズムさえ、一九八〇年代のテスン社内の現実には適合しなかった。現代の企業においては、管理職とその部下のあいだの利害の対立を隠すことは難しかった（第七章）。さらに「逃げること」や「ごまかすこと」も、社内の徹底した監視の下では困難だった（第五章）。部下たちは、お互いの（すなわち自分たちの会社の）利益のために何がベストかにもとづいて上役の実践に挑戦したが、それは単なる個人的な試みにすぎず、昇進のシステムが経験豊かな者により多くの権力を与え、管理職は老年を迎える前にリタイアするのだった（第四章）。農村部においてさえ、儒教的道徳家はともかくとして、父親の息子に対する支配をそのほかの社会関係のモデルとして引き合いに出すことはまずなかった。

リネージ

家族に焦点を絞った多くの解釈に見られるように、ヒエラルキーと人の和は、韓国農村のさまざまな関係の一部分（そのごく狭い一部分）を表わしているにすぎない。本節と以下の節では、そうした表現では、家族関係を超えた集団（リネージ）を描くにはふじゅうぶんなことを示したい。第一に、家族集団に見られる関係をコピーすることだけで非家族的な関係を公平に描くのは困難であること、次に、とくにそのような超家族的集団の一般的な慣行は、現代の経営手法とはかけ離れていることを実証する、これが私の目標である。現在の経営方式は、むしろあからさまな支配や対立の隠蔽が表に出ないように努めている。韓国の経営統治の基礎は家族内に多くを求めることはできず、むしろそれは社会全体の階層性や人間関係の和の維持の重視、圧倒的な儒教的性質のうちに見られると考える人たちがいるが、私は、本書に示す解釈をそうした人びとに応えるつもりで提示している。

リネージ内の支配戦略を特徴づけている文化理解は、家族内の支配戦略を特徴づける文化理解ほどには、現代の経営慣行にじゅうぶん適合した基礎を提供してはいなかった。統括するトップの存在しないリネージは、世代的な距離が離れるとともに急速に敬意が失われ、また親族関係の距離が離れるにつれて対立があらわになる。この二つの傾向のあいだには関連がないわけではないので、私はそれらを同時に追求しなければならなくなる。

ブラント［Brandt 1971］は、韓国のリネージはヒエラルキーと権威に関する共通理解によって幅ひろく統治されており、リネージの慣行のなかにこうした解釈を支えるものがある、と論じた。リネージの成員は世代、年齢、族譜上の位置にもとづく地位のヒエラルキーを承認し、父親に対して示される敬意は、ほかの父系親族、とくに父の兄弟や従兄弟や又従兄弟に対しても示される。たとえば、男性は通常、父親の兄弟の前ではタバコを吸わない。

けれども、そのような目上の者に対する敬意は親族関係の距離とともに減衰し［Brandt 1971: 137］、リネージの年長者の政治的優位は、例年開かれるリネージの寄り合いや祖先祭祀、あるいはリネージの所有財産に関する話し合いのような、格式が高く親族志向的な集まり以外には、まれにしか発揮されない［Brandt 1971: 103］。

ブラントが親族の関係を概して階層的と特徴づけたのは、近い男系親族のあいだの地位の違いのせいであることは明らかである。しかしながら、より遠い男系親族のあいだでは、いっぽうが他方より高い地位を享受することを可能にする評価基準には、一般に矛盾するところもあって、年長者が若者の世代に属しているというようなことが起こる（訳注：韓国には、リネージごとに共通の祖先を戴く「族譜」と呼ばれる家系図があり、族譜を見れば自分が祖先から数えて何代目の世代に属するかがわかる。そして成員同士の年齢にかかわらず、族譜上の世代が上であれば「目上」であり相手に敬意を払う必要が生じる。逆に相手の世代が下であれば「目下」であり、自分が敬意を受ける立場になる。リネージの成員の数は、数百万に及ぶことがあり、しばしば世代と年齢の関係がずれる）。

このような矛盾は、ティソンディでの敬意を競い合う基礎となる。たとえば、ある村人は、年

齢的には一つ上だが世代的には下位に属するリネージのメンバーを、冗談まじりに形式のうえでは「甥御様（조카님）」にあたると表現した。また別の一人は、ティソンディでは「年上の兄弟」（すなわち年上の男性親族）や「叔父さん」（すなわち族譜の上の世代）の住民ばかりなので、誰にとっても何かを成し遂げることは難しい、と強調した。

慶尚北道の河回一洞（하회일동）では、年齢や世代の違いによる対立を融和させる段取りが進められてきたようである。金宅圭（김택규）は、「一〇歳の年の違いは一世代の違いと同じ」という趣旨の諺について述べている［Kim Taik Kyoo 1964: 146］。しかし、彼はその諺の正しさには疑問を呈し、その諺どおりであった実例をあげていない。そして、もし実際に、河回一洞の男系親族のあいだで、年齢や世代による地位関係の融和がなんとかなされたとしても、年齢、世代のほかにも地位を主張する競争の基準は残されていた。本家系統の子孫が、「自分たちは族譜上の立派な位置にあるのだから地位が高い」と主張したのに対して、分家系統の子孫は「自分たちはより高名な祖先に連なる子孫だから自分たちのほうが地位が高い」と主張したのである［Kim Taik Kyoo 1964: 168-70］。

判定に手間取るこのヒエラルキー問題は、韓国のリネージに関するほかの民族誌の報告においても明らかで、さまざまな基準で権威を主張する男性グループによって事務の運営されるさまが描かれている。農村のリネージにおけるリーダーシップは、指揮命令系統としてよりも、長老による合議制として叙述されるほうが実態に即していた［Brandt 1971: 102-4; Janelli and Janelli 1982: 21-

22, 128-29]。いくつかのリネージでは、影響力のあるグループのメンバーが実際に全員年長者というわけではなかったが。

リネージは通常、フォーマルな代表者として「門長（문장）」を一人置くが、これらの親族グループは一人の人物によってではなく、男性有力者の集団によって統治されている例があることをいくつかの民族誌研究が報告しており、その統治者たちは、通常は年齢と世代が上で、学識と人徳をそなえ、族譜上の序列が高く、経済的に豊かな人びとによって構成されている[7]［Choi Jai-seuk 1975: 273-75］。

フォーマルな役職には、門長のほかに、書記（서기）、会計（総務〔총무〕）、有司（유사）、そして親族集団の起点となる宗家の当主である宗孫（종손）が含まれる。ただし、この役職者の権威の淵源は一つではなく、リネージを独力で統括できる者はいなかった。

ティソンディを例にとろう。リネージの最有力者の男性は六〇歳前後で、会計（総務）を担当していたが、彼の影響力はひとえにその社交的能力と話の上手さによるものだった。リネージのほかの成員たちのなかには、彼よりも年上で、世代も上で学歴にもまさり、裕福な者もいた。実際、この有力者の男性は自分がリネージを支配しているように見られないように、細心の気遣いを示していた。リネージのある寄り合いが始まる少し前に、参加者の一人がリネージの基金に融資を求めようとしていることを察知した彼は、ほかの年長の男性親族たちに、その人物が過去の貸付金を完済していないことを指摘して、これ以上の融資には反対してくれるようにと願い出た。

そして彼らの賛同を得ると、貸付に反対しているのが自分だけだと思われないように、融資を断る段になったらその旨はっきり言ってくれるよう要請したのだった。

たしかにティソンディには、「年長者」（老人〔노인〕）と「若衆」（若い人〔젊은 사람〕）と呼ばれる、年齢をもとにした二つの分派が存在するため、年齢によるヒエラルキーがより一般的なものになっている。フラストレーションを抱えた若い成員は、年長者がリネージ内の事案を取り仕切っているとして、しばしば不満を述べたが、それでいて若者の分派は、リネージの運営に少なからぬ影響力を及ぼすこともできた。皆の話では、一九六〇年代の半ば、自分たちの親族グループが葬儀の棺の担い手を近隣の村から雇うのをやめるよう力説したのは彼らだった。若者の分派は、一九七〇年代半ばには（リネージの成員が数のうえで優位に立つ選挙で）自分たちのリーダーを村長に当選させることに成功しており、ついにはリネージの会計担当に祭閣の建設と一族祭祀の簡略化をしぶしぶ認めさせた［Janelli and Janelli 1982: 145-46］。

年長の男系親族に対する敬意が、服従やあらゆる抗争の抑制に自動的に姿を変えるわけではなかった。ティソンディの若いリネージの成員たちは年長の親族に対しては丁重で、ふつう村の寄り合い以外の場では彼らとの対立を避けているが、若者たちにリネージの年長者の要求を免れる戦略がないわけではなかった。

傍系親族の男系の年長者に対しても、リネージの若者たちは年長者の支配に抵抗するために「言い逃れ」や「ごまかし」、「再解釈」などの手を使った。一九七三年には、一族が主催し、年長者が采配をふるった祖先祭祀に、若い男性はほとんど参加しなかった。彼らの何人かは祖先祭祀に異議を申し立てた。祭祀に充てられるリネージの共有財産を売却して、将来有望なリネージの若者の教育資金として活用するほうが、よりよい孝行の形だというのがその理由だった。

そしてまた、リネージや村の運営をめぐって、三〇歳も年長の男性親族としのぎを削る一人の若者がいた。ある日、その年長者が激高し、大声でその若い男系親族を非難し始めたが、若者のほうは反論や抗議や防御をすることなく、その年長者の視線をじっと避け通した。さらにまた別の機会に、その年長者は、村の行楽用に解体した動物の一部を同じ若者とその仲間が処分しようとしていたことで、若者に訓戒を垂れた。廃棄物を埋めようとした場所は村の井戸に近すぎる、そう言って年長者は若者たちを諭し、もっと遠くの場所を探せと命じたのだ。若者たちは抵抗のそぶりも見せず、ただ場所をほんの少しだけ変えて、その年長者の視線が届かない建物の裏側に廃棄物を埋めた。さて、しばらくして行楽行事が始まると、年長者たちは、新しく結成された農楽隊のために村が購入した楽器を演奏したいと言いだした。ところが若者たちは楽器を隠してしまった。若者たちは、自分たちだけで自由に楽しみたかったので、年長者には早く帰ってほしかったのだ。

リネージではまた、成員のあいだのもめごとが、家庭内と違ってはるかに公然と表現される。リネージ内での口論は、家族内の言い争いとは違ってそれほど恥ずかしいことではなく、よりひろく知れわたるので、村民たちは積極的に口を出し、自らの関わりを明らかにするのにやぶさかではなかった。兄弟間のもめごとはスキャンダラスだと考えられたが、兄弟よりも遠い男系親族やその家族との対立は公然たるもので、とりわけテスンのオフィスワーカーの対立に比べれば、はるかにオープンにされていた（第七章）。ティソンディで暮らしていた時には、人びとはしばしば、従兄弟やさらに遠い親族が戸主を務める世帯の成員への怒りを私たちに語った［Janelli and Janelli 1982: 114］。金宅圭も同じように、河回一洞のリネージ内の二つの大きな分派のあいだのあからさまな対抗意識と、それぞれの派のなかの小集団同士のもめごとを報告している［Kim Taik-Kyoo 1964: 168-70］。

村

家族やリネージのように、村にもまたヒエラルキーと平等主義的慣行の双方が存在し、同じ村の者同士は和を維持しようとしているが、それでもしばしば公然たる抗争になることがある。学術的な文献では、親族関係がことさらにヒエラルキー的側面を強調して描かれがちであるのに対して、村の人間関係のほうは平等主義的な特質が誇張される傾向にある。少なくとも一九六〇年代から一九七〇年代までは、村内に政治的・経済的な優位が存在することは、表向き公平な慣行によって隠蔽あるいは偽装されることが多かった。しかしながら、村の統治の問題や家主と借家人との関係、あるいはさまざまな階層の集団があるなかで、それ以前の数十年間、そのような隠蔽や偽装の戦略が、どれほど長く優勢であったのかを突きとめるのは難しい。

村を治めていたのは通常は一人の個人ではなく有力者による評議会であった。各村には公式の統治機構として里長（이장）と班長（반장）が置かれ、それぞれの区分地域を担当していた。しかし、一九五〇年代以降の村の統治機構や「リーダーシップ」を扱った民族誌研究が描き出したものは、資産、年齢、学歴、村の枠を越える事柄についての知識、人徳についての評判、有力両班の資格、そして有力リネージの成員の資格、といったさまざまな条件を満たす、地域の名士（有志〔유지〕）によって構成される非公式（비공식）な統治機構の姿であった［Lee Man-Gap 1960: 184-85; Pak Ki-hyuk 1975: 89-91, 128-30, 155-158; Choi Jai-seuk1975: 565-573; Dix 1977: 410, 415-416］。それゆえ、この特権的集団の成員たる資格は、土地の所有と威信、つまり経済資本と象徴資本［Bourdieu 1977: 177］――それぞれが韓国農村内の家庭相互の関係を経済的・政治的に管理するための主要なツールであった――と緊密に結びついていた。[8]

年齢が有力な地位にあること示す基準だからといって、その重要性を過大評価すべきではない。多くの民族誌（エスノグラファー）研究者が、村でおおやけの敬意が払われる基準として年齢に注目していたが、彼らは一般に、年齢による優越は限定的で実際的（プラクティカル）なものだと結論づけていた。たとえばブラントは、平等でざっくばらんな雰囲気が支配的な集会について、「たいていの場合、そのような集会の参加者の多くは同い年である」［Brandt 1971: 147］と記しており、別の箇所では、「そのような集会に年長の者が加わると、陽気でざっくばらんな雰囲気が損なわれる」と付け加えている［Brandt 1971: 158］。しかし、そうした年齢の違いが、権力の基礎として大きくものをいうのは親族の内側だけのことで、親族の枠を越えてしまうとそれははるかに弱くなった。「誰も彼に反論しようとはしなかった」［Chun.1984: 42］という全京秀の表現は、おおやけの集会で年長者に払われるべき敬意の性格を絶妙にとらえているが、いっぽうで全京秀は、「村内の事柄に対してもリネージ内の事柄に対しても年長者には権威がない」ことを見逃さなかった。ブラントが言うように、「形式的な敬意と権威は同義語ではない」［Brandt 1971: 94］のである。

ブラントは、年長の男性は、村の集会では家族の集まりに出たときよりも控えめなわずかな敬意しか受けられず、その影響力も家族の集まりには遠く及ばない、という事実に気がついた［Brandt 1971: 232］。村内においては、年齢差はフォーマルな敬意の獲得に、親族内ほどにはものを言わないことをほかの民族誌研究者もはっきり指摘している。[9] たとえば、崔吉城によれば［Chŏe Kilsŏng 1988: 95］、男系親族のあいだではたとえ一時間の年齢差でも意味があるが、非親族とのあいだでは五歳の差もしばしば無視されるという。[10] しかし五歳を越える歳の差があっても、実権をともなうことはなかったのである［Chun 1984: 41-44］。

ティソンディでは、なれなれしさや、冗談や、あふれんばかりの活気が年齢差を超えて飛び交うのは、若いリネージの成員と非親族の年長男性とのあいだにかぎられていた。それは、非親族の男性の地位の低さの反映であり、経済資本と象徴資本の欠如の表われだった。その年長の男性は日雇い労働者で非親族であったが、親族で、しかもより裕福であれば、彼らはその年齢にふさわしい敬意を示されたはずである。これら恵まれない世帯の人たちが、こうした事柄について率

直なもの言いをすることはほとんどないのだが、「――シ（씨）」でなく「――ソバン（서방）」呼ばわりされたことを始め、非親族の者がこうむる屈辱感に関して、ある戸主が任敦姫に縷々不満を漏らしたことがある（訳注：ソバンは婿や夫など近しい男性に対して使われる敬称だが、呼ばれた者は呼んだ相手との関係性によってはそれを屈辱と受け止めたにちがいない）。

影響力は年齢を重ねて得られるものではなかったし、少なくとも年齢だけで得られるものではなかった。村を統治する有力者（有志）グループのメンバーであるためのほかの基準が示しているように、財産と威信もまた重要だった。そこには、一段と大きなヒエラルキーと支配が見られるが、二〇世紀を通じてこれらの基準は、双方とも大きな変化をとげてきた。

日本の韓国併合（1910-1945）は、韓国農村における借地の大幅な増加をもたらした。日本の植民地政府の出版物の示す数値によれば、一九一八年と一九三二年のあいだだけでも、土地を持たない小作農は農業人口の三八パーセントから五四パーセントに増加した［Grajdanzev 1944: 108］。その一四年間の最後の時期には、農業人口のまた別の四分の一が、小作と自作を兼ねる農民によって占められ［Grajdanzev 1944: 108-9］、小作農は収穫の平均四〇パーセントから五〇パーセントの賃料を払っていた。そして、そのほかに日雇い農夫として生計を維持する人びとが数パーセント存在した。

植民地支配が終わった数年後に、農地改革が小作人を大幅に減少させたことによって、この状況は劇的に変化した［Kim Taik Kyoo1964: 204; Janelli and Janelli 1982: 14; Kuznets 1977: 31; Pak Ki-hyuk 1975:

195-96]。合法的な所有地を最大三町歩（정보）（＝七・四エーカー）と設定することで、大規模地主が減少し、階級制度は大きく様変わりしたのである［Koo Hagen 1987: 171］。小作制度だけでなく、作男（머슴：フルタイムの農業労働者、下男）の制度も完全に廃止され［Rutt 1964: 148］、純粋な小作人はさらにまれになった。一九五八年におこなわれた調査のサンプルによれば、土地を持たない小作人は人口の六パーセント未満であり、借地よりも所有する農地のほうが小さい半小作人もほぼ同じ割合で、農地の半分以上が自分の所有地である半小作人は九パーセントだった［Lee Man-Gap 1960: 64］。同じ調査によれば、非耕作地主はほとんどおらず、小作農地を所有する家族が残りの農地を自ら耕作しているケースがほとんどだった。それゆえ、土地改革の後も小作農地は残ったが、とくに有力リネージが支配する村では、支配の基礎であった自作農、小作農、地主のあいだの経済的格差は大幅に減少した［Kim Taik Kyoo 1964: 204］。

朝鮮戦争後に書かれた民族誌では、韓国の農村支配の基盤として、はっきりとした経済的基盤だけではなく象徴的基盤についても検討されており、そのいずれもが変化しつつあると報告されている。両班の地位は、公式には一八九四年の甲午改革で廃止されていたが、一九七〇年代においても、地域によってはその子孫がいまだ当然のこととして主張していた。もちろん両班の地位を主張する者のいない村もあったが［Osgood 1951: 44; Kendall 1985: 41-42］、ほとんどの民族誌の研究者は、農村の特権的な社会的地位を表現するために両班という用語を用いていた［Lee Man-Gap 1960: 86-89; Brandt 1971］。

両班という言葉の含意はどのようなものだったか、また、朝鮮王朝時代（一三九二～一九一〇）の社会的流動性はどの程度であったか（植民地時代とその後は目に見えて減少したが）といった問題は、たしかに韓国研究の文献における主要な論点ではある（たとえばSong 1987: 118-259）。両班は、富、有閑生活、博識、道徳的なふるまい、そして朝鮮王朝の文官（教育と道徳を統治権に結びつける儒教哲学の属性を持つ集団）の役職とひろく関連していた。中国の上流階層（士大夫）とは異なり、韓国における両班の地位は、その子孫にも受け継がれた。地域リネージのすべての正式なメンバーは、豊かな者も貧しい者も、学歴がある者もない者も、両班の地位を認められるか否定されるかした。その結果、誰もが競い合うように両班の地位を主張するという事態を招いた。朝鮮戦争後には、「もはや両班はいない」と断言したり［Lee Man-Gap 1960: 86］、「金のある者は誰でも両班だ」と主張する村人たちが現れたが、一九七〇年代にはまだ「どの親族集団が両班なのかそうでないのか」とか、「自分たちのグループの地位は、両班序列のどのあたりか（たとえば大両班〔큰 양반〕かどうか）」といった議論に夢中になる村人たちが存在した［D. Janelli 1984］。つまりここ何十年かは、その地位は多様で一定しない判断基準にもとづいて認められたり否定されたりしてきており、その判断基準は、先祖の名声、子孫だという主張の信頼度、結婚の決め手となるリネージの地位、人徳、祖先祭祀の格式、そしてその他両班のライフスタイルを象徴するものなどさまざまだった［Kim Taik Kyoo 1964; Brandt 1971: 190, 209; Janelli and Janelli 1982］。

両班の法的地位とその特権（兵役免除と官吏への暗黙の被任命権）は、数十年前に廃止され、復活することは考えにくかったため、一九七〇年代になってもその身分を主張し続けるには、明らかに別の理由があった。つまり、両班の身分や高い地位の証しを主張してそれに成功すれば、村の諸事案に、また、よりひろく農村社会に影響力を行使できたのである。

一九七〇年代初期にほとんどの村が電化されると、韓国政府は村内の事案に積極的に介入し始め、地域における両班の政治的特権を蚕食した。工場の雇用と都市化の波もまた、伝統的な階層システムの下で不利な立場に置かれていた人たちに新しい機会を創出し、大量の人口流出が、それまでの農村の余剰労働力を激減させた。しかし、これらの開発がもたらした結果が実感されるまでは、村は村内の出来事に対して大きな自治権を持つことを認められており、そのため地域社会のエリートは村長の地位を独占し、「有志」の集会を牛耳ることができた。こうして彼らは、国からの介入も少なく、地域の反対も弱いなかで村を支配していたのだった。

それでも一九五〇年代、一九六〇年代、一九七〇年代を通じて、エリート支配のメカニズムは多くの場合、間接的で、地元の村議会や村役場を通す形でカムフラージュされ、資産を持たない人びとを正規の構成員から外したり、票を組織したりといった策を弄することで機能していた。エリートの支配を確実に受け入れさせるためには、世襲の地位やそれにふさわしい生活様式、その基礎となる儒教イデオロギーだけではふじゅうぶんだった。いずれにせよ、一九五〇年代までに、とくに目立って強圧的な支配スタイルは影をひそめていた。民族誌研究者の報告によると、河回一洞のように昔から並外れて地位の高い両班が数のうえでも優越し、貧富の差がどこよりも大きい村を除くと、日々の物事の処理にあたっては、むしろ相対的に平等な相互作用があったとされている。

ブラントは、一九六〇年代半ばに、フィールドワークにもとづくソクポ村の研究のなかで、ソクポ村とほかの多くの農村の非親族関係に特徴的に見られる「原理的に平等主義的な実践的意識」を、初めて明瞭な形で明らかにした。

私が「平等な共同体の倫理」と呼んできたものは、インフォーマルなもので、成文化された規約を持たず、その多くは格言や素朴な警句の形で表現されている。助け合い、隣り近所の協力、もてなし、気前のよさ、そして親族にも非親族にも同じように接する寛大さといったものが、その重要な価値である。家族の外側にある権威主義的なリーダーシップに対する抵抗は、自然な共同体（natural community）のための強固な「集団内の」連帯とセットになっている。その自然な共同体はといえば、誰もがお互いを知っており、内部の人びとが外部の人びとに対するよりもお互いに頻繁に影響し合う社会と定義されよう［Brandt 1971: 25-26］。

ブラントは、この「平等な共同体の倫理」がどのように働いたのか、そして権威の主張に対してどのように抵抗したのかについての鮮やかな例を提供している［Brandt 1971: 104-5］。「意思決定のプロセスは、影響力のあるリーダー間の合意形成に向かうゆっくりとした間接的な探索であり、家族やリネージ内の、はるかに権威主義的な権力の組織化とは対照的である」とブラントは結論づけている[11]［Brandt 1971: 233］。全京秀は後に［Chun 1984］、調査対象の共同体の非親族関係について、明らかな根拠をもってブラントと同じ理解にいたっている[12]。ティソンディでは、村議会の年次総会で、リネージの長老に対して、形だけの礼節すら示されることは少なかった。そこでは、村民自身も、親族の集まりの折に期待される年長者に対する敬意と、村議会の「民主制」との違いを理解していて、自由に反対意見を述べた［Janelli and Janelli 1982: 21-22］。それゆえ、男系親族として、また同村の仲間として、つまりティソンディのリネージ仲間、とくに又従兄弟の範囲を超える者（別の祭祀集団に属する）は、相互交流のもう一つのモードを持っていたのだった。任敦姫と私は、たまたま、特定の状況下でどの相互交流のモードが優先されるのか、その交渉の一端を垣間見る機会を得た（訳注：韓国では、家庭内で四代祖までを祀り、五代祖からは墓地での祭祀となる。この家内祭祀集団を「チバン」または「堂内」と呼び、又従兄弟同士までが同一祭祀集団を形成する）。

この一見平等主義的な相互交流の理由を見つけるのは難しくない。多くの農村住民は、日本の植民地時代に、日本や満州で左翼イデオロギーにふれてきている［Cumings 1981: 60-61］。また、ほとんどの韓国の農村は、朝鮮戦争（一九五〇～一九五三）のあいだ、短期間だが共産党の支配下にあった。いくつかの民族誌が指摘するところでは［Brandt 1971: 189; Kim Taik Kyoo 1964: 169-70; Kendall 1988: 65-66］、一部の人びとは共産党政府に積極的に協力しており、社会主義思想にも一定の訴求力がないわけではなかった。こうしたすべての経験が、村の「低い身分の者たち」に対応する際にはより用心深くふるまい、支配と搾取を隠蔽するようにエリートたちをしむけたのである。

一九八〇年代初頭、ティソンディのある年長の村人が、ほとんど囁くように声をひそめ、私たちに話してくれたのだが、隣村から来た下男が出頭を命じられて体罰を受けた話を若い頃に聞いたことがあるという。さらに一九七〇年代初頭、やはりティソンディで、有力なリネージの年配女性との会話の最中、任敦姫と私が、一〇年ほど前まで葬式の棺を運んでいた隣村の住民との階層関係について詳しく聞こうとしたら、相手の女性は任敦姫の腕に手を伸ばして、しゃべってはいけないという身振りをした。彼女の後の説明では、私たちのいた道を誰かが通りかかるのが目に入ったので注意したのだという。誰が来たのかはっきり見えなかったが、彼女は階層の違いについて話しているのを聞かれるかもしれないと怖れたのだった。それからわずか数年後に、私たちは彼女の警戒警報の真意を理解することになった。彼女の夫は裕福な土地持ちで、共産党がティソンディを支配した時代には迫害の対象だったのである。

そうした経験が、共同労働チーム（訳注：プマシ［품앗이］と呼ばれ一般に日本の「結い」に比せられてきた）のようないっそう隠蔽された支配形態をとるよう促したのかもしれない。共同労働は、貧しい者が富める者よりも多く働き、市場価値以下の賃金を受け取る仕組みである。さらに、互酬のルールは、結婚式や還暦祝いのような大きな社会的行事で、恵まれない住民に、祝い金を贈ったり招待を返したりするかわりに、これまた市場価値以下で労働を提供させていた。さらにまた、

居住期間の長さが社会的地位の基盤とみなされたため、村議会では、もっとも恵まれない人びとの声は封殺された。というのもここ数十年のあいだに、土地を持たない圧倒的多数の人びとがコミュニティに転入してきていたのである［Janelli and Janelli 1982: 17-18］。こうした慣行がもたらす物質的な影響や、それによるエリートのさまざまな利益の拡大はおおやけにされることはなく、その効果の積み重ねが認識されることもなかった。

一九六〇年代と一九七〇年代に急激に加速した韓国の工業化と都市化は、地方から多くの余剰労働力を排出し、土地を持たない農民に新しい経済機会を提供することによって、非親族間のヒエラルキーの平準化に貢献した［Sorensen 1988］。任敦姫と私が一九七八年に四年ぶりでティソンディに戻った時には、村を支配するリネージの非親族に対する扱い方が、表面上はずっと平等になったことに気づかずにはいられなかった［Janelli and Janelli 1982: 18-20］。皆の話では、一九七八年には、村の歴史で初めてとのことだが、リネージの成員が親族以外の世帯の葬式で棺を運ぶようになり、（両班と非両班という）かつての地位の境界線を越える結婚に対しても、もはや反対は起きなかった。こうしたことが明らかに示すように、お互いが親族ではない村人同士の関係は、一九五〇年代、一九六〇年代、一九七〇年代と時を重ねるうちに、より平等主義的になってきたように見える。ブラントが一九六〇年代から報告してきた「平等な共同体の倫理」が、最近になってひろく行きわたるようになったといえる。

土地改革の後、あからさまな支配は劇的に減少したが、じつは共同体における平等主義の観念

は、早くも一六世紀に、韓国の村の「契」のうちに認められる[13][Sakai 1985]。また、一九世紀末の東学党の乱（甲午農民戦争）は、階級間の障壁の撤廃をスローガンの一つにあげていた［S. Shin 1978-79: 31-33; Weems 1964: 10-12; Yi Ki-baik 1984: 287; Lew 1990］。趙東一（조동일）は、民謡や、（長時間かけて謡い語られる）パンソリ（판소리）に見られるわずかな手掛かりをもとに、朝鮮王朝の庶民がエリート（両班）による支配の正当性を認めなかったことを力説した［Cho Dong-Il 1974］。

韓国の民衆文化のなかに、反覇権的なテーマの存在を指摘した者もいる。李杜鉉は両班エリートを嘲笑する仮面劇について述べているし［Lee Du-Hyun 1974: 118; 1975: 38-39］、チョ・オゴン（조오곤）は、人形劇（コクトゥガクシノルム［꼭두각시 놀음］）のなかに同じテーマを見出している［Cho Oh-Kon 1988 : 312］。また、任晳宰は、下男が主人を出し抜くユーモラスなトリックスターの物語をあげる［Yim Suk-jay 1974: 62-69］。これらさまざまな形態のフォークロアの起源ははっきりしないが、素材はすべて、少なくとも土地改革以前の、テスンの大半の管理職がまだ生まれていない一九四〇年まではさかのぼる。関連する文化的実践はごく最近まで残っており、民俗学のフィールドワーカーは二〇世紀を通じてそれらの記録を収集し続けてきた。たとえば、一九七五年になってなお、グリフィン・ディックスは民俗劇の地方興行でその地方のエリートが、劇中、民衆の嘲笑の的になっていたのを記録している。

これらの演劇や寸劇では、どんな社会的地位にある人もすべて嘲笑の対象になるが、私が見た「若者」という劇は、とくに年長者や高い地位の人びとを公衆の面前で笑いものにしていた。

（文献に見られる）韓国の山神祭祀についての解説は、村のなかの地位の格差にじゅうぶんな関心を示していない（もっとも、格差の問題は村に長く滞在しないとわからない）。そうした解説からこの問題に関するじゅうぶんな確証を得るのは困難である。[14] たとえ多くの村で両班が山神祭祀を儒教スタイルにして、金銭的に支援しているとしても、奉納の後の農楽隊や民俗劇は、金持ちや地位の高い人びとを笑いものにして、喜捨を要求したがるのである。李杜鉉は、民俗劇と村でひろくおこなわれる儀礼との関係を取り上げ、「両班に対する風刺は仮面劇の見せ場である」と述べている。[15] 一九七五年にイェン村（グリフィン・ディックスのフィールドワーク地）では、馬の毛で編んだ両班帽をかぶり、傘を手にした両班が、市場へ行く道がわからなくなったよぼよぼの金持ち老人として登場する場面が演じられた。このように両班を公然と笑いものにすることは、ほかの機会には許されなかった［Dix 1987: 105］。

それでも、ディックスが他で述べているように［Dix 1977: 463-65］、より最近のさまざまな出来事がこの嘲笑を助長した可能性がある。いずれにせよ、すでに一九六〇年代の時点でも、支配されている人びとの目には、エリートの支配は当たり前の（ドクサ的な）経験[16]とは感じられていなかった。その不条理は明らかにそれ以前の数十年のあいだに認識されてきたのである。

河回一洞では、土地改革までは大きな富の格差が続き、エリートたちは、土地を専有し、祖先が両班だったと主張し、学識やほかの儒教関連の装飾品をひけらかすなどして、非親族の下男や小作人への支配を正当化してきた。だが、その河回一洞においてさえ、政治的・経済的に恵まれない人びとはそうしたイデオロギーを納得していなかったように思われる。河回一洞は、両班の虚勢を嘲笑する、韓国でもっとも有名な仮面劇の故郷でもあった。

そして最後になるが、農村の非親族内の対立は、リネージ内の対立よりも格段に人目につきやすかった。この点についての民族誌の記録には説得力がある。一九六〇年代におこなわれたフィールドワークにもとづいて、ブラント［Brandt 1971: 212］は「共生と人の和は、ときには暴力的な爆発によって中断することがあるが、ほとんどの場合は迅速かつ恒久的に解決されたというのが、村民の一人としての私の印象である」と述べており、この爆発について、彼は次のように続ける。

> 緊張と敵意がすぐに激しい言葉の攻撃になって頻繁に表されるのは、村の生活の重要な要素である（……）。いったん本気で喧嘩を始めるとほとんど制限がなくなり、思いつくかぎりの不満の種と憤りがすべて掘り返され、吐き出されるまで、当事者たちは相手に向かって互いに叫び続ける。対立が深刻な場合、それは数日に及ぶこともあるが、そうでなくても、一時間か二時間、そのような場面が休むことなく続くのである［Brandt 1971: 186］。

怒りや非難は、しばしば大きな声で、見るからに感情が高まった状態で表わされ、欧米人

の目には今にも暴力沙汰に及ぶのではないかと思われるのだが、そうなることはまれである［Brandt 1971: 203］

ブラント以外の研究者も、同じように激しい口論を農村や都市部で記録している［Chun 1984: 48; McCann 1988: 45］。

2．現代の社会制度と都市化

テスンの新入社員は、農村共同体の内と外で得た文化的な知識を身につけて入社している。地域の学校や軍隊、近隣の商業地域には農村在住者もいて、彼らのなかには、植民地時代に賃労働に従事したり、日本軍の軍役に就くために村を離れ、その後村に戻った者も多かった［Cumings 1981: 28; Janelli and Janelli 1982: 25］。時代が下るとともに、村人は、都市に住む親類、中央政府の派遣公務員、マスメディア、地域コミュニティの店舗や工場の賃労働などに関わる機会が増加した［Janelli and Janelli 1982: 26-27; Kendall 1985; Sorensen 1988］。しかし、とりわけテスンの社員の場合は、地方で暮らす人たちよりも、そうした経験が豊富だった。青春期を農村のコミュニティで過ごした社員の場合も、その圧倒的多数は都市部の大学に進学しており、おそらくその大半が都市部の高校出身だった。⑰ そのほかの社員の大多数はソウルや釜山などの大都市圏出身で、農村暮らしの経験は皆無だった。

フーコーやギデンズやアルチュセールといった研究者の示唆するところでは、都市での経験は、支配を受容したうえでそれを再生産し、社内の紛争が表に出ることを抑えるよう労働者をしむけ、それによって支配や正当性の獲得や紛争についての彼らの文化的知能力[18]（cultural knowledgeability）を変容させるという［Foucault 1978; Giddens 1987; Althusser 1971］。しかし、この解釈を韓国にそのまま適用できるとは思えない。村外の経験は、村での経験と同じように、人びとに良くも悪くも影響する両刃の剣のように思われるからである。都市との出会いは、彼らを会社の規律を受容するようにも、それに抵抗するようにもしむけるという点で矛盾した側面を持つ。それはいっぽうで彼らに資本主義企業の規律の慣行を受容させ、他方でその慣行に抵抗する知識を与えたのである。

現代の、都市の諸制度をめぐる本書の議論は、韓国の文化と現代企業の関係を扱った既存の言説をさらにひろげようとする試みである。もとよりそれは、今日の韓国には都市化され制度化された文化が根づいているという認識にもとづく。このもう一つの新しい文化とオフィスの慣行との関係は、企業のイデオロギーでは扱われないし、土着文化と現代企業との関係に焦点をあてた研究者も詳細な検討にはいたっていない。しかし、この新しい文化は、メディアや学術論文には姿を見せており、テスンの社員の会話のなかに、とくに会社の慣行を軍隊で経験した慣行や、数は少ないが学校での慣行と比べるなかにも表われている。

村外での経験を持ちこもうとするこの試みは、マーカスとフィッシャーが述べた意味で[Marcus and Fischer 1686: 40-44]、まさに「実験的」だった。私は、韓国農村に関しては、民族誌の文献と私自身のフィールドワークによって、権威と人の和についての多様な解釈を示すことができた。しかし、都市文化について同様の成果を得るための資料を見つけ出すのは至難のわざだった。学校や軍隊や都市生活についての民族誌は、とくに中流階級に関してはまだ手つかずで、この分野に関する既存の仕事がそのまま権威と人の和の研究対象になるわけでもなかった。

さらに、ソウルで数年間暮らしたとはいえ、私はそこではわずかなフィールドワークしかおこなっていなかった。私は、韓国の大学で研究と教育に携わってアカデミックでプロフェッショナルな社会に参加し、韓国軍の軍事アドバイザーを務め、ソウルの住宅街に住んで長い間読書と執筆に勤しんだ。テスンでのこのささやかな実地経験は、私がそのようにして手当りしだいに吸収した知識の限界をさらに押しひろげるものになった。私はこの重要なテーマをすっかり無視してしまうのではなく、こうした経験の主要な輪郭を素描し、ひろくそれによって起こり得る結果を探り、文化的知識に加えられた重要な変化を少々指摘しておくことにした。私は考慮すべき三つの事項を心にとめた。それは、①村と学校など現代の諸制度との対比、②現代の諸制度とテスンの類似点のうちでもっとも目を引き、私を驚かせたもの、③テスンの社員自身の意見、である。

学校

学校は、村における慣行に対してよりも、会社での慣行に強い影響を与えてきたように思われる。村人とは違って、テスンの社員は自分の教師や学校での出会いについてよく語る。同じ小学校、中学、高校の卒業生で構成される同窓会（동창회）は都市のいたるところにあり、ときには地方都市でも見かけられるが［Rutt 1964: 94］、村での報告例はない。たとえば、ティソンディの住民は同窓生との絆を維持しようとしてはいなかった。

学校はテスンの社員に対してより大きな影響力を保っていたが、その理由の一端は、彼らが村人よりも正規の教育をはるかに多く受けていたからだった。テスン本部で役職を占める男性たちは全員四年制大学を卒業していたが、一九五〇年代後半と一九六〇年代前半に農村でおこなわれた調査では、男性のおよそ半分が小学校卒以下の教育レベルだったことがわかっている［Lee Man-Gap 1960: 59-63; Kim Taik Kyoo 1964: 73］。一九七〇年代においてさえ、高校卒業者はティソンディではごく少数派であり、村のほとんどの中年男性は中学校以下の教育しか受けていなかった。

教育システムは、少なくとも次の三つの点で現代的な経営慣行に貢献したと思われ、その三点すべてが、以前は親族に限定されていた人間関係を非親族間にまでひろげている。①学生はモノロジックな（一方的で長広舌の）コミュニケーションに慣れており、②道徳的責任という考えが家族の枠組みを超え、③親族関係のない人物とのわずかな年齢の違いを強調する年功序列のシステムが身についた[19]。そのような変化は低学年の教育から始まっていたが、大学での経験はこの新しい理解を社会人の人間関係にまでひろげたといえる。

テスンの社員が「一方通行のコミュニケーション」と呼ぶモノロジックなコミュニケーションは、初等・中等教育ではごく一般的だが、テスンのある課長は、このタイプのやり取りは、職場の上司と部下の関係に固有のものではなく、大学の教室の講義でも同じだったと指摘していた。ペ・チョンクン（배종근）Bae Chong-Keum から個人的に聞いた話では、高等教育に対する国からの補助金の不足が、教員一人当たりの学生数の多さや、大教室での授業となって表われ、学部学生には自分の意見を述べる機会はほとんど与えられなかったという。試験も入社試験と同じで、独自の分析や、オリジナルな議論の構築よりも、記憶力や与えられた問題への解答が重視された。

教育システム、とくに大学の教育システムは、恩に報いるという道徳観念を非親族の人間関係にもひろげたことで、経営的慣行に貢献したといえるかもしれない。農村では非親族のあいだにまで報恩の観念がひろがることはまずない。さらに具体的にいえば、教師の学生に対する支配は、親と子のあいだに見られる道徳規範によく似た規範によって正当化されている。[20] 学生は、子どもが親に借りがあるように、教師が与えてくれる恩恵（은혜）、つまり学生に助言を与え、知識を分与し、その精神的な力を高めてくれた恩に対して、借りがあるのだと聞かされるわけである。この新しい社会通念を利用して、国は学生が反政府デモに参加することの責任を教師に負わせる。時として教師個人がキャンパスデモの列から自分の生徒を連れ出すのを目にするゆえんであった。

教師に対する尊敬や道徳的義務は、長いあいだエリートにふさわしい儒教イデオロギーの一部だったが、ほとんどの人びとにとっては、その考えを最初に直接経験するのは現代の学校を通じてだった。書堂と呼ばれる村の古い儒教式学校に通っていた人は、教師を特別に尊敬しているようには見えなかった。書堂に通った経験を持つ数人のティソンディの村人が、授業料として穀物を何袋払ったかを覚えていて、だから教師のサービスは商品なのだという言い方をした。書堂を題材にした口承文芸でも、しばしば教師は笑いものにされる。多くの昔話では、生徒は教師の企みの裏をかき、失敗させる。教師は愚か者か好色漢として描かれることが多かった［Choi In-Hak 1979 : 92, 278-79, 287; Yim Suk-jay 1987: 176, 230-231; 1988 : 182, 183］。これに対して、現代韓国の学校や大学では、アメリカの大学でごくふつうに見かける教師をからかう小咄（こばなし）［Toelken 1968］に、私は出会ったことがない。テスンのホワイトカラー社員は、高い敬意と好意を持って自分たちの教師のことを話す。結婚式で司宰を上司に頼んだ者がいるかどうかをテスンの社員たちに問うたことがあるが、返されたコメントはきわめて印象的だった。そのようなことは、面目を示すためにも、ふつうは聖職者や大学教授のように道徳的に高い人に頼むものですと、彼らは答えたのである(21)。

かつてテスンの就職面接で、私が応募者に特定の専門課程を選んだ理由を尋ねた時、曖昧な返答をした者がいた。この人物は方向性が欠けていると判断したが、これは私の誤解であった。私といっしょに面接をおこなった管理職からは、そうした選択をするときに学生の多くは教師の勧めに従うのです、との説明があった。テスンの別の社員たちとこの話題について議論し合ったとき、学生たちは教師による助言を重視していると語っていた。さらにある管理職は、小学校や高校時代の先生が定年後に職場にやってきて、百科事典を売り込んだり、借金を頼んできた時には、いかに断りにくいかを話してくれたものだ。

学校における会社とよく似た慣行の三番目は、入学年度による序列のシステムである。同じ年度の入学者は、「同年度入学組」を形成し、少なくとも都市部では卒業後も個人的なつながりを維持する。同年度入学者は社会集団の新しい形となって、卒業後も長く続く社会的絆の基盤となった。入学年度が上のメンバーは「先輩（선배）」、入学年が下の者は「後輩（후배）」と呼ばれ、テスンの男性たちが職場の同僚に話しかけたり、同僚を話題にするする場合には、このように呼ぶ慣行が推奨されていた。すでに報告されているように［Rohlen 1974: 122］、先輩・後輩という言葉だけでなく、先輩・後輩関係の資本主義的組織への適用も、明らかに日本から韓国に移入されたものである。過去数十年のあいだに、韓国士官学校の特定の階層を中心に政治的派閥が形成されたように、このような「年次」は、一生有効な社会的リソースを提供することがある。私は、大学入学年度から数えた序列に従って、学会が会長職を交替させる事例にしばしば出会った。

けれども、韓国の農村の場合、こうした細かな年齢による序列づけの基礎となるものはほとんど見当たらない。すでに見たように、（誕生年次とは別の、何代目かという）世代の差は、非親族よりも親族においてより重要である。しかし、兄弟やほかの近しい男系親族（又従兄までの親族）を除けば、年齢は地位交渉が依って立つ基準の一つにすぎなかった。そして、すでに見てきたように、非親族の関係においては五歳の年齢差も重要視されていなかったのである。

教育は、さまざまな形で支配とヒエラルキーの慣行をテスン社員に植えつけたかもしれないが、反面、大学にはそうした慣行の基礎を危うくしている面もある。あるテスンの管理職が言ったように、テスンのオフィスに見られるような厳格な序列のシステムは高校教師のあいだには存在したが、大学教師にはなかった。大学は、現代韓国の社会制度のさほど階層的ではないモデルを学生に示してみせた。さらに重要な点は、大学での経験が、財閥や政治経済や世界秩序に対する批判的な視点を学生に与えたことである。韓国教育の批評的研究［McGinn et al. 1980: 203］は、「教育水準の高さと現政権（朴正熙政権）支持のあいだにはネガティブな関連がある（教育水準が高ければ高いほど政権批判が強くなる）」と指摘していた。さらに、財閥へのもっともストレートな批判者のなかには大学の研究者がいたし［Jones and SaKong 1980: 269］、テスンで私がフィールドワークをするほんの数年前には、大学では学生が先輩や教師を飛び越えて、禁じられていたマルクス主義テキストの研究グループを組織するまでになっていた［Roberts and Chun 1984］。学生たちはまた、反政府デモ、反米デモの最前線にいた。

一九八〇年代には、国が教師に、学生の政治傾向を調べて報告し、彼らが市民デモに参加しないように説得することを求めたため、教師に対する学生の尊敬は薄れていった。一九八〇年代半ばには、ある大学の学生たちは、死者への拝礼の儀式さながら教師に二度頭を下げ、一九八八年一一月には、別の大学の学生が数人の教師を捕らえて頭を丸坊主にしてしまった。学校は「国家のイデオロギー装置」である［Althusser 1971］という言い方は、せいぜい韓国の資本主義的産業化に学校が密接に関与していることを部分的に説明するにすぎない。

軍隊

テスンの社員がティソンディの村人に比べて軍隊経験が豊かだということはない。しかし、軍役は就学経験と並んで、村の生活よりも企業の慣行により大きな影響を与えたように思われる。ティソンディの村人のなかには、折にふれ自分の軍隊経験を語る者もいたが、私には軍隊と村の慣行のあいだに共通点を見出すことができなかった。対照的に、テスンの社員はしばしば軍と会社の類似点を指摘する（第七章）。アメリカと韓国双方の軍隊を経験した私には、それは実に的を射ていると思われた。

テスンの組織への軍隊の影響は、わずか二、三年の徴兵期間に身についた習慣がもたらしたものだとは言いきれない。海外の研究者と同じく、多くの韓国人は、現代の韓国社会、とくに国の官僚機構とビジネス社会には、軍隊の慣行がひろく行きわたっていると考えている［Jung 1987: 63; Kearney 1991］。この現象を言い表わすために「軍事文化（군사문화）」という用語が使われてきたが、軍事文化については後の章で詳しく説明したい。その主な形態は厳格な階級制度と統一された指揮命令系統だが、それ以外の多くの慣行にも及んでいる。

軍隊生活とオフィスライフとの類似性について、テスンの社員はしばしば階級制度の存在を指摘するが、それはじつにさまざまな形で象徴化されていた。そのような厳格なランキングは、弔いの席の近しい男系親族のあいだに適用される以外は、村ではなじみのないものであり、現代の学究生活でもきわめてまれだった。産業界におけるその普及は、とくに戦前の日本のビジネス慣行が持ちこまれたことと関係が深く［Moskowitz 1979］、植民地時代と解放後に軍隊が与えた直接的な影響も大きかったかもしれない[22]。

会社や軍隊を離れれば、年長者は一般に、冬にはオンドルの一番温かい場所と、座り心地のよい椅子と、食事の時には主賓席（奥の席）、学会の集まりであれば最前列の席を与えられる。しかし、後輩に上席を譲ったり、その他便宜をはかったりすることもめずらしいわけではない。譲り合い合戦は、農村でも［Osgood 1951: 52］、都市でもよく見られる風景で、一〇年ほど前のインスタント・ラーメンのコマーシャルにも、年長者と若者が、互いに先に食べるようにと何度も譲り合う場面があった。

軍隊での生活とオフィスの生活を引き比べ、テスンの社員がよく指摘していたもう一つの類似点は、さほど重要ではない低レベルでの集団的意思決定や自主的行動の出現をも抑圧しようとする一元的命令系統の存在である。リネージや村や学術会議などによく見られる集団的意思決定とは異なり、財閥の経営は、一般に「トップダウン」と表現され、財閥トップからより下位のレベルへと執行されてゆく[23]。なぜこの表現が普及したのかについては、後の章で説明することにしよう。

軍隊生活は、厳格な階級制度や一元的命令系統は軍国主義的である、という知識をテスンの社員に与え、彼らはその知識で企業での経験を解釈をした。第七章で検討するように、軍隊的慣行との出会いは、社内での上司と部下の関係を解釈し批判するためのカウンターメタファー（対抗的な暗喩）を提供した。上司と部下の関係は家族のようなものだと会社が主張しても、若いオフィスワーカーのほうはそれを軍国主義的と見る。このように、軍隊経験でさえ服従と抵抗、双方の精神を涵養するのである。

都市生活

都市生活がテスン社員の文化的知識能力に与えた影響は非常に広範囲に及んでいるので、ここでは研究論文に取り上げられた主な論点とテスンの社員が提供してくれた意見に限定して議論を進めることにする。テスンのオフィスで経験される管理慣行に対しては、都市もまたプラスとマイナス双方の影響を与える。それを示すことがここでの私の目標である。

都市生活は、規律の監視下に個人を置き、うまく適応させてきたといえるかもしれない。アンソニー・ギデンスが述べているように［Giddens 1987: 14］、「明確に区切られた環境のなかに行動が集中すると、それが上位の者に監視され、コントロールされる度合いが大幅に増大する」。そのような経験は、現代的な組織で普及している支配の「性質」に（支配の「規模」に、ではない［Giddens 1987: 15］）に都市住民を慣れさせ、彼らに服従の習慣［Foucault 1978: 170-77］を刻み込む。こうした見方は、韓国の都市、とくにソウルには、よく当てはまる。ソウルには国家の監視が農村よりもはるかに広範に及んでいるからである。たとえば、一九七〇年代には、村人たちは、当時施行されていた零時から午前四時までの夜間外出禁止令を無視して、お互いの家でとりおこなわれた祖先祭祀やシャーマニズムの儀礼に参加した。いっぽう、ソウルの住民は刑罰を受けずに夜間外出禁止令を破ることはできないので、夜の早い時間から祖先祭祀をとりおこなったり、夜間外出禁止令の時刻までにその日の用事をすませてしまうという新しい慣行をつくった。都市住民たちの話では、バーで反政府的なジョークを他人に聞かれ、後に逮捕された人たちがいたそうだが、見知らぬ人が出入りするようなバーが存在しない農村部ではありえない話だった。一九七〇年代と一九八〇年代を通じて、ソウル在住の多くの中流階級の人びとは、反政府的な感情を吐露する時には囁くように声をひそめたが、それは村人たちのあいだではけっして目にすることのなかった慣行だった。

都市の日常生活はまた、とくに時間［E.Thompson 1967: 59］と賃労働［Giddens 1981b: 152-53］という、また別の資本主義的な観念に住民をなじませてきたかもしれない。このうち時間に関しては第七章で検討するが、賃労働についてここで短く述べておこう。韓国では、労働がいたるところで何十年にもわたって売り買いされてきたが、プムパリ（품팔이）と呼ばれる農村での日雇い労働（者）には、スティグマ（烙印：偏見や差別の対象であることを示すしるし）があったのに対して、現代の大企業のオフィス労働がそうしたスティグマをともなうことはなかった。韓国農村における賃労働はより個人的なものなので、ある世帯の成員がほかの世帯の成員のために働くとなると、

労働は屈辱的な性格を帯びることになる。農村に住んで工場で働く場合には、少なくともティソンディでは、任敦姫も私も、こうした間の悪さがともなう事例に接したことはなかった。なかには、娘が家の外で長時間を過ごすことを嫌う人も、おそらくいないではなかったろうが。

最後に、都市化は、イデオロギー的な目的のために個々人にリソースを集中してふりむけ[Giddens 1987: 16-17]、国家による管理を正当化して国家がプロモートする特定の産業化の形態を受け入れるように誘導する。たとえばソウルの映画館は、映画の上映前に政府が制作した短いニュースを流して、最近の経済的、技術的成果を強調していた。

テレビのニュースや新聞(第二章)もまたコントロールされていた[24]。村人はほとんど映画を見なかったし、一九七〇年代まで村はほとんど電化されていなかったので、一九七〇年代末になってもテレビのある家はまれだった。さらに村では新聞も簡単には手に入らなかった。つまり、村人に比べれば、都市の住民はこのようなイデオロギー的な政策にはるかに多く接していたことになる。この格差がなくなったのは、つい最近のことだ。

このように、都市化は人びとを監視と賃労働に慣れさせ、より大きなイデオロギー的教化に従わせて、資本主義企業での労働に適した態度を養成した。だが、このことは、少なくとも同じ数だけの逆効果を促進することにもなった。都市で暮らす人たちは、国家権力による大規模な監視に順応したが、同時に、村に定着していた地域コミュニティによる監視からは解放されるという、より大きな自由を得たのである。時間と労働を商品化するという考えを身につけた結果、都市の住民はその考えを自分たちの長い労働時間への抗議に使うようになったのだろう（第七章）。

彼らは、農村の人びとよりも多く教化の機会にさらされてはいたが、それに対して異議を唱える情報へのアクセスを農村の人びとよりも格段に多く手にしていた。たとえば、新聞などのメディアは国家への批判を自制し、学生デモなどを過小に報道したが、読者は政治漫画のなかに暗示されている批判を感じ取り（「ファー・イースタン・エコノミック・レビュー」一九九一年六月一三日号、五四〜五五頁）、よりひろいネットワークを通じて噂を交換したし、そのほかにも情報源はあった。デモを取り締まる警察官は、装備ですぐそれとわかり、学生が集まる商業地域に配置されていたが、その数を見れば、当局がその日にデモがおこなわれる可能性をどう見ていたかはすぐに判断がついた。ソウル大学から一、二マイルのあたりに住む近隣住民や小売店主、通りがかりの人は、家のまわりに漂い、目と鼻をひりひりさせ、幼児を泣き出させる催涙ガスの量で、日々のデモの規模を判定することができた。

都市の生活は、また別の面でも現代の経営慣行、とくにオーナー経営者たちが引き出そうとした会社への全面的な献身に対する障害となった。都市は、多系的な人間関係がつくる小規模で結束の強いコミュニティを形成するよりも、社会的結びつきを増殖させ、一対一の（ダイアド的）人間関係のネットワークの維持を容易にしてきた。そのような人間関係を維持するために、「契」や同窓会への参加という既存のメカニズムに頼る者もいた。したがって、都市生活の諸条件は、ほかの社会的つながりを犠牲にして会社にのめり込むことに対して、テスンの社員の多くを気乗り薄にさせているように思われた。

結局のところ、都市生活はまた、オーナーが部下の支配を正当化するメタファーとして用いる「父権的管理」を弱体化したともいえるかもしれない。テスンの管理職にもこのことを認める人がいた。李光奎の指摘によれば［Lee Kwang-Kyu 1984: 197］、会社での長時間労働が、父親たちを彼らの家庭から、子どもの監督や家計管理への参加から引き離し、それによって〈父と息子〉の関係も変わったという。思春期を農村で過ごしたテスンのある部長は、韓国の父親の慣習が変化したことを指摘した。彼は、部下のほとんどの課長は日曜日には子どもたちを遊びに連れて行くのです、と述べ、自分の父親がそうしてくれたのは人生でたった一度だけでしたよ、とふり返った。そのうえ、都市への移住は若者にとってはごくふつうのことであり、ひいては、そのことも青春期や成人後の息子を父親の直接的な支配から引き離したといえる。

村での経験も、現代の制度・組織のなかでの経験も、ともに多義的な性格をそなえている。そのことを示すにあたって、文化が重要でないことを示すのではなく、「現代韓国の経営慣行は、硬直した文化的観念と習慣を個々人が会社に持ちこんだ当然の結果である」とする文化決定論的なパースペクティヴの不適切さを指摘すること、それが私の目標であった。これからの章で明らかにするつもりだが、文化は非常に重要である。入社前の経験から得られた物事の見方は、会社で働く個人にとって、支配を押しつけたり支配に抵抗したり、自らの利益を伸ばしたりそれを守ったり、生活の条件を繰り返し再生産したりそれを変えたりしようとする際の、重要なリソース、あるいは制約を内包している。しかしその前に、私は政治経済の同じように多義的な性格を示し、経済決定論が文化決定論と同じく不適切であることを示そうと思う。

注

（1）トニー・ミッチェルは、現代韓国と朝鮮王朝時代の官僚制度との連続性を示そうとしてきた［Michell 1984］。朝鮮王朝時代の慣行がごく最近まで伝えられているという説明はきわめて疑わしく、そのため、私はこれには追随しなかった。私が会ったテスン社員には、父親が政府の官僚だったという人は一人もいなかったし、植民地時代には、日本の支配下に置かれた行政機関が朝鮮王朝時代のそれに置きかわっていた。

（2）この記述は、テスンが出版した社史に掲載された創業者の若い頃の話にもとづいている。

（3）ローレル・ケンドールの調査レポート［Kendall 1985:42］によれば、ソウルの北に位置するある村では、エリートの地位を鼻にかけない年配の男性たちが、この社会的経済的関係を村の過去に起因するとして、「彼らは金のある人たちのことを両班と呼んでいた」と述べている。

（4）数は少ないが、架空の血縁関係がメタファーとしての親族の絆になることもある（たとえば、他人の子を引き取って養育する「収養娘（スヤンタル）（수양딸）」や巫女の「霊母」がメタファーとして使われる）。しかし、それは少なくとも女性一人を含む一対一の関係にかぎられた。父と息子のあいだにも非親族の架空の養子縁組を示す用語があるが、私はその実例に出会ったことはない。

（5）女性同士や男性と女性との関係にも注目すべきだが、本書では取り上げない。それは主として、私がテスンの女性社員について、あまりに知るところが少なかったためである。

（6）これは、第四章で取り上げる国の公式記録と地元の理解が一致しない例の一つでもある。

(7) 一代で多額の富を蓄えたティソンディ村のある村びとが、地域社会のさまざまな問題について、貧しかった時には自分の意見はほとんど顧みられなかったが、裕福になってからはいつも意見を求められるようになった、と話してくれた。

(8) 私が「経済資本」という用語を用いる場合、それは、物質的利益の追求を、権力関係や文化理解からかなりの程度独立した活動としてとらえる人びとによって一般に資産として認識されるものを指している。いっぽう、「象徴資本」は、社会的な尊敬や特権的な人間関係へのアクセス力のような他の資産に関わるものである。このような資産は常につかみどころがなく、認識されないことも多いとはいえ、同様に物質的利益を生むことに貢献する。

(9) 親族の人間関係における年齢差と村の人間関係における年齢差に関する崔吉城の議論を参照のこと［Chŏe 1988］。

(10) 私は「男系親族」を「近い男系親族」というふうに読み替えたいと思う。

(11) ブラントの研究の中心的主張は、親族関係は一般に非親族の関係よりもヒエラルキー的であるというものだが、彼はそのうえ慎重にも、家族において顕著な権威やヒエラルキーは系譜的な距離が離れるとともに減少していくと述べている［Brandt 1971: 103, 137, 140］。

(12) 全京秀は「近い間柄」と「親しい間柄」という韓国語の表現を挙げる。それぞれ、族譜上の近い親族との関係と友人との親しい関係を指す［Chun 1984: 119-20］。彼はまた、後者のほうが自由の度合いが大きいとも述べている。

(13) 近年の里中契に関する研究としてはディーター・アイケマイヤー［Eikemeir 1980］を参照のこと。

(14) ディックスによれば、その例外として金宅圭の研究［Kim Taik-Kyoo 1964: 241］があり、河回一洞の両班は自分たちの村の山神祭祀には参列しないことが述べられている。

(15) ここでディックスは、李杜鉉［Lee 1974: 114］を参照している。

(16)「ドクサ *doxa*」の概念はエドムント・フッサールによって再定義され［Husserl 1962: 273-315］、後にピエール・ブルデューによって人類学の言説の場に持ちこまれた［Bourdieu 1977: 164-71］。ドクサ的経験は、それが自然な、あるいは必然的なものだと信じられているがゆえに疑問を持たれることなく、その恣意性が認識されない。「ドクサ的（Doxic）」は、ともに「異なる可能性や敵対的信念の自覚と認識」を含む「正統（orthodox）」あるいは「異端（heterodox）」とは区別されなければならない。

（17）韓国の大学の多くは都市部にあり、さらにテスンの社員が卒業した大学のほとんどすべてが都市にあった。しかしながら、私は彼らの卒業高校に関してはほとんど話をしておらず、その理由の少なくとも一つは、私が韓国の中等教育制度に通じていないことにあった。しかし私は、テスン社員の多くは都市部の高校に在籍していたと推測する。というのも、韓国農村の将来有望な生徒はソウルの中学校や高校に進むことが多く、さらにソウルと釜山の高校卒業生の大学など高等教育機関への進学数が他の都市に比べて不均衡なほど高い［McGinn et al. 1980: 159-66］からである。たとえば、一九七〇年には、ソウルと釜山の高校の卒業生は韓国の大学に進学する男子学生の半分を送り出していた［Ministry of Education 1970: 288-89］。韓国の都市部への移住に関するある研究は［Koo and Barringer 1977: 52］、農村環境のなかで育った人は、都市で育った人より少ない教育しか受けていない可能性が高いことを明らかにした。

（18）「知識能力（knowledgeability）」という用語はアンソニー・ギデンズの研究［Giddens 1984］から引いたものである。彼はこの言葉によって、人間は本来、その行動が文化や社会構造によって決定されるような自己を省みない存在（unreflecting creatures）ではないことを強調しようとしている。むしろ、人間は、目的を達成することをめざし、日々の相互作用のなかでいかに行動するかについての確かな知識を持ちそれを活用する積極的な行為主体である。

（19）これらすべてが韓国の教育システムの系譜への日本の寄与を示しており、この点についてはノエル・F・マギンたちによる研究［McGinn et al. 1980: 80-85］がある。ブルース・カミングスもまた［Cumings 1984: 478］、一九八〇年代までの韓国と日本の中高生の制服の類似性を指摘している。

（20）マギン等は、教師に対するお辞儀、制服、集団での体操、一斉唱和などが、従順な態度を植えつけようとしていることを指摘済みである［McGinn et al. 1980: 223］。
(21) 結婚式で会社の上級幹部を司宰に招くことは韓国でも耳にしないことはなかったが（任敦姫からの個人的な情報）、そうした慣行はテスンではどうやら一般的ではないようだった。
(22) 韓国の軍隊が日本の訓練技術をどの程度再現しているのか、またアメリカ軍との接触によって韓国の軍隊はどの程度変容したのかに関しては、さらなる研究が必要である。アメリカ軍において開発された運営コンセプトや実践のなかにはアメリカ企業に採用されたものもあり、それらもまた最終的には韓米の合弁事業や韓国の大学の経営学コースを通じて韓国企業にも達したのかもしれない［Lee Hak Chong 1984］。すでにアメリカの軍事慣行、ビジネス慣行にかなり馴染んでいた私は、それらを当然視して、その影響を見落としていた可能性が高かっただろう。
(23) 韓国教育省の強い規制を受けていた韓国の大学運営にも、中央集権的な意思決定が見られた。一九八七年のデモに続く民主化はこれらの制度に対して重大な影響をもたらし、今では教授会が大きな発言力を持つようになっている。
(24) とりわけ一九八〇年代初頭には、テレビニュースの最初の数分間はきまって全斗煥新大統領の活動報告にあてられていた。

第二章　韓国政治経済の表象

こうした事実は深刻な論争の的になっているわけではない。その説明や解釈が、今日の比較政治経済学の領域において、もっとも異論の多い問題であったとしても。
チャーマーズ・ジョンソン〔Jhonson 1987: 136〕

テスンの社員と管理職は、対人関係の築き方に関する理解に加え、国内の、また国際的な政治経済についての知識をテスンにもたらし、その新たな文化的知識が、さらに今度は職場での彼ら自身のものの見方と行動の選択を特徴づけた。この章では、韓国の政治経済と、その国際経済や世界システムとの関係、民族主義運動とのつながり、さらに財閥（チェボル）と呼ばれる大規模コングロマリットの独占が顕著な分野に関して、私なりに解釈を試み、概観する。この概説では、企業のオーナーと社員が置かれた政治的・経済的条件と、中流階級がその条件をどのように理解しているかに注目する。後の章では、私のフィールドワーク中にテスン社内で生じた事象に、彼らの認識がどのように影響していたのかを示すつもりである。

韓国の政治経済に関する解説には、韓国文化についての解説と同じように、どれにも不備がある。主張の対立する解釈がすでにいくつか出されているが、そのどれもが、非常にひろい範囲の真実とみなされている事実と、証明も反証も不可能な理論的推論によって選ばれたデータにもとづいていた［Gilpin 1987: 26; Kuznets 1988: 125］。政治経済をめぐっては、近年、とくに複雑で大部で論争的な論文が世に出ている。こうした著作によく登場するのは、新古典派、計量経済学、世界システム論という政治経済学の三つの大きな知的潮流で、複数の流れが組み合わさったり融合する場合もある。[1] 過去二五年にわたる韓国の経済成長全体にはコンセンサスがあるし、実際、韓国政府の公表する国民総生産、工業生産、輸出といった数値が正面から争われているわけではない。しかしいっぽうで、市場メカニズムはどのような役割を果たしているか、政府は経済にどのように介入し、どのような影響を与えているか、世界システム内の立ち位置によって韓国はどのような脆弱性や制約をこうむっているか、所得配分の公平さはどうか、さらにその他の数多くの問題について、一定のコンセンサスが存在するわけではない。私は、既存の立場の一つを支持したり、論争を解決したりするつもりはない。主なパラダイムのそれぞれが、ジェームズ・クリフォード［Clifford 1986］が「部分的真実」と呼ぶものを手に入れるのに役立つと考え、先の三つの流れのすべてを政治経済の異なる側面を明らかにするために用いることにする。

この議論にはアカデミックな解釈以上のものが含まれており、経済、国益、そして財閥をどう認識するかが、こうした認識対象となる事象の再現や修正に影響を与えるのだ。アンソニー・ギデンズが述べたように［Giddens 1984: xxxii-xxxv］、自然科学理論と社会科学理論の大きな違いの一つは、社会科学理論が調査行動を特徴づけている知識を変容させることで調査対象を変えてしまう点にある。同様に、ロバート・ギルピン［Gilpin 1987: 26］やスティーヴン・ギルとデビッド・ロウ［Gil and Law 1988: xvii］が注記するように、政治経済理論は現実を説明する以上のことをする。行動の処方箋まで書いてしまうのだ。クリフォード・ギアーツ［Geertz 1973: 93］の適切な表現を借りるならば、それらの理論は、現実のためのモデルであるのと同時に、現実そのもののモデルでもある。

理論的解釈と実際の行動のつながりは、政治経済学においてはとりわけ親密なもので、アカデミックな論争の主な主張は、メディアによって報道され、大衆、とくに中流階級にフォローされ、彼らそれぞれの現在・過去・未来に対する理解、国家の政策への評価、ビジネス戦略の策定、そしてとくに一九八七年には街頭デモへの参加にまで影響を与えた。国内および国際間の競争、政府の行動、主要な貿易相手国と韓国との関係、経済発展における財閥の役割、それら巨大ビジネス集団がなすべきこと、彼らに対してなされるべきことなどは、新聞の社説やテレビのニュース報道、そして日々の人びとの会話のなかに長いあいだ頻繁に登場したテーマだった。それゆえアカデミックな論争に登場する問題の多くは現代文化の一部なのである。政治家、官僚、反体制派の政治家、聖職者、労働運動家、学生リーダー、新聞の論説委員、小説家、詩人、そして財閥のオーナー（第三章）とそのホワイトカラー社員（第六章）を含む多くの人びとがこれらの議論に参加した。世界の他の場所では多くの人びとが門外漢の理解を越える難解な理論だと考えているものが、韓国では、権力と正統性を、そして究極的には国家と財閥の再生成（reproduction）を競って追い求める際の明白な修辞的技巧となっていたのである。

こうした政治経済の解釈は、因果関係を追求する理論によると同時に、韓国の国益に関する主観的だが文化的な理解にもとづいていた。ここでもまた、大きく異なる意見があった。経済成長を公平な分配より優先すべきか、中流階級と労働者階級のどちらが社会の核なのか、財閥がもたらす便益はその危険性にまさるのか、特定の国（とりわけアメリカ）は同盟国なのか敵国なのか、などが主な争点だった。こうして私は、ナショナリズムと財閥という現代韓国の思想を構成するもっとも突出したテーマと論点を探査しようとしたのである。

1. 政治経済論争

韓国経済は、国民総生産（GNP）、国内総生産（GDP）で見ると、ともにインフレの影響を差し引いても、一九六〇年代初期から毎年およそ一〇パーセントの成長を続けている。この成長の主な要素は、とりわけ急速に成長した製造業と輸出である（表1参照）。別の視点から見ると、韓国産業の農業から製造業への変容が、そのGDPの構成要素の変化に表われている。一九六五年から一九八八年のあいだに、製造業は一八パーセントから三二パーセントに急成長したが、農業生産は実質で年平均三パーセント増加したにもかかわらず［Kuznets 1977: 132; Ban, Moon, and Perkins

表1　平均年成長率 1965-88（恒常ドル換算　%）

	1965-80	1980-88	1965-88
国内総生産（GDP）	9.6	9.9	9.7
農業	3.0	3.7	3.2
製造業	18.7	13.5	16.9
輸出	27.2	14.7	22.7

出典：World Bank（1990:181,205）より算出

1982; Sorensen 1988; National Bureau of Statistics 1989: 465］、構成比では三八パーセントから一一パーセントに減少した［World Bank 1990: 183］。

この数値の偏りはほとんど注目を集めなかったが、おもに輸出と製造業による経済全体の著しい成長は架空のものではない。[2] 自家用車所有の増大、日常生活の利便性の向上、失業の減少、農村コミュニティでの労働人口の不足、大工場の増加、そしてアメリカ市場での靴や家庭用品などの韓国製品の人気が、同じ筋書きを示している。

このように急速で息の長い経済成長は最近の世界史においては例外的に見え、予想を大きく上回るものだったことから、強い関心を引き起こした。一九五〇年代末から一九六〇年代初頭頃は、韓国経済の見通しが海外の眼にはきわめて鈍く映ったため、韓国は経済的に「どうしようもない国（basket case）」とされていた。朝鮮戦争による荒廃感は別としても、韓国はほかの第三世界の国々とよく似ていた。ポストコロニアル社会であること、地方の主要人口が農業に従事していること、人口密度が高いこと、耕作に適さない土地が多いこと、そして鉱物資源が欠乏していたことなどが足かせとなっていた。韓国の文化、とくに儒教は、現実に役に立つ学習よりも抽象を重要視し、商業活動を軽蔑しているという理由

で、経済発展の障害物とさえみなされた。しかし、一九七〇年代の中頃になると、過去の「どうしようもない国」は経済の「奇跡」としてもてはやされるようになった（一九七五年七月一四日付け「タイムズ」〔ロンドン〕、一二面）[3]。私がフィールドワークをおこなった一九八六年から一九八七年には、国民総生産は世界が羨むほどになり、教養があって「規律ある」労働力を生み出す役に立つということから儒教は高く評価されていた。

市場（マーケット）

政治経済を理解するアプローチのなかには、市場の機能を韓国経済の成長の主な理由とみなすものがある。伝統的な、あるいは「新古典派の」経済理論によれば、そのアプローチは、市場メカニズムこそが、生産の最大化のために経営資源をもっとも効果的かつもっとも強力に配分する手段だと考える。このことを確信をもって語る人びとは、韓国の経済成長が上向いた主な理由として、一九六〇年代初頭に始まる、より効果的な国内および国際市場への進出をあげる。国際市場がとくに重要視されるのは、それらが「比較優位」理論の正しさの根拠を示すと考えられるからである。比較優位理論は、国際的な自立や政府の介入によるのではなく、ある国が自らの「要素賦存量（算定された生産要素の量）」にもっとも適した商品とサービスをつくり出し、その生産高のすべてか一部を、異なるリソースの組み合わせを持つほかの国の、別の必要な商品やサービスと取引することで、富を最大化できるものと規定する。一九七〇年代後半までの韓国の主要な

「比較優位」は低賃金労働だったとされている。

この視点は、ほかの合理的選択理論と同様に、社会的行動の役割を認める点に理論的長所があるように思われる。完全競争が実現している市場においては、消費者と生産者の選択は、その時点での価格構造とリソース配分によって制約を受け、またそれにより可能になる［Gill and Law 1988: 42］。たとえ彼らの集合的な選択が価格を変えてリソースを再配分したとしても問題はない［Gilpin 1987: 29］。たとえば、消費者の嗜好が変われば、生産者はもっと収益の出る商品構成に移行しようとし、価格構造や入手できる商品はシフトする。しかし、これから私が示すように、この合理的選択理論は以下のいずれの場合も、計算の余地はあっても、ほとんど選択の余地のない「経済合理性」を意味することになる。それはとくに政治経済の代替が可能な場合や、その選択が、個人が合理的に追及する種々の利益のあいだのトレードオフの関係を含む場合である。私がここで取り上げるのは、これら二つの条件の一番目であり、二番目に関しては本書の結論部分で説明する。

市場志向型理論には限界があり、その多くは経済行動の政治的側面を除外することからきている。とりわけ韓国の場合、少なくとも五つの重要な政治的判断が関係しているように思われる。

第一に、新古典派の理論では、国際的分業を推進することによって、各国は必須部品を海外サプライヤーに、生産物を輸出相手国の消費者に頼らざるをえない脆弱性を抱えたまま、国際的相互依存関係を深化させることになる。

第二に、新古典派の理論は、ブルーカラー労働者の賃金の上昇が人件費の優位性をむしばみ、製品の輸出を減少させて「国益」を損なうと主張する。

第三に、新古典派の理論は、一般に、経済問題への政府の介入は市場の機能を強化する場合にのみ正当化できると主張する［World Bank 1987b: 85; Gil and Law 1988: 43-44］。市場参加者を増加させ、市場の透明性を高め、経済外的なリスク（たとえば政策転換によるなど）を減少させる、あるいは、社会の基盤となる「公共財」へのインセンティブを与え、または高める（この公共財は、個人や個々の家庭や企業ではなく社会全体の利益となり、そうした財の生産に個人を向かわせるに足るものとされる）――おそらく（許容される）政府の介入はそんなところだろう。国家が市場機能の強化措置を越えて対応することは、市場メカニズムを非効率な官僚的判断に置き換えるものとされている。(4)

第四に、こうした経済学の立場は、経済的選択が実際にどのようにおこなわれるかの一側面を垣間見させてくれるにすぎない。たとえば、この立場はナショナリズムの問題にはうまく対処できない。つまり、多くの韓国人が（そしてアメリカ人も）保護主義的関税や貿易障壁を好み、そのような行動は自国の、したがって彼ら自身の長期的利益にかなうと見て、一部の品目に高い価格を支払う。これはナショナリズムのなせるわざである。

そして最後に、新古典派の立場は、（アダム・スミスとデビッド・リカードが最初に新古典派経済学を定式化した時代から引き継がれてきた）「買い手と売り手の数がじゅうぶん多く、誰もコントロールできない市場」を主要な市場モデルとして採用しているので、独占と寡占に見られるような経済取引における力の不均衡に対して、じゅうぶんな注意を向けていない。

しかし、限界はあるものの、市場志向型の解釈は、たしかに韓国の経済成長の一定の理解には有効である。価格はたしかに商品選択に影響を与えるからである。この見方によれば、この経済の「奇跡」は、一九六〇年代前半、朴正煕が軍事クーデターによって政権を奪取し、市場を歪めてきた前体制の規制の多くを撤廃する一連の経済政策を導入してまもなく始まった。たとえば、李承晩政権の主要政策である輸入代替（国産化）の奨励は、金利と為替レートを人為的に低く維持することによって、国際的な市場メカニズムを遮断してきた。このような「歪んだ」価格ゆえに、起業家は、生産の増大による利益の追求をめざさず、その代わりに政治献金や個人的な人脈を介して政府管理による外国為替の（自国通貨高の）「公式レート」にアクセスする権利を入手し、その権利を利用して輸入をおこない、輸入品を国内市場で販売して利益を得る道を選んだ［Kuznets 1977: 48］。

しかし、（朴正煕が政権を奪取した）一九六〇年代初頭以降、韓国は、「金融の価格（金利）を適切に設定」している、あるいは少なくともより「現実的な」為替と金利を設定し［Cole and Park 1983: 8; Krueger 1985: 193; Kim Kwang Suk 1985: 59-62; Kuznets 1977: 193］、それにより市場メカニズムの機能を円滑化し、政治的特恵に頼ることのない生産活動を通じた利益の追求を促しているとみなされるようになった。朴正煕と彼の経済官僚たちは、市場の機能を助長するための公共財を提供しつつ、自由な市場機能の妨げになる多くの障害物を取り除いたとされる。さまざまな経済的インセンティブによる輸出促進などの具体的措置をとり、製造業界に対しては韓国企業が低賃金の労働力を武器に国際貿易で優位に立てるよう促し、大企業には負債を政府保証することで国際信用市場に参入する道を開き［Lim Youngil 1981: 87］、それによって商品市場のみならず国際金融市場への参入をも促進した。

この新古典派の解釈は、いくつかの政治経済学的研究の理論的基盤となり［World Bank 1987a, 1987b; Kim Kwang Suk 1985; Krause and Kim 1991］、現在なお、エコノミストが提示する多様な解釈のうちでもっとも影響力のあるパラダイムとされているように思われる。これらの研究はすべて、政府が経済を市場の力の緩衝（バッファー）に全面的に任せたままにしておくのではなく、経済に介入したことをたしかに認めている。ただ、この学派が、後に概観する政府の機能をより重視する立場の理論家たちと異なるのは、こうした政府の行動への関心の少なさと、市場を歪める政府の強制的な措置が明らかに経済成長を助長したとは認めたがらない点である。たとえば、世界銀行の報告書［World Bank 1987a: xiv］は、多少「横道にそれる」ことはあったが、政府は「市場のシグナルに反しないように最大限の努力を重ねてきた」と指摘している。報告書は、そのような横道にそれた例の一つとして、政府の支援による一九七〇年代の重化学工業の発展をあげ、それは「比較優位」よりも明らかに軍事的、政治的判断によって動機づけられたもので、「政府の指導と誘導のもとにおこなわれた重化学工業（ＨＣＩ）への多額の投資は、結果として遊休生産能力を生じさせた」と述べている［World Bank 1987a: 93］。

私がテスンでフィールドワークをおこなった一九八六年から八七年のあいだに、新聞は、世界市場が韓国の国民総生産の上昇に、少なくとも短期的には、おおむね好意的だという見方を連日のように報じていた。この楽観主義の主な理由は、「金利安」「石油安」「ウォン安」という「三つの安値（삼저）」だった。産業化は多くの場合借入資金にファイナンスされており、その結果生じていた対外債務が、報道によれば国民総生産の半分にまで達していたのだから、低金利は有利に働いた［World Bank 1988: 4］。石油価格が低水準にあることも、韓国経済に恩恵をもたらした。韓国は、石油をすべて輸入に頼っていたからである。そしてウォン安によって、韓国商品が（韓国商品の購入国である）日本で安くなり、アメリカなどの海外市場では、韓国製品が日本製品よりも安くなった。これにより輸出は拡大し、貿易収支は改善され、生産者はさらなる利益を得たのである。(5) 日本企業の多くが買い付け先を韓国に変更し始めたと伝えられたが、韓国は相変わらず対日貿易赤字に苦しんでいた。とはいえ、全体として、国際市場は好調で、貿易収支の大幅な改善をもたらすほどだった。政府が発表した統計によれば、貿易収支は一九八四年の一四億ドルの赤字から、一九八七年には六三億ドルの黒字に転じていた［Economic Planning Board 1988: 205］。

しかし、市場重視の観点から見た長期予測は、一九八六年から一九八七年時点では、まだ完全に楽観的とはいえなかった。数年にわたって、韓国の「要素賦存量」の相対的優位性が変化していることが、ひろく認識されていたためである。国内賃金が上昇し、中国など発展途上国の国際市場への参入が増加していたため、人件費の低さによる韓国の「比較優位」は崩れつつあった［World

Bank 1987a: 12]。輸出は、繊維工業のような、どちらかといえば労働集約的な産業から、自動車やエレクトロニクスのようなより資本集約的、技術集約的な輸出品へと移行していった。しかしながら、後者のような産業で輸出を継続してゆくには、テクノロジーの最先端近くにいることが求められていたが、韓国のテクノロジーはどちらかといえば未発達のままだった。このように、韓国は人件費の上昇と陳腐化したテクノロジーのあいだで挟み撃ちに遭っているように見えた。日本とアメリカがテクノロジーの分与に消極的だという不満が頻繁に聞かれるようになり、さまざまな政府当局者が応用科学分野の研究を促進するための対策を発表した。

国家（政府）

韓国経済の「奇跡」はなぜ起きたのか。もう一つの解釈は、市場の自動調整機能をさほど重視せず、国家（政府）は、自律性と能力をそなえたアクター（役割担当者）であり、市場を混乱させる以上の働きをする、と見る立場に立つ［Evans, Rueschemeyer, and Skocpol 1985］。こうした見方は、国家に関しては行為主体中心的（agency-centered）になりがちで、個人を観察する時には構造主義的になる傾向がある。しかし、市民社会から完全に自立した（あるいはそれに拘束されない）国家は存在せず、個人もまた、国家の指示に直面した時に選択肢をまったく失ったままでいるわけではない。国家による選択とその行動はそれ自体、対立し合う個人や個人の属する政治派閥の争いから生じる偶発的な結果である。韓国産業界の有力者たちは、いくつかの措置については国の指示を拒否したり、回避したりすることができたし、中流階級にも彼ら自身の抵抗の形がなかったわけではない。

一九八七年夏の巨大な街頭デモは、おそらく国家の脆弱さを示すもっともドラマチックな証拠だった。というのは、デモは一定の政治的自由——どれほどのものだったかについては異論が残るが——をもたらしたからである[Cumings 1989]。そのほかの抵抗の形としては、税の不払いや政治漫画、職階の低い公務員によるおおっぴらな政府批判、声をひそめての反政府感情の吐露、冗談、そして政府の指示に対する対応の意図的な遅延などが見られた。たとえば、(大学で働く)研究者の多くは、学生がデモに参加するのを本気でやめさせようとはしなかったし、規制に従わずに自らのアカデミックな地位を犠牲にしたり、投獄に耐えた者もいた。

計量経済学的な視点に立つ人たちの大多数は、政府による管理は経済発展に効果があったと主張する[Rueschemeyer and Evans 1985]。そのような韓国研究の著者のなかには、国の官僚機構に勤務し、経済的介入に責任を負う第一線の経済官僚も含まれており[e.g., Jones and SaKong 1980: esp. 120–40]、国が強圧的な措置に出ることへの同意とその直接の説明が内情をのぞかせている。

しかしながら、そのような官僚的つながりのない研究者たちのなかにもまた、同様のアプローチがあった。たとえば、ステファン・ハガードと文正仁(ムンジョンイン)(문정인)は、確固とした政府の存在と政府による経済資源の管理は、輸出主導の成長には欠かすことのできないものだと主張する[Haggard and Moon 1983]。彼らは[同、1983: 151–52]、政府による国内の金融システムの管理と、そ

れによって多国籍企業がラテンアメリカで見られるような弊害［Evans 1987: 216］をもたらすのを防止している点に、とくに強い関心を示す。リチャード・ルド＝ノイラスは、国が市場を失望させるような輸入代替措置（国産化）と保護主義を同時に遂行したことは、輸出促進策とともに韓国の経済発展にとって重要で建設的な役割を演じた、と論じている［Luedde-Neurath 1986］。また、チャーマーズ・ジョンソンは、日本経済の奇跡の分析［Johnson 1982］を韓国に敷衍するなかで、おもに日本から学んだ政府の「権威主義」と産業政策が、韓国の経済的成功の主たる理由だと指摘している［Johnson 1987］。ハワード・パックとラリー・ウェストファルは、ほとんどの新古典派的アプローチは、テクノロジー促進のために発達の初期段階の産業に戦略的介入をおこない、介入によって経済成長に貢献することの重要性を認識できていない、と批判したし［Pack and Westphal 1986］、さらに最近、アリス・アムスデンは、政府の行動は市場に同調してきたとする主張に異議を唱え［Amsden 1989］、市場を失望させるような措置を強制的に実施し、「不当な価格を設定した」ことこそが、韓国の経済成長の主な理由だと主張したものである。

政府による経済の管理を重視している人びとが、みな政府の政策を称賛しているわけではない。多くの人びとが、朴正熙が経済の発展を促進しようとした主な動機は、自らの体制の正当性を支えるためだったと論じており［Koo Hagen 1987: 168; Lim Hyun-Chin 1985: 72-73］、彼らのうちには、政府の強制的な施策が政治的経済的弊害をもたらしたと指摘する者もいる［Kim Dae Jung1985; Im Hyug Baeg 1987; Choi Jang Jip 1989］。

新古典派は、市場メカニズムへの干渉が非効率の原因であるとして政府の介入を批判するが、計量経済学からの批判は、経済的利益の分配に際しての政治的な排除や偏重の問題に、より焦点を合わせている。これら批判がもっとも共通して指摘するのは、大企業の支援によって生じる経済力の集中、労働コストの優位性を維持するためのブルーカラー労働者の抑圧、階層間のみならず地域間にも存在する分配の不公平、農村と都市との経済的機会の不均衡、そして、産業の成長に必要なファイナンスを海外資本に頼る国の政策が生み出す巨額の対外債務などである。

政府によるコントロールが、エコノミストが通常、介入の度合いを測る尺度としていた財政・金融上の措置の種類をはるかに超えてひろがったために、経済への政府の関わりを伝統的な理論によって定量的に評価することが困難となった［Kuznets 1985: 45］。しかし、もっとも重要なメカニズムが国家による金融システムの管理だということは、あらゆる派の理論家にひろく共有されたコンセンサスのように思われる。国内の銀行をコントロールし、海外からの融資には保証人のようにふるまうことで、国は気に入った業界や会社、あるいは個人起業家に低金利の政策融資をふりむけることができた。国の指示に黙って従う起業家は、ほぼ一九七〇年代を通して、インフレ率より低いと言われるほど有利な金利で融資を受けることができた(6)［World Bank 1987a: 39］。これらの融資の一部は製造プラントや設備をファイナンスし、ほかは短期の運転資金となった。たとえば、輸出を促進するために、海外顧客から銀行信用状（L／C）を受け取っている会社は、商品の販売価格の四分の三に相当する額の融資を受けることができた［Koo Bon Ho 1988: 82］。

一般に、政府当局者は、大企業またはすでに「実績」のある企業には銀行が大規模融資をおこなうよう促した [Jones and SaKong 1980: 305]。この選別は必然的に数多くの構造的な問題を引き起こした。第一に、大規模コングロマリットが一般経済よりも速い速度で成長し、産業の集中が加速した。第二に、巨大企業ほど多くの債務を負うことになった。第三に、財閥がこれまで関係のなかった多くの産業に関わるようになり、それまでの経験や専門性を生かして成長できる産業よりも、政府による支援のある産業に参入するようになった [Jung 1987]。

優先的な貸付は大企業の利益にはなったが、同時に彼らの企業運営への国のコントロールを増大させた [Jones and SaKong 1980; Woo 1991]。銀行の融資の多くは短期の時間差ローンだったので、始終借り替えを要求され、企業はますます国の規制に縛られることになった。たとえば、韓国で一〇番目(「フォーチュン」一九八四年八月二〇日号、二〇六頁)ないし六番目(「ファー・イースタン・エコノミック・レビュー」一九九〇年三月一日号、四七頁)の大グループだった「国際」財閥が一九八五年に倒産した時には、国が銀行に融資をやめさせて倒産させたという噂がひろまり、財閥の会長自身が事情説明でそうした解釈を示したとも言われた。一九八八年春、全斗煥が政権を去って言論の自由がさらにひろく認められるようになって後に、「国際」コングロマリットの元会長がグループの旗艦企業の再生を求めて民事裁判所に提訴している(一九八八年四月三日付け「コリア・ヘラルド」、一面)。四か月後、ソウルの大手新聞各紙の第一面に、「国際」グループ再生委員会の署名入りで、同じ内容の意見広告が掲載された。

政府による銀行システムの厳格な管理が招いたもう一つの結果は、融資に向けた大きな地下市場や「場外市場（カーブ・マーケット）」の成長である［Yi Changnyol 1965］。場外市場の金利は一か月三・五パーセント前後で絶えず変動するか［Cole and Park 1983: 130］、または一年で五〇パーセントの複利だった。しかし、正規の金融市場を通して借りられる融資は大企業が独占していたため、多くの中小企業にはほかに融資元はなかった。それに加えて、財閥は低金利で融資を受けられたため、財閥オーナーたちは、限度額いっぱいまで公的資金から融資を受けたうえで、遊休資金を場外市場や不動産に投資することになった［Cole and Park 1983: 188］。そこで、メディアは、財閥が不動産や信用融資への投資をおこなうことは、ほかの資本主義経済圏では非難されることではないが、韓国財閥は国から優先的に与えられた特恵を不適切に利用してきたとして非難の声を上げた(7)。

さらに政府は、金利と貸付をコントロールしながらカルテルをつくり、為替を調節し、価格を操作し、特定分野への企業の参入を認可し、輸入を規制し、企業の合併や買収を強制し（「国際」グループの構成企業は、明らかに無償でほかのコングロマリットに譲渡された）、免税措置をとったり、逆に税務監査を脅しに使ったり、「材料ロス許容量（wastage allowances）」を高く設定して、輸出業者が生産に必要な量以上の原料を非課税で輸入し、余剰分を国内市場で販売できるようにしたり、さらには低人件費による「比較優位」を維持するために有力な労働組合の勢力拡大を妨害するなどして、経済への介入をおこなっていた。

この政府によるコントロールの浸透度は、テスンの社員にはとくにはっきりとわかるもので(第六章)、彼らは日常的にそれに対処しなければならなかった。政府のコントロールは、しばしば法的措置のカテゴリーのなかの報奨や懲罰の単純な変更をはるかに越えて拡張された。そのもっとも強制的な形態は、大財閥の会長への命令という形をとった。この「命令」の手続や、より微妙な形の圧力については、ルロイ・P・ジョーンズと壹司空(일사공)が一般論として述べており[Jones and SaKong 1980]、新聞でも逸話として報道された。メディアの自由の拡大の結果、強制的なM&A(合併と買収)の詳細が明らかにされ、一九八八年と一九八九年には野党連合が国会で主導権をにぎった。

政府による介入の浸透範囲は、ビジネス・コミュニティーを越えて大学教育にも達し、反体制派の迫害やメディアの支配にまで及んだ。後者についてはとくに参考になる情報が多く、政府が経済政策、なかでも国際貿易に関する世論をどのように形成しようとしていたのかがわかる。その毎日の「ガイドライン」は、一九八六年九月に反体制派の雑誌「言葉(말)」が抜粋を掲載するまでは明らかにはされていなかった。これらの規制がどのように施行されていたかについては今でも議論があるが、暴露した人びとは国家機密漏洩の罪に問われた。以下にその抜粋からアメリカに関わる部分を少しだけ訳出しておく。ニュース報道それ自体の全面的な禁止によるのではなしに、国がどのようにメディアに介入したのかに関して、従来隠されてきたものが垣間見える。政府は、ニュースのサイズと紙面上の配置を制限し、見出しの言葉づかいを規制し、全体の報

道傾向を整えた。すべてはその経済政策の選択をより口あたりのよいものにするためである。ガイドラインでは、アメリカの圧力に屈しているとの批判をかわしながら、国際政治経済のなかで自らの役割をどのように形成しようとしたのかが示されている。私の訳は、ガイドラインの原文の簡略化された文体と短い文章、シンプルな構文を再現しようとしたものである。

一九八五年一一月四日　朝鮮ホテル内アメリカ商工会議所の学生による占拠
　　午後一時〇八分　全員を警察が拘束

1　これを社会面トップで扱わないこと
2　写真は使わないこと
3　（デモ学生が）「独立と防衛のためのソウル大学闘争委員会」に属することを、見出しでは扱わないこと、

一九八五年一一月七日　財務部（財務省）で、専売事務所が民間法人に変わること（つまり国営でなくなる）
（この決定は）タバコの輸入自由化へのアメリカの圧力によるものではないことを明確にすること

一九八五年一二月二三日　「一九八六年の韓国の景気は低迷する見込み」というＵＰＩ通信社の記事は配信を避けるのが望ましい。

一九八五年一二月二四日　「エイジアン・ウォール・ストリート・ジャーナル 香港版」一二月二三日号掲載の全斗煥大統領に関する記事は転載しないこと

一九八六年一月九日　アメリカのリビアへの経済制裁に関して：

1　アメリカの視点だけを報じるのではなく、我が国の建設企業が国益（국익）の観点から（当該市場に）進出していることを注意深く報じることが望ましい

2　リビア現地での建設会社の動きと、アメリカの経済制裁実施後の関連事項は報じないこと

一九八六年六月二二日　韓国・アメリカ間の貿易協定が全面合意したことについて：

1　「貿易問題で全面合意」を主見出しとすること

2　知的財産権、タバコ、保険などに関する政府当局が発表したさまざまな対応措置は「補完的措置」として詳細に報告されること

3　野党、非政府組織、利害団体による批判は簡潔に報じる（だけにすること）

4　外国新聞社が「アメリカの圧力に屈した」等のように報じたとしても、「わが国が自主対応」という見出しの下で報道すること

5　「著作権に対する当初の立場から後退した」というニュースコメントがあっても「政府による対抗措置」に変えること

こうしたメディアへの介入を一瞥しただけでも、政府がアメリカの利益に従属するのではなく国益を促進しているのだということを示したがっていたことがわかる。政府による報道規制は、多くの人びとが、韓国があまりにも従属的にアメリカに依存しており、アメリカの貿易上の圧力に対して、政府は自国の経済的利益を適切に守っていない、と見ていたことの証拠でもある。

2. 国際秩序

政治経済への一部のアプローチ、とりわけ従属理論と世界システム論に特徴づけられたアプローチは、韓国の経済成長が、その舞台となった世界システムによってどのように制約され、また可能になったのかを把握しようとしている［Cho S. K. 1985; Lim Hyun-Chin 1985; Cumings 1987; Koo Hagen 1987; Kim Kyong-Dong 1987; Woo 1991］。このアプローチに与する人たちが強調するのは、個人

や企業、そしてとくに政府の選択は外的条件に左右されるという点である。政府による国内経済への強制的なコントロールを念頭に置きつつも、彼らは、その政府が国内における自律性と能力を拡大し、また政策選択の条件を変更するにあたっての、日本とアメリカの役割に注目する。一般に彼らは、国際システムと韓国政府の双方に対して批判的である。彼らの視点は、反体制派の政治グループが展開する多くの議論の特徴でもあった。

国際秩序によって課される構造的束縛を強調するがゆえに、従属理論と世界システム論の研究者たちは、彼らの見方が、人間の行動に関してあまりに決定論的である点を批判されてきた［Im Hyug Baeg 1987: 233; Gill and Law 1988: 62, 75］。実際、彼らの論述は、国際貿易の不均衡と国力の格差が、いかに選択の幅を、とくに弱小で貧しい国ほど狭めているかを強調する［Wallerstein 1979: 61］。さらに、これらのシステムの構成要素として階級、国家、国民、巨大多国籍企業、政党に焦点をあてることで、市場志向型経済の中心を占める個人や世帯の行為主体性を隠蔽してしまうのである。世界システムの観点からは、その選択が地域の、国全体の、さらには国際的な構造に制約されるがゆえに、ほとんどの個人は無力で、その選択もとるに足らないものに見える［Giddens 1984: 171］。それにもかかわらず、世界システム論の観点は、もし、より大きな構造が制約だけでなくさらなる選択肢をも提示し、（国家であれ階級であれ）関与するすべての集合的アクター自身が、最終的には選択をおこなう個人によって構成され、複製され、および変更されるということを認めるのであれば［Callinicos 1988: 134-35］、決定論に膝を屈する必要はない。そのうえ、過去一〇年足らずのあいだに、日本と韓国が国際的ヒエラルキーにおいて劇的な上昇をとげたことは、世界システムが、柔軟だがしっかりとした価値を持つことを示して説得力がある。

経済成長を促し財閥を出現させた国際秩序に光をあててみると、浮かび上がるのは一六世紀、一七世紀のヨーロッパにおける資本主義の拡大ではなく、より最近の東アジアにおける日本とアメリカの覇権の時代である。しかしながら、日本の植民地時代と一九六一年（朴正熙による軍事クーデタ政権樹立）以降の時代との連続性をどの程度に見るかは、世界システムの提唱者たちによってさまざまである。一般にアメリカの研究者は、韓国の研究者以上に戦前の期間（からの連続性）に注目する。以下の説明では、その双方の見方を検討するつもりである。

日本の植民地体制

一九〇五年に朝鮮を「保護国化」し、一九一〇年に正式に併合した日本政府は、一九四五年以前の資本主義世界システムに朝鮮が関わりを強める、主要な仲介者の役割を果たした。当時の国際システムのなかの日本自身の位置が朝鮮の植民地化をどのように促したかについては、ほかに譲り［Myers and Peattie 1984: esp. 61-171; Cumings 1987］、ここで私は、日本の行動が、朝鮮国内の政治経済と植民地時代の世界秩序におけるその位置に、どのように影響を与えたのかに焦点をあてることにする。

おそらく、日本による植民地化のもっとも顕著な影響は、朝鮮王朝時代よりもはるかに強力で集権的な国家機構を朝鮮につくり上げたことだった［Palais 1975; Cumings 1984; Woo 1991］。日本の国家官僚は、自らが明治期に発展させた政治的・経済的な支配のテクニックを用いたが、彼らはまた、世界各地の植民地政府の実践と失敗から学んでもいた。ヨーロッパ列強の植民地とは異なり、日本の植民地は日本本土に近く、とりわけ朝鮮の場合、植民地当局者は、文化、言語、さらには体格においても、より大きな相似を植民地の国民と共有しており、そのことによって自分たちの監視の力を強化していった。職業軍人を植民地官僚のトップに任命したことは、戦前期の日本自身の軍国主義的性格もあいまって、植民地政府の強権をさらに強めた。

強力な植民地組織は、地域住民からほぼ独立して、その支配と監視のテクニックを独立や愛国運動の抑圧に用い［Robinson 1984］、また朝鮮経済のかなりの部分を運営した。当初は、朝鮮半島が日本の米需要をまかなう供給地となり、日本の軽工業製品の市場になることを目論んでいたが［Duus 1984］、一九三〇年代には、日本の国家政策は、日本自身の工業化がさらなる段階に進んだことで、朝鮮と満州国の工業生産を促進する方向へと転換した(8)［Mizoguchi and Yamamoto 1984; Jones and SaKong 1980: 24-27］。この戦略を実現するには、余剰農産物を抽出し工業製品を地方市場に届けるための輸送インフラを整備するだけではすまなかった。工場の建設や機械の整備、水力発電所の建設までもが必要とされた［Kuznets 1977: 17-23］。朝鮮の軽工業化は、植民地の日本帝国への統合を促進した。なぜなら、朝鮮の産業の発達は、朝鮮自身の市場よりも帝国の需要に向けられるようになったからである。こうして朝鮮は、帝国自身の世界経済内での地域的なサブシステム、

つまり日本が大東亜共栄圏と名づけたサブシステムのうちに特別な位置を占めることになった。国営企業を設立するのではなく、経営計画を立てて実行する意思のある私企業へ融資をおこなう――これが朝鮮の工業化をめざす植民地政府の重要戦略の一つだった。このインセンティブを利用することができた朝鮮の実業家もいないではなかったが、融資を受けたのはほとんどが日本企業で、事業法人の圧倒的大多数は日本人の所有だった[Grajdanzev 1944: 171-77]。そのなかでもっとも規模が大きかったのは、日本に本社を置く大規模コングロマリット、つまり日本の財閥の系列で、これら戦前の日本のビジネスグループの組織や経営慣行と現代韓国のコングロマリットのそれとのあいだには、多くの共通点を見出すことができる[Jones and SaKong 1980: 259-60; Hattori 1989]。実際、「チェボル（재벌）」という言葉は、日本人が書いた「財閥」という漢字の韓国語読みである。

植民地政府から融資を受けた朝鮮の実業家たちは、「自分たちの行動は、日本帝国主義への奉仕ではなく、日本製品の輸入から国を守り、来たるべき独立にそなえて産業を興すことをめざした愛国的な努力である」と、同時代の同国人に訴えた[Wells 1985; Robinson 1988: 92-100]。今日の韓国財閥にひろく普及している愛国者的なテーマの系譜の一端をここに見ることもできるのだが（第三章）、私にはそれは疑わしいと思われる。植民地時代が終わると、多くの韓国人は、これらの起業家を利敵協力の廉（かど）で罰するように要求した。そして、その告発の背景にある朝鮮実業家と植民地権力側との密接な協力関係は、近年、カーター・エッカート[Eckert 1986]とデニス・マクナマラ［McNamara 1988, 1989, 1990］による研究で実証されている。ビジネス界においてもほかの分野でも、日本のルールに一部でも暗黙のうちに従うことは、韓国にとっては今日なおも苦痛をともなうテーマなのである。この時期を研究する韓国の歴史家は、独立運動に焦点をあてることを好む［Han, guksa yon,guhoe 1981: 483-524］。

中央集権的で軍国主義的、干渉好きで産業振興好きな日本政府の官僚たちから、韓国人は、政府を明らかに上位の立場に置く、政府とビジネスの密接な協調の実践を学んだ［Johnson 1987］。日本企業や銀行に雇用された韓国人たちは、数多くの事務手続や生産方法、経営のテクニック、戦前の資本主義の用語さえも習得した［Moskowitz 1979; Jones and SaKong 1980: 29-30］。資本主義の企業は国益を増進するという考え（第四章）が強調されたのも、韓国人が日本的慣行に精通していたためだったと思われる。韓国の工業化の初期段階においては、そうしたイデオロギーがひろく行きわたっていた［Yoshino 1968: 57-59］。

戦後体制

経済に対する政府の強力なコントロール、政府の金融支援を受ける産業、軍国主義的政府、日本との密接な貿易関係その他、植民地時代に起源を持つ韓国政治経済の多くの特徴は戦後も生き残ったが、それは単なる構造的な惰性によるものではなかった。韓国がその網の目に組み込まれていた植民地帝国は、一九四五年の日本の敗戦によって崩壊したが、その構造から解放されたとたんに、韓国は、冷戦期の政治的、経済的分断というもう一つの罠にかかったのである。アメリカの軍事占領（一九四五年〜四八年）は、ブルース・カミングスが包括的かつ詳細に精査しており［Cumings 1981］、この時期に関する私の解説の多くは、彼のその研究とグレゴリー・ヘンダーソンの最近の著作［Henderson 1991］に依っている。

一九四五年九月八日にアメリカ軍が三八度線を南に入ったのは、表向きはそこに駐留する日本軍の降伏を受け入れるためとされたが、一九四三年初頭には早くも現れていた東アジアへのソビエトの支配をアメリカが恐れたためでもあり、アメリカ軍の行動の多くはこのソビエトの勢力拡大に対抗するものだった。たとえば、共産主義の影響を懸念するあまり、アメリカ軍は現地の政治グループの正当性を認めようとせず、アメリカ軍独自の軍事政権を確立しようとした。日本の降伏以後アメリカ軍到着までのあいだの数週間のうちに、著名な朝鮮人数名の手で、新政府が急いでソウルに立ち上げられ、地方では、（悪名高い対日協力者を除く）さまざまな政治的立場の個人が地区市民委員を組織していた。

アメリカ占領軍は、それらのグループと歩調を合わせるかわりに、アメリカ独自の政府機構を確立し、多くの保守層や反共産主義者、旧日本政府の職員といった人びとに雇用の機会を与えた。日本の植民地政権に勤務していた朝鮮警察関係者と軍将校をほとんどすべて再雇用したことは、地域の保守地主層を支持基盤とする李承晩へのアメリカの支援とあいまって、解放前と解放後の両期間にわたる韓国人指導者層の切れ目のないつながりを保証した［e.g. Moskowitz 1979］。アメリカ軍事政権によって着手され、その後アメリカ当局が李承晩政権の尻を叩いた土地改革でさえ、それがなければ組織的に政権にたてついたかもしれない富裕地主層を弱体化させ、意図せずして政府の立場を強めることになったと思われる［Koo Hagen 1987: 170-171］。

アメリカによる軍事支配は政治的、経済的に何をもたらしたか。それは日本の植民地国家の特徴の単なる再現や強化にとどまるものではなかった。それは国家を、三八度線を境に、いっぽうは共産主義と、他方はアメリカと歩調を合わせる二つの領土に分断したのだ。この分断は、南側が北側とのあいだに持っていた産業的つながりを壊滅させただけではなく、日本人が残した多くの工業施設を破壊する戦争（一九五〇〜五三年）を引き起こす結果となった。そして、アメリカは一九五〇年代を通して、韓国の経済的可能性よりも地政学的可能性を気にかけていたために、その関心は韓国軍を強化することに集中し、韓国社会に軍事的支配をもたらす一助となった。陸軍少将朴正熙による一九六一年のクーデターは、韓国における軍事支配の始まりではなく、その再来となったのである。

しかし、一九五〇年代、アメリカの関心は経済ではなく軍事戦略にはりついたままであったから、韓国政府はアメリカの経済的圧力からの一定の自由を享受できたように思われる［Cumings 1987: 68; Haggard and Cheng 1987: 128］。この期間のアメリカは、韓国が、輸入依存体質を改善するための輸入代替（国産化）政策によって、国際貿易収支のバランスをとろうと努めていることには寛容だった。朝鮮戦争後も新政府の存続を支えるべくアメリカは巨額の経済支援と軍事援助を提供した。一九五三年から一九六二年のあいだのアメリカからの支援は韓国の総輸入額の六九パーセントに相当する融資であり［Mason et al. 1980: 185］、経済成長は年平均四パーセントだったと推定されている［Kuznets 1977: 44］。

一九六一年に政権を掌握した後、朴正熙が経済政策で新しい方向性を選択したのは、国際的な勢力関係の影響を受けてのことでもあった。アメリカ当局は、朴正熙がアメリカの数々の経済的要求を受け入れないかぎり援助のレベルを大幅に下げ、最終的には廃止する意向を示していた。アメリカ国際開発局（ＡＩＤ）と世界銀行は、韓国の輸出志向型経済への移行を促進するうえで牽引的な役割を果たしたとされる［Mason et al. 1980: 47; Koo Hagen 1987:169］。アメリカ当局は、日本を強化するためには戦前の日本の貿易パターンの再構築が必要と認識していたため、日本との関係を「正常化」するように朴正熙に対して圧力をかけた［Cumings 1987: 60-61; Lee and Sato 1982: 26］。当時、国際貿易が拡大局面にあったので、朴正熙にとってもその選択は受け入れやすかった。S・ハガードと文正仁によれば［Haggard and Moon 1989: 3］、「一九七〇年代に勃発した世界経済危機の前の二〇年間、世界の工業生産は年五・六パーセント、世界貿易は年約七・三パーセントという具合に、前例のない成長率を毎年のように記録していた」。こうして朴正熙は輸出志向を強め、日本との関係正常化をはかり、金利と為替レートを変更したが、朴正熙に課された外部からの制約の重要性についてはいまだに議論のあるところだ［Lee Chong-Sik 1985: 43-67; Lee and Sato 1982: 28; Lim Hyun-Chin 1985:82-83］。

経済が新たに輸出志向にシフトした結果として、韓国は世界の資本主義システムに深く引き込まれることになった。原料と資本の不足は輸入と外資への依存を高め、国内発の研究開発の不足が海外技術への依存を招き、狭隘な国内市場と国際政治上の協力関係があいまって、おもに日米を中心とした工業製品市場への依存を生み出していった。しかし、輸出志向経済は一九六〇年代を通して奏功し、韓国は世界システムのなかの周縁的な位置から半周縁的な位置へと移動し始めた。それはちょうど、日本が半周縁的な位置から中央へ移動したのと同じ時期だった。

その後、一九七〇年代初頭に、韓国政府が重化学工業の促進に政策の舵を切った折にも、そこにはやはり世界の覇権構造の影響があった。さらなる経済的、軍事的自給自足への願望、アメリカの覇権の低下、さらにはベトナム撤退が引き起こした、アメリカ軍が韓国からも撤退するのではないかという恐怖の高まり、等々が原因の一端となって、この産業の資本集約的な「深化」は、対外負債額と産業の集中を大幅に増加させることになった。一九七〇年代初頭に、さらに権威主義的な体制を構築した朴正煕の維新（유신）政府の体制を、多くの著者は、公式の官僚権威主義体制と称するものの始まりだと考えたが、それはギエルモ・オドネルがブラジルについて述べた［O'Donnell 1973］ことと大きな違いはなかった［Lim Hyun-Chin 1985: 51; Cumings 1989; Han Sang-Jin 1987: 365; Im Hyug Baeg 1987: 239; Woo 1991］。一九八六年には、韓国は国内に自前の石油精製施設を持ち、国際市場では造船や製鉄、自動車製造の分野で競い合っていた。

この二〇年間の重要な変化としては、国際関係と通商の転換がある。アメリカが中国政府を承認したことで、米中間で公式かつ直接の取引の可能性が開かれ、中国は、その相対的低賃金を武器にして、アメリカ市場における韓国の小規模製造業者の多くと置き換わることが可能になった。その結果、韓国政府は、中国との競争がより少ない、より技術集約的な産業において、より大きな「比較優位」を発展させる必要を感じていた。

また、別の国際関係の変化が、韓国をとりまく国際関係の中心にアメリカを据えることになった。一九八〇年代の初頭、国民の不評が高まっていた全斗煥体制へのアメリカの支持は、多くの韓国人に自分たちの国におけるアメリカの役割を考え直させることになった [Kim Jin-Hyun 1988: 235; Kim Jinwung 1989]。一九七九年、朴正熙暗殺後の数週間は、より民主的な政府が実現するのではないかという楽観論が中流階級のあいだでひろがるのが見られたが、六週間後に全斗煥がクーデターを企て、翌年には光州での反乱を力ずくで鎮圧したことで、その希望は打ち砕かれた。どちらの場合も、全斗煥は、アメリカの積極的な支持はないまでも、その暗黙の了解のもとに行動を起こしたものと思われた [D. Clark 1988]。軍による光州での暴力は数百人の市民の命を奪った。一九八二年には早くも軍事独裁に反対する韓国民主連合 [Democratic Coalition in Korea Against Military Dictatorship 1982] による「アメリカは我々の同盟国か」という地下出版記事が韓国の反体制派のあいだで回覧されていた。

アメリカとの関係は、そのほかの変化によっても見直しを迫られた。一九七〇年代に「従属理論」が多くの国で流行し始めると、学生や知識人の多くはそれを自分たちの国の同盟関係を考えるための魅力的な枠組みと見るようになった。彼らはまた、韓国人の（南コリアの）国家の存立を正当化する反共主義イデオロギーを疑問視するようになっていたが、アメリカが中国政府を承認したことで、疑問の声はさらに高まった。朝鮮戦争のために南北に生き別れになった離散家族の再会を扱った一九八三年のテレソン（チャリティをかかげた長時間テレビ番組）が、期待を上回る視聴率を得たことで［Kim Choong Soon 1988］、朝鮮の分断は集団の悲劇のみならず個人の悲劇をもたらしたことが思い出された。

朝鮮戦争の起源に関するブルース・カミングスの調査［Cumings 1981］の出版と翻訳は、国が出回るのを抑えようとやっきになったにもかかわらず、韓国の有名大学の近くの書店で入手することができ、国が分断されたのは主としてアメリカが主導した結果だとする主張の信憑性を大きく高めることになった。一九八七年の春に韓国の大学生三〇〇〇人以上を対象におこなわれたよく知られたアンケート調査によると、「北と南に朝鮮が分断された責任はアメリカの政策にある」という設問に同意した者は八五・三パーセントに及んだ［To and Yi 1988: 118］。

対米関係のこの再評価は、アメリカからの貿易圧力が増すにつれて強まった。韓国の輸出業者がアメリカ市場に参入して成功を収めたので、アメリカの保護主義が強化され、二国間の貿易摩擦をさらに煽った［Odell 1984］。一九八六年に、初めて韓国主要産業の全体的な貿易収支が黒字となり、アメリカの圧力は一段と強くなった。あるアメリカ政府高官がこう語っている。

アメリカにとって七番目に大きいサプライヤー（輸入供給元）であり、アメリカの巨大な貿易赤字の五番目の原因である韓国は、アメリカ議会、民間企業、報道機関や行政府によるきわめて精緻な調査の対象となった。議会には、韓国がアメリカで享受している市場アクセスに対して、正しい相互主義をもって対応していないという強い超党派的感情がある。したがって、韓国市場をこじ開けるために、アメリカ政府は通商法の規定をつぎつぎに繰り出すようになった。[9] 輸入規制を脅しに使った交渉によって二国間の貿易赤字を減らすことを目的としたいっそう徹底した提案は、一九八六年と八七年に議会で少なからぬ支持を得た[10] [Allgeier 1988: 91]。

「正しい相互主義（Reciprocating adequately：受けたものと同等のものを適切に返すこと）」という表現は、韓国やほかの貿易相手国に対して多くのアメリカ人が押しつけているモラルを含んだ要求を表わしている。もっとくだけた会話では「競争条件を同一にする（level playing fields）」あるいは「同じルール」を適用するという言い方を耳にしたし、それらは、「アメリカの生産者が相手国市場にアクセスする場合、（アメリカ市場に相手国の生産者がアクセスするのと）同等の条件が享受できない時には、その相手国がアメリカに商品を輸出するのはフェアではない」という多くのアメリカ人の感じ方を別の形で伝えていた。

一九八六年と一九八七年には、アメリカ通商代表部は、とくにアメリカが「比較優位」を持っている農産品、とりわけタバコに対する韓国の市場開放とウォンの再評価、著作権協定への準拠を強く主張した。多くの韓国人はタバコやその他の農産品の輸入に関する圧力を、自国経済のもっとも弱小な部門への脅威と感じ取り、さまざまな形でひろく抗議活動がおこなわれた。当局は輸出産品の新たな市場を探さねばならなくなった。その結果、貿易全体に占めるアジア域内貿易の割合が増加し、その傾向は、私のフィールドワーク期間中に明瞭になってきていた（『ファー・イースタン・エコノミック・レビュー』一九九〇年八月九日号、五二頁）。数年後には、大東亜共栄圏の再建が『フォーチュン』誌で言及されるまでになった（『フォーチュン』環太平洋特集、一九九〇年秋号、九五頁）。

3．韓国ナショナリズムの高まり

国家統制主義者（ステイティスト）や世界システム論者は、経済取引は国家間の力関係に組み込まれていると主張し続けるが、彼らの多くは、その経済関係、力関係の双方が偶発的で主観的な社会的文化的条件に埋め込まれていることや、あるいは政治経済が、共通の理解と暗黙の了解を通して文化的に影響を受け、社会的に構成されているということは認めたがらない［Gudeman 1986; Friedland and Robertson 1990］。

富と権力のための闘争をほとんど考慮しない文化決定論や社会決定論による解説を避けるため、一部の政治経済学者は、文化理解と社会的考察に大きく依存する［R. Smith 1989］「一般論としてはヒューマニストに支持され、具体的には人類学志向の」解釈［Johnson 1982: 7-9］を徹底して拒否している。なるほど大砲（軍事）とバター（経済）、とくに大砲（軍事）は決定的に重要だ。しかし、それはただ単に自由市場の取引のみを通じて、あるいは逆に、その時たまたま銃のほぼすべてを掌握していた人物によってのみ生み出されるものではない。

政治経済に関するもっとも狭い定義においてさえ、所有権の主張と統治権はともにその正当性の重要さが認められなければならない。しかし、正当性というものは、最終的には文化的に認知され、人びとの総意によって確立されるわけで、黙って従ったほうがよいという認識のないまま、いかに短期間かつ最小限であろうとも、権力が行使されることは、皆無とはいわないまでも、まずない［Rorty 1979］。それはちょうど、経済の説明をしようと思えば、その妥当性が主観的選択に左右されるようなデータを添えるのが必須であるのと同じである。国民総生産のように、国民の経済福祉でもっともよく使われる統計は、取引のうち、どれを含め、どれを除外するのかの合意にもとづいて形作られており、その妥当性は、実在としての国民というものの重要性、あるいは少なくとも実在としての国民という認識に依拠している。実在としての国民などという考えは、世界史的にはまったく影が薄くなっているのだが［Anderson 1983; Gellner 1983］。もし国民による総生産高が、富の配分、あるいは生産手段の集中以上に重要だと考えられるのであれば、それは文化理解と、暗黙の、あるいは明白な合意のたまものである［Verdery 1991: 420-22］。

とりわけ政治経済に関する韓国国内の議論は、国益とは何か、についての多様なビジョンに影響されており、ビジョンは文化的な影響を受けて社会的に構成されている。しばしば対立するこうした国益をめぐる主張にもとづいて、国民総生産を最大化し、所得と富の不均衡を削減し、政治的意思決定へのより多くの国民の参加を認め、経済集中を減少させ、輸出を増大させて輸入を最少化し、アメリカによる経済的、政治的、文化的な支配から国を守ること――以上がすべて、国家的優先事項として進められてきた。

韓国の国益に関する議論は、「あちら立てればこちらが……」の構造になっていて、両者が競い合うのは今に始まったことではない。過去数十年にわたり、韓国のナショナリストのイデオロギーは意見の一致をみないのが特徴だった［Robinson 1988; Wells 1985; Kim Seong Nae 1989: 283-84］。ナショナリズム普及の是非そのものよりも、どのナショナリズムがひろく行き渡るべきかが、より頻繁に論じられた。この現象はあまりに明白で、自称ナショナリストも多かったから、台頭する韓国のナショナリズムにはすでに多くの関心が向けられていたものの［Hurst 1985;「ファー・イースタン・エコノミック・レビュー」一九八八年一一月一〇日号、四〇頁、Kim Jinwung 1989］、そのさまざまな表現を、現代の政治経済の再形成（reproduction）や、財閥や個々の提唱者の利益に関連づけることはほとんどされていない。

過去二、三〇年にわたって提示された相対立する多様な見方が明らかにしたのは、ナショナリズムにもそれなりの選択や戦略や利己心の働く余地があるということだった。ほかの文化的な知の形態と同じように、ナショナリズムは個人の積極的な参加なしに、その頭越しに発展することはありえない [Fox 1990: 1-7]。工業化 [Gellner 1983]、印刷資本主義 [Anderson 1983]、テレビ、そして外国による支配——これらの事象はすべて、韓国の民族主義者のイデオロギーの台頭に寄与したが、ナショナリズムに多様な型(バージョン)があることは、こうした構造的な条件だけがナショナリズムをもたらすのではないことを物語っている。個人は特定の利益を増進するための選択をおこなうことでそれに参加し、そしてその選択は、究極的には政治経済それ自身を再形成するのである(財閥オーナーは、自分たちの企業、自分たちの特権的立場、そして従業員の支配を正当化するためにナショナリズムを使う。第三章では、そのあたりをより具体的に見てみたい。さらに第六章では、新中流階級の社員が担ったもう一つのナショナリズムの表現を検討する)。

ナショナリズムを利己心を追求する道具のように言うことは、ナショナリストを誹謗することでも、彼らの誠実さを否定することでも、ナショナリズムが起こす感情の強さを問題視することでもない。ナショナリズムの道徳的価値は、一見私心なきがごとき手法で [Bourdieu 1977]、ナショナリズムを物質的優越性を追求するためのもう一つの潜在的戦略に仕立てあげる、少なくともほかの市民たちの面前では。あたかも村人が孝行に賛同しつつ、孝行のモラルが主張するところとは大きく異なる解釈を押し進めることができるように、現代の韓国人は(産業界の大物や中流階級、労働者層も同様に)、いずれのナショナリズムの形成が正しいかを議論しながら、ナショナリズムに身を委ねることができるのである。

私の関心がナショナリズムに引きつけられるのは、それが一九八〇年代後期を通じてソウルの中流階級に、またテスンのオフィスにおいては、一〇年か一五年前の村人たちに比べて、はるかに顕著に見られたからである。村人たちは、都市部の住民に比べて地理的に移動しにくく、より社会的つながりが制限され、全国メディアへの都市と同等のアクセスもなかったので、ほかの国民のことよりも近隣のコミュニティとの人間関係に関心を持っていた[11]。ティソンディからわずか数マイルのところにはアメリカ軍基地が一つあり、村人たちはアメリカ兵やその風変わりな行動には好奇心を抱いていたが、自分たちと比べるようなことはまずなかった。韓国の祖先祭祀と中国や日本のそれとの違いをめぐる議論に、村人たちの興味を誘うこともできなかった。実際、村人たちはふだんから、私が調査しているのは韓国の祖先祭祀というよりティソンディの祖先祭祀だと話していた。村人たちは地元志向であり、自分たちに言及するときは、テスンの社員や都市部の中流階級で一般的な「ウリ・ナラ」(「우리 나라」我々の国)、あるいは「ウリ・ハングックサラム」(「우리 한국 사람」我々韓国人)よりも、むしろ「ウリ・チバン」(「우리 집안」チバンは、話し手の家族、リネージの分枝、リネージ、あるいは上位親族集団を示す相対的な用語)、あるいは「ウリ・ティソンディ権氏」(「우리 뒤손뒤 권 씨」我々ティソンディ村の権姓の親族集団)、あるいは「ウリ・マウル」(「우리 마을」我々の村)という言い方をした[Hurst 1985]。高齢の女性たちは、北朝鮮への政治的シンパシーを暗示するために一九五〇年代以来たいていの都会人が避けていた「朝鮮」

という語を使い、自分たちの言葉を朝鮮語（조선말 チョソン・マル）と呼びさえした。

一九八〇年代までは、村でのこうした行動はほとんど問題にされなかった。その後私は、ソウルでひろくナショナリズムの台頭を目のあたりにし、テスンでのフィールドワークの時期にしばしばその特定の事例に遭遇することになった。当時、「ああ！　大韓民国（대한민국）」という韓国を支持するポップソングが登場した。その歌と、タバコ市場の開放を求めるアメリカの貿易圧力に対抗して大きくひろがったデモは、耳にも目にも、もっとも明らかなナショナリズムの発露だった。新聞は、ソウル最大のショッピングエリアの明洞（ミョンドン）で、あるデパートが「外国タバコ（양담배）をお吸いになるお客様は歓迎いたしません」という看板をかかげていると報じていた。私の家からそう遠くない高校は、「外国タバコを吸う者は国賊だ」という巨大な垂れ幕をかかげていた。数か月後、ソウルのオフィスビルの壁には「喫煙はあなたの健康に悪影響があります。外国タバコは国の健康を害します」という巨大なポスターを見た。一九八八年には、ソウルの地下鉄のドアには「禁煙」のマークが貼ってあり、近づいて見ると「外国タバコは吸わないようにしよう」というメッセージがはっきりと印刷されていた。

新聞やテスンの出版物、そしてオフィスワーカーはすべて、「我々韓国人は」、あるいは「我が国は」という表現をよく使った。テスンの社員はまた、日本人やとくにアメリカ人と対比して、自分たちを国家集合体の一員として表現することもよくあった（第六章）。「テスンを研究するのはいい選択です。テスンは韓国優良企業の代表（대표）ですからね」と私は何人かに言われた。こ

のように、調査対象が私の調査について自分自身の解釈を組み立て、調査の方向づけをしたのである。

韓国ナショナリズムの系譜は、少なくとも一九世紀後半までたどることができるが［Chandra 1986; Lee Kwang-rin 1986］、ここでは一九二〇年代から始めて手短かに解説する。一九二〇年代の一〇年間に起きた二つの運動、つまり「文化的ナショナリズム（文化運動 문화운동）」と「共産主義ナショナリズム」の根本的な分裂は、「韓国という国家の中核をなすものは誰であり、何であるのか」［Robinson 1988: 7］といった問題に関わっており、それは、一九八〇年代に議論されていた問いとはまるで別物というわけではなかった。

「文化的ナショナリスト」たちは、韓国は独立を取り戻すために自らを強くする必要があると信じていた。彼らは、文化的な改革と自前の産業の開発が必要だと主張し、したがって政策綱領でも経済的ナショナリズムと文化的ナショナリズムを結びつけていた［Robinson 1988: esp. 75］。この運動の主な支持者は知識人たち［Allen 1990］と、輸入代替（国産化）キャンペーンを呼びかけていた著名な実業家たちで、人びとに日本製ではなく韓国製の商品を買うように強く訴えていた［Wells 1985］。このように、ナショナリズムをアピールすることで自らの行動を正当化しようとした初期の韓国実業家たちは、単に日本の実業家たちから得た借り物のアイデアを議論の基礎にしたのではなく、彼らの知的同士たちと結節点のある提言を持っていたのである。

実業家たちのイデオロギーは、とりたてて不明瞭だったわけではなかったが、彼らに異を唱える共産主義者たちは、韓国により多くの工場を建てて韓国製品を買おうと呼びかける実業家は、大衆教育を説く知識層と同じく、自分たちの経済的利益を増進しようとしているのだと指摘した。したがって、一九二〇年代初期には、「国民の総資産」対「公平な分配」という観点から国益を定義しようとする議論はすでに封じられていたことになる。日本の植民地政府による高度な経済支配を考えると、韓国の実業家が成功するためには日本の政策を黙って受け入れるしかなく、一部には、日本の軍需資材の生産や日本や満州やその他大東亜共栄圏に属する地域との貿易で利益を得る者もあった［Eckert 1986］。彼らの主敵である「共産主義ナショナリスト」の立場から見れば、「文化的ナショナリスト」の計画は日本の植民地政策との一種の合作であった。一九四五年の解放後に韓国で刊行された共産主義者の新聞が、実業家の富は不正に得られたものであり、弁済されるべきだと主張していた［Lee Chong-Sik 1977: 31, 33, 38, 100-101, 248］ように、巨大企業を所有することの正当性には、すでに一九四〇年代には疑問が呈されていたのである。

韓国社会の生え抜きのエリートの多くは植民地時代から独立後まで活動を続け、国家に唱道された「文化的ナショナリズム」の基本的な教義は、代わって今度は財閥のオーナー経営者たちに支持されることになった。ベネディクト・アンダーソン Benedict Anderson の用語を借りて、そのナショナリストのイデオロギーを「官許（オフィシャル）ナショナリズム」と呼ぶことにする［Anderson 1983］。国の統治を擁護するために推進されていたからである。

反体制派のナショナリズムは、国の政策を批判しその正当性に疑問を投げかけるのに有効な、ナショナリズムのまた別の形を言い表わしているように思われる。

一九七〇年代後半と一九八〇年代を通じて、あたかも韓国のナショナリスト・イデオロギーの重要な断層線がこの二つの思想の流派の境界にあったかのようである［Kim Seong Nae 1989: 283-84］。一九七〇年代に朴正熙体制の正当性が後退し始めたのは、主としてより独裁的な維新体制を施行したためだが、これにより反体制派ナショナリズムは前進した。知識層、学生、野党政治家、キリスト教指導者などがその主役であった［Commission on Theological Concerns of the Christian Conference of Asia 1984; D. Clark 1986: 39-45］。

「共産主義ナショナリスト」の考えは、戦後の韓国では抑圧されていたので［Cumings 1981］、現代の反体制派ナショナリズムに、どこまで彼らが影響を与えたのかを見極めるのは困難である。「文化的ナショナリスト」の利敵協力を告発する声が、折にふれ反体制派知識人から聞かれるが［e.g. Kang Man'gil 1981: 460］、今日では初期の頃の実業家に対してこの告発をする者はほとんどいない。むしろ、戦前の産業活動は、少なくとも中流階級のあいだでは、その方向性において愛国的なものとして描かれている［Eckert 1986］。韓国の数人の左翼研究者の著作のなかでは、現代の実業家に対して「買弁資本家」という用語が使われることも時にないではなかったが、外国勢力への利敵協力に対する告発は、コングロマリットに対してより、むしろ国家に対してなされることが多かった。それはおそらく、国家対財閥の関係では国家を支配的なパートナーと見る世論が優位だったからであろう。不正蓄財（부정축재）に対する告発は、第二次大戦終結の直後、李承晩時代

に始まる好景気の折に、起業家たちが国からの特恵や政治的なコネや不動産投資を利用して利益を得ていたことに関してのものである［Shin Yoo Keun 1984: 70-76; Kim Kyong-Dong 1976; Pak Pyŏngyun 1982; Kang, Chŏe, and Chang 1991: 128-31］。いずれにせよ、現代のコングロマリットには、植民地時代までさかのぼって自らの起源をたどる会社はほとんどない。テスングループは、他社に比べ、植民地時代の不正蓄財については批判を免れていたので、その時代の創業者の活動を公然と認め、彼の一連の活動を民族に対する完全な寄与の表われとして描いた（第三章）。

一九二〇年代の「共産主義ナショナリズム」と一九七〇年代や一九八〇年代の反体制ナショナリズム、この両者に直接のつながりを見出すことは困難だが、両者の主張にはいくつか似通ったところもある。経済成長の価値は否定しないものの、現代の反体制派もまた、韓国の経済成長は一部の国民だけを潤し、農民や工場労働者である大多数の民衆（민중）に無視できない苦しみをもたらしていると主張して、公平な分配を強く訴えた。加えて反体制派は、国の経済政策もまた対外依存と搾取につながるものだと主張した。民衆を民族の最前線に配置するのは、輸出依存の経済政策を批判するための修辞的テクニックだった。輸出依存政策は、労働者の賃金を抑制し、（低賃金の労働者が生活できるように）農業産品の価格も抑える。それもこれも、韓国の「比較優位」を維持するためである。朴正煕と後に全斗煥がアメリカの援助に頼った経緯は、アメリカへの追従、事大（사대）主義として描かれた。

4．財閥に対する中流階級の認識

経済成長の中心にあった財閥は、韓国語でも英語でも、さまざまな研究の対象になってきた[Steers, Shin, and Ungson 1989; Jung 1987; Pak Pyŏngyun 1982; Kang, Ch'oe, and Chang 1991]。ここでの説明は、財閥という組織やその政治経済における位置を世間一般がどう認識しているか、そこに焦点をあてることになる。財閥にはいくつかの定義が与えられてきたが[12]、一般には、単一の家族によって所有・運営される巨大なコングロマリットで、しばしば互いに関係のない多様な業種にわたる数社で構成される、と考えられている。もっとも大きな一二社ほどと、その創業者と現在の会長の名、そしてその主な製品は、中流階級の人びとが共有する文化的知識の一部となっている。

財閥はこれまで長いあいだ議論の的であり続け、いまなお学術研究や新聞の社説に頻繁に登場するテーマであって、好業績が明らかになるか不正が明らかになるかで、一般の人びとの見方も変わるようだ。アメリカへの自動車輸出が急増すれば好意的な見方が増え、少なくとも批判の勢いはそがれるし、保有不動産が公開されれば批判が増えるという具合である。財閥に対する見方は時間とともに変化し、万人に共有されているわけではないので、私は、人びとが財閥を好むか好まないかの平均値を出そうとは思わない。むしろ、私はここで、テスンのオーナー経営者たちとホワイトカラー労働者が財閥をどう文化的に理解しているかを知るための、比較の基準として、もっとも一般的な文化理解を探ろうと試みている。

財閥はしばしば、①韓国の国民総生産の増加、②雇用機会の創出、③輸出の拡大、④自動車など相対的に洗練された製品のアメリカを始めとする海外市場への輸出などによって、国威の発揚に貢献してきた点を評価されてきた。

さらに、財閥は、一般にテクノロジーの面で韓国でもっとも高いレベルにあると考えられ、財閥企業の製品のほうが中小企業や知名度の低い企業の製品よりも人びとの信頼度が高い。

財閥に対する肯定的な評価は新聞の社説やアンケートにも見られる。たとえば、一九八七年一月一〇日付けの「東亜日報」の社説（第二面）は「韓国が発展途上国のなかのミドルクラスに上昇したのは、七万社を越える我が国の企業、とりわけ大企業（대기업）のおかげである」と認めていた。同様の姿勢は、もっとも影響力のあるほかの一紙、一九八九年四月二〇日付けの「朝鮮日報」がおこなった層別無作為抽出法によるアンケート調査（一面）にも見ることができる。「大企業は我が国の経済発展にどの程度貢献したと思いますか」という設問に対し、五一・七パーセントが「かなり多い」、三二・六パーセントが「少しはある」と回答し、「それほど貢献していない」はわずか九・九パーセント、「まったくない」は二・九パーセントだった。ちなみに私の調査期間中に話を聞いたなかでは、改革を求める声があったにもかかわらず、財閥をその構成企業に解体することを提案した人は皆無だった。

財閥とその指導者をめぐる中流階級の言説は、日常会話でも新聞の社説でも、あるいは学術論文でも、ビジネスグループへの否定的な評価を数多く含んでいた。コングロマリットを肯定的に評価したその同じ新聞記事が、同時に批判点をいくつも明らかにした。「大企業は社会のためになることをしようと努力していますか」という設問には、三三・七パーセントが同意し、三八・五パーセントが反対だった。この設問は、おそらく、批判の対象になりやすい「財閥」ではなく「大企業」という中立的ないし肯定的な用語を用いたことによって、より好意的な回答を導いていると思われる。

一九八八年一一月、国会がテレビ中継中に、巨大ビジネスグループの会長に「政府の優遇策の見返りとしての国家への貢献」に関して糾した折には、より衝撃的なアンビバレンスが生まれた。野党議員は、政府高官を明らかに攻撃的な姿勢で詰問した後で、コングロマリット会長にはすこぶる敬意のこもった言葉で呼びかけたのである。その後数日間は、彼らの言葉遣いがユーモラスな政治漫画となって新聞を飾り、そのおかげで、その後の公聴会では敬語の使用が減少した。財閥に関する批判は英語でも読めるので［Kim Kyong-Dong 1976; Kim Yong-nok 1973; Jones and SaKong 1980: 269-74］、ここでの議論は主な批判点について手短かに解説するにとどめる。

コングロマリットに対するもっとも基本的な不満の一つは、朝鮮戦争後の彼らの歴史に理由がある。政府と密接な関係を持つこと（政経癒着 정경유착）によって、主要なビジネスグループは、不正または不法に蓄財してきた（不正蓄財）というのが一般の認識である。こうした批判は日本

人と共謀した時代にまではさかのぼって見られたわけではなかったが、一九五〇年代にはすでにあった。その頃、李承晩政権は、かつての日本人の工場や設備を安価で実業家たちに売却し、その後特別な為替レートと輸入免許を与え、彼らがリスクを負ったり競争をしたり、その他起業家ならではの諸々の行動を経ることなく、経営資源への特権的なアクセスによって利益を得ることを許したのである［Shin Yoo Keun 1984: 76; Pak Pyŏngyun 1982; Chung 1987; Kang, Chʻoe, and Chang 1991］。不正蓄財に対するこうした見方は、朴正熙が自身の治世の初期におこなったキャンペーンがそもそもの始まりだった。朴正熙はその時、大規模コングロマリットのトップを不正蓄財を理由に逮捕したが、後に彼らとその企業を経済発展の重要な手段として使うことになった。

朴正熙と全斗煥の政府を通じて、財閥は特恵（특혜）を享受し続け、ほかにもさまざまな問題のある活動をおこなっており、これら二つの政権の正統性は危うく、実業家たちの蓄財の正当性を支える役にはほとんど立たなかった。私がフィールドワークをした時期にクー・ハーゲン Hagen Koo がおこなったあるアカデミックなアンケート調査では、中流階級の八八パーセントが「巨額の資産を持つ人たちは、その資産を社会に返すべきだ」という意見に賛成していた［Koo Hagen n.d.: 15; cf. Choi Jang Jip 1983: 21; Eckert 1990］。

財閥はまた、しばしば不動産投資の利益をめぐって摘発を受けたが、住宅が不足し耕作に適する土地が少ない韓国では、不動産投資は道徳的に好ましくないものだとされていた。大企業は、中小企業を犠牲にした優先融資を受け、工業生産にもまた別種の特恵を得ていたのだから、彼らがそのような企業活動をおこなうことは、いっそう非難されるべきだと考えられた。ガソリン不足の時期に、アメリカの石油企業が価格の吊り上げや過剰な利益を非難された折のように、ほかの資本主義社会では受け入れられる商業取引が違法な性格を帯びることになった。財閥の土地所有拡大に関する新事実が明らかになると、国は折にふれて、コングロマリットがビジネス目的以外で所有する不動産の総量を減らすようキャンペーンをおこなった。

不正蓄財は多くの場合、暗黙の、あるいは積極的な国の支援によって起こるために、財閥への批判は国への批判と密接に結びついている。政府の指示を実行する見返りに、また政治資金を提供するための多くの口座を設けたおかげで、コングロマリットは特定の業界における独占権を与えられ、また低金利の対外借入など、そのほかの特別の許認可にもあずかった。財閥は、生産目的にすべての資金を投じるのではなく、不動産を購入し、また折を見て高金利で場外市場に金を貸し出した［Cole and Park 1983: 186］。たやすく融資を受けられたため、財閥のオーナーたちは自己資金を投資にまわすことを渋りだした。鄭求鉉は、オーナーたちの選択が過度のリスクをともなう投資に傾いていったのは、自己資本の投資を控えたせいだと主張している［Jung Ku-Hyun 1987: 148］。

そのほかの財閥批判は、財閥が一家族もしくは親族グループに所有され経営される点に集中している。公簿の記録からは家族の持ち株比率を正確に算出することができない。それは、これらのビジネスグループが法人ではなく、韓国の法律では会社の株を匿名あるいは親族名義で保有することが許されているからである。ビジネスグループ内の会社、とくに中小企業や合弁事業では株式が公開されないために、所有権に関する記録は公開されていない。服部民夫は、十大財閥のうち、株式を公開している会社の家族の主な持ち株は平均三二・四パーセントであり、持ち株のうち一三・四パーセントが直接保有され、残りの一九パーセントは株式持ち合いを通じて保有されていると見積もっている［Hattori Tamio1986: 182］。ただし、この数字には匿名で保有されている株は含まれないものと思われる。さらに株式を公開していない中小企業の場合は、通常、同族所有の割合はいっそう高いのである。

服部の研究が出された数年後、韓国財務省は国会に対して、十大コングロマリットにおけるオーナー家族による株の直接保有率は一四パーセントだと明らかにしたが、持ち株制度を介しての間接所有はほぼ五〇パーセントに達していた（一九八九年一〇月四日付け「東亜日報」、六面）。このように大量の株を保有することで、オーナー一族は経営陣の上層を占め、株主としての支配とともに、経営上の支配をも保つことができた。彼らの「縁故主義（ネポティズム）」［Pak Kidong 1978］は、有能な人材がトップに就くことを妨げ、ひいては財閥と国民経済の利益を損ねるものだとしばしば指摘されている。

財閥に対するもう一つの主要な批判に、財閥による経済の支配の大きさに関わるものがある。コングロマリットは多くの市場と製品を独占し、目につく経済機会をすべて手中に収めるので、中小のビジネスが存在できなくなる。この行動はしばしばタコの足（文魚足 문어발）に比せられ、

日付け「朝鮮日報」の社説はこれを「飛行機から小海老の塩辛まで」と表現している（一九八八年七月二一日付け「朝鮮日報」、二面）。

韓国における経済集中度を査定するために、さまざまな統計が用いられてきた。そのすべてが人為的な数字である。たとえば、四大財閥の純売上高は一九八四年の国民総生産の四四・三パーセントにあたると報道された。これは一九七八年の二〇・七パーセントの倍にあたる［Amsden 1989: 116］。これらは、集中の度合いを表わす直接的な数値ではない。というのも、なにより純売上高と国民総生産が直接比較できないからである。純売上高には半製品が含まれるが、国民総生産には最終製品とサービスのみが含まれる。[13] より正確なカテゴリーで比較すれば、おそらく（集中の度合いを示す）数値は小さくなるものと思われる。

いっぽう、「平均三社集中率」という数値がある。製造業において三社またはそれ以下の企業に支配されている度合いを平均して経済集中度を測ろうとするもので、韓国では六二・〇パーセント、台湾では一九八一年に四九・二パーセント［World Bank 1987b : 28; Amsden 1989: 122］と報告された。しかし、もし同じ財閥内の企業が、個別の会社としてではなく、同一の企業の成員として数えられていたら、韓国の数値はさらに高くなっただろう［Jeong Kap-young 1990: 63］。最後に、以上とは別の経済測定値を作成したある研究［Joeong Kap-young 1990］が、韓国の経済集中は一九七〇年代後半から下降線をたどっていると論じていることを記しておく。

しかし、客観的な計量の結果を得ることは不可能だとはいうものの、一般の人びとは長いあいだ、韓国経済は財閥による極端な経済集中にさいなまれていると感じてきた［Jones and SaKong 1980: 267］。三人の韓国の研究者による最近の研究は、その感じ方が圧倒的であることを次のように伝えている。

毎日我々は三つの財閥の商品やサービスで生活をまかなっている。朝起きれば財閥製の歯磨きを使い、財閥製のラジオかテレビでニュースを聴く。仕事には財閥製のバスか車を使う。財閥製のビルに入ると、財閥製のエレベーターでオフィスまで行くのだ［Kang, Ch'oe and Chang 1991: 3］。

コングロマリットに対するもう一つの批判は、ブルーカラー労働者の搾取に向けられていた。巨大ビジネスグループに属する会社の労働者の賃金は、概して規模の小さな会社の賃金よりも高いと考えられていたが、いっぽうで、財閥はその大きな力と国家との共謀ゆえに労働者を不当に利用しているというのが一般の認識であった。たとえば、一九七〇年代と一九八〇年代のもっとも著名な反体制派指導者だった金大中は、一九八四年の平均賃金の伸びは会社の規模に反比例していると指摘した。「この惨状は、会社が大きくなればなるほど、政府の圧力が強まって団体交渉での経営側の交渉力が増大していることを示している」［Kim Dae Jung 1985: 48］。同様に、一九八八年一〇月三日付け英字紙「コリア・ヘラルド」（三面）は、「韓国労働組合連合会の会長は、民

族の大君（財閥のトップ）たちは、蓄財のために、政治権力と結託して、労働者から正規の労働条件と正当な賃金を奪ってきたと主張した」と報じている。「朝鮮日報」は、一九八八年七月二一日の社説（二面）で、国の支援を受けた労働者の弾圧ではなく、コングロマリット自身の行動をこう非難した。「彼ら（財閥）は常に社会的責任を口にしていながら、成長の成果の分配に関しては常に吝嗇で、労働運動のリーダーを誘拐し、救社隊（구사대）――私的警備隊――を使って暴力を働くこともためらわなかった」[14]。国との結託の有無にかかわらず、そのような暴力による労働側への弾圧事件は、いくつか新聞で報道されていた［Palais 1985: 186-288］。

財閥は、このような高圧的な行動によって労働者を搾取しているとみなされ、いっぽうでコングロマリットのオーナーは、韓国で一、二を争う高所得を得ている――所得の不均衡がしばしばメディアで取り上げられたのにはこうした事情があった。一九八七年一月二六日付けの「毎日経済新聞」（第一一面）によると、五つの財閥のその年の高卒初任給は月額三〇万ウォン（約四〇〇ドル）だった[15]。その数か月前の一九八六年一〇月一〇日には、「朝鮮日報」が、巨大コングロマリット四社のうち三社のトップオーナー経営者たちの一九八五年の申告所得を明らかにしていた。それによると、ある財閥の会長は二〇億ウォン、別の財閥の副会長は一二億ウォン、そして三つ目の財閥の会長は七億八六〇〇万ウォンだった。言い換えれば、彼らが税務当局に申告した毎月の平均所得は、彼らがその二年後に新規採用した高卒社員の二〇〇倍から六〇〇倍だったわけである。

財閥に向けられた告発は、所得と富の格差が広範に存在するという認識からもきている。こうした格差の統計上の数値は、どのような基準を用い、どのようなデータを含めるかという選択によっても変わり、格差の程度を示すジニ係数そのほかの指標には、韓国の場合、その算定と解釈が一部で論議の的になっている［Kuznets 1977: 92–99; Mason et al., 1980: 408-44; Choo 1985; Palais 1985: 171-76; Lee Joung-woo 1986-87; Michell 1988: 117］。たとえば、一世帯当たりの純資産はその資産の取得原価と現在の市場価値にもとづいて評価できる。しかし、実物資産や金融資産の所有は親類名義や偽名でおこなうこともできたので、もともとこうした評価が主観的な性格を帯びているうえに、さらに別の歪みを加えることにもなった。私のフィールドワーク中に、ひろく普及し異論のなかったある見解があった。所得と富の分配の格差が一九七〇年代半ばから増大してきたというのである。大多数のエコノミストの示す数値がそれを示していたが、富裕層向けの高価なアパートや、自家用車や、高級レストランと、貧しい人たちの生活水準とのコントラストによって、このことは誰の目にも明らかだった［Kim Joochul 1988］。一九七〇年代以降、一部の人気作家が、ほかの人びとの繁栄のただなかに生きる貧しい都市住民の苦境を描き、人びとの認識を促した［Cho Sehŭi 1990 (orig. 1976) : 328-67; Yun 1989 (orig. 1977) : 96-147; Kang Sok-kyong 1989 (orig. 1986) : esp. 64-65］。

このような批判が、財閥に対するラディカルな批判者ではなく、ごくふつうの中流階級の見方を代表しているということは、忘れてはならない重要な点である。たとえば、一九八九年四月二〇日の「朝鮮日報」のアンケート調査では、「大企業は儲けのためなら、公平であろうとなかろうと、どんな手段や方法でも使うだろう」という項目には六四パーセントが賛成し、反対はわずか一九パーセントだけだった。さらに、前年、労働者は製造と輸出を混乱させるストライキを敢行して目覚ましい賃金アップを獲得し、多くの中流階級市民の労働者に対する共感はいくらか薄れかけていた。にもかかわらず、六三パーセントが大企業はブルーカラー労働者の賃金の面で「吝嗇だ」と回答した。さらに、「大企業」の国民経済への貢献を認めた一九八七年一月一〇日の「東亜日報」の社説には次のような文章が見られた。

なぜ我が国の財閥は会社を一般公開して、多くの市民が所有できるようにしないのか。なぜ我が国の大企業主たちは土地を好み、一等地の不動産のことごとくを、ほとんど独占状態になるまで獲得しようとするのか。なぜ重い債務を抱える財閥クラスの企業が収益をあげ続け、それに関連して、政治的特恵を受け続けようと望むのか。

注

（1）政治経済学の主な理論モデルのいくぶんか異なるバージョンとしては、Gilpin［1987］とGill and Law［1988］を参照のこと。ここで用いられている区分はHaggard and Moon［1983］によるもので、韓国に関する文献の成り立ちをもっとも適切に説明しているように思われる。より伝統的なマルクス主義理論、た

とえば Hamilton［1986］に関しては、私には中流階級やマスメディア、あるいはテスンのホワイトカラー社員がそれを真剣に検討しているようには思えなかったため、ごくわずかに目配りしたにすぎない。しかしながら、韓国の大学にはマルクス主義の著作を何年にもわたって読んできた学生たちもおり、それらの理論は「民衆（민중）」系の運動関連の著作やカトリック系のサークルにすら顔を見せていた。一九八八年の報道の自由化後には、マルクス主義思想は新聞や「民衆」出版物において、はるかにオープンに議論されるようになった。

（2）国民総生産（GNP）には、企業や家計間で取引される財やサービスのみが含まれ、国内労働力の対価は含まれていない。韓国経済調査研究所は、全国経済人連合会の協賛のもとでおこなった調査で、地下経済を含めると国民総生産（GNP）をさらに三〇パーセント押し上げると見積もっている（「コリア・ヘラルド」一九八七年四月二二日付け、六面）。財閥系企業の国内の売れ残り商品の分類を同じ財閥に属する海外企業のものにすることで、国民総生産（GNP）に含まれる輸出の数値が上昇することを指摘するむきもあるかもしれない。エコノミストが国民総生産（GNP）の不完全さを事実と認めていることに関してはポール・サミュエルソンとウィリアム・ノルドハウスを参照のこと［Samuelson and Nordhaus 1985: 4-5, 117-119］。

（3）最初に「タイムズ」の記事に気づかせてくれたイゴール・コピトフ Igor Kopytoff に感謝する。

（4）もっとも、国の行動のなかには市場干渉的とも市場支援的ともいえるものがある。たとえば、韓国政府による特定私企業に対する国際融資の債務保証は、国際金融市場にどちらの影響も与えうるといわれてきた。

（5）一九八四年から一九八七年にかけて、世界の主要通貨間の、とりわけ日本円とドルの再調整によって、ウォンの為替レートは対円で半分程度にまで減少した（「ファー・イースタン・エコノミック・レビュー」一九九〇年一〇月一一日号、七二頁）。韓国銀行はウォンの為替レートをドルに緊密に連動させていた。

（6）私は、金利についての定量データを額面通りに受け取ることには慎重である。借り手は貸し手の金融機関から相殺残高を求められることが多く、事実上、融資額を減らされるため金利増の結果になっていた。

(7)財閥はまた代替財源としても場外市場を利用した[Cole and Park 1983: 160]。

(8)農業開発からのこの離脱は、韓国自身の米の生産拡大が困難になったことと[Moskowitz 1974; Cumings 1987: 56]、韓国からの米の輸入で自分たちの米価が下がるという日本農家の抗議がその原因とされてきた[Myers and Yamada 1984: 437]。

(9)もとの発言にはこう注記されている。「とりわけ、一九八四年の通商関税法三〇一条、そして一般特恵関税制度(GSP)の全面的な見直し」

(10)一九八八年のこの出版物では、アルガイヤーはアメリカのアジア太平洋通商代表補佐官とされ、所属機関はワシントンDCの米国通商代表部だった。

(11)ティソンディに電気が引かれたのはごく最近、われわれがフィールドワークを始めた時のことで、テレビを所有していたのはわずか二、三軒だった。市の立つ日でも、町まで新聞を買いに行く村人はほとんどなく、ほとんどの村人は新聞の漢字を読むこともままならなかっただろう。

(12)財閥のさまざまな定義に関してはKang, Ch'oe, and Chang[1991: 15-16]を参照のこと。

(13)国民総生産(GNP)が、粗利益や費用といったアプローチで算出されるのであれば、やはりこれは正しい。この方式では、GNPは付加価値のみを含み、他社から得た半製品のコストは含まないことになる[Samuelson and Nordhaus 1985: 108]。しかし、アリス・アムスデン[Amsden 1989: 122]は、国民総生産(GNP)に占める純売上高の割合が、それでもなお「財閥による経済支配の実態を正確に伝えている」可能性を示唆している。だが、そのことと彼女のデータとは容易に折り合いがつかない。出荷額は、「付加価値額に近い」(アムスデン)ので、これをベースに算出すると、一九八二年には五大財閥のシェアは国民総生産(GNP)の二二・六パーセントにすぎず、これに対してその年の純売上高では四二・二パーセントだった[Amsden 1989: 116, 122](一九八四年の出荷額、あるいは四大財閥の出荷額も、彼女のデータでは示されていない)。一九七七年から一九八一年にかけて、五大財閥のシェアは、出荷額ベースでは国民総生産(GNP)の一五・七パーセントから二三・六パーセントに増加し、売上高ベースでは比率が二倍を越えているにもかかわらず、雇用統計ベースでは九・一パーセントから八・四パーセントに減少したことを、アムスデンのデータはあきらかにしている。

(14) 彼らは、ストライキをはじめとする労働側の実力行使を打ち破るべく上層部に雇われていた。

(15) 報道された五大財閥の基本給は、男性が二一万九八〇〇ウォン、女性が一七万七〇〇〇ウォンである。この額(月額)にさまざまなボーナスや手当が加えられた(第四章参照)。

第三章　ブルジョアジーとそのイデオロギー

自分は抑圧する善人だと信じこむ者はいない。自らの正当化をどこかで信じていないブルジョワジーとはどのようなものなのか？　それは自分自身を否定することになり、自分自身がその最大の謎である問題の答えを出すことになろう。次なる論理的行動として招く一手は自己破壊だろう。

ポール・ウィリス［Willis 1981: 123］

私がフィールドワークを始める一〇年以上前から、テスンは韓国最大のビジネスグループの一つだった。公表されている資産総額と連結売上高の一覧によると、テスンとほかのコングロマリット三社は、最近のある記事で「ビッグフォー」と呼ばれたように、政治経済において重要な役割を果たしていた［Steers, Shin, and Ungson 1989: 49-70］。「四大財閥（ビッグフォー）」のほかの三つのコングロマリットと同様に、テスンはすでに広範囲にわたる多様な、多くの場合互いに無関係な業種からなる多数の企業で構成されており、その数はさらに増え続けていた。衣類、保険、エレクトロニクス、国際貿易、石油精製、スポーツ用品、化学、証券、家庭用品などは、テスンが製造し提供する商品やサービスのごく一部だ。鄭求鉉の主張するところによれば［Jung Ku-Hyun 1987: 55-112］、財閥の各系列企業が、それぞれ無関係でばらばらな業界に属しているのは、専門家の助言やマーケティングのネットワークに従うよりも、国のインセンティブに乗じることを選んだ結果だという。私もそのとおりだと思う。テスンの系列会社には、ある会社の製品が別の企業に投入されるような、垂直統合型の生産チェーンでつながれている企業はほとんどない。しかもほかに、海外のテクノロジーを入手するためにアメリカや日本、ヨーロッパの企業との合弁事業として設立された系列企業があり、そのため互いに同一製品の別モデルをつくり合うという競合が見られた。このような組み合わせに起因する企業努力の競合や非効率を認めて、テスンの最高経営陣は一九八七年初頭に大規模な組織再編をおこない、財閥全体を統括する部署を新設し、その下で類似商品を製造する会社を同じグループにまとめた。

血縁でつながれた人びとのグループに統御されているという点でも、テスンはほかのコングロマリットと変わらなかった。テスンのメンバーカンパニー（系列企業）の株の大部分は、この親族集団の所有であり、彼らの多くはそれらの企業の経営陣と財閥自体の経営陣の双方で高位の職階をいくつも占めていた。第四章で論じられるような多彩な戦略と実践のおかげで、外部の株主が彼らを解任できる可能性はありそうになかった。

大財閥の同族所有に関する韓国財政部の数値を参考にすると（第二章）、経営を支配する親族集団が株式の保有から得ていた経済的利益には、系列企業の現金配当の三分の一とストックオプションの三〇パーセントが含まれていた。(1) このオプションにより、現在の株主は、額面価格またはそれよりわずかに高い数字で株を追加所有できた。私の調査期間中のテスンでは、ストックオ

図1　テスンのオーナー経営者たちの系譜関係

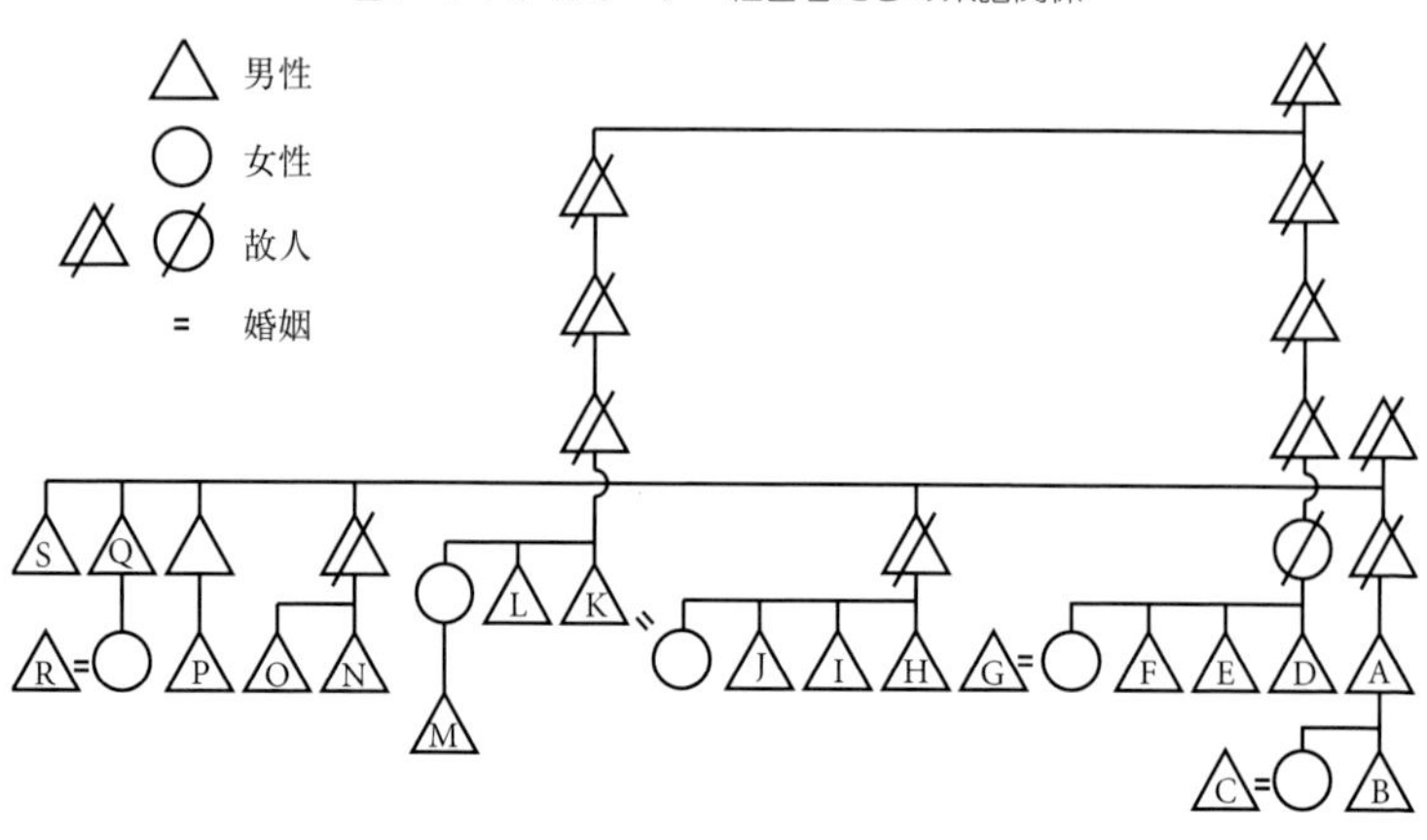

プションによる株の購入は、市場価格のおよそ四〇パーセントの価格で可能であったが、このバーゲンによる経済利益を所得とするかどうかは、主観的な解釈にまかされていた。韓国などで使われていた従来の（簿価による）会計方式では、この富の増大は株が売却されるまでは無視されていた。しかし、ほかの資産の場合、原価を超える市場価値を反映させる再評価は、ひろく認められた韓国の会計慣行ではあった。

テスンを支配している同族メンバーは、同じような規模のほかの財閥と同様、経営者としてのポストからも収入を得ている［Kim and Kim 1989; Shin and Chin 1989］。一族の経営への参入のひろがりを示すために、鄭求鉉は、一九八〇年代半ばのグループ創設者の近親の家系図と彼らの上級経営幹部（理事またはそれ以上）としての役職を示している［Jung Ku-Hyun 1987: 284-286］。私は、後継者が出版した創設者

表2　テスングループの経営上層部における主要家族の地位

系譜上の位置	経営幹部としての地位
A	グループの会長
B	グループの企画調整室長(副社長に相当)および一系列企業の専務理事
C	常務理事
D	会社社長
E	会社社長
F	会社理事
G	会社社長
H	会社社長
I	2社の専務理事
J	理事
K	2社の理事、1社の会長、グループの副会長
L	2社の理事、1社の会長、グループの副会長
M	1社の理事、もう1社の社長
N	グループの常務理事および顧問
O	会社の副社長
P	理事
Q	1社の理事、もう1社の社長とグループの副会長
R	1社の理事、もう1社の社長
S	会社の監査役とアメリカ事業担当社長

の公式の伝記によって補足したうえで、鄭求鉉の情報を用いて図1と表2をまとめた。(2) 出世途上の若い親族や遠縁の親類、明らかに経営陣ではない者は省いてある。

これらの重要な役職から得られる収入も、株式保有による収入と同じく確かめにくい。一般の給与水準と理事や上級幹部の個人給与は公開されておらず、彼らの報酬は査定が難しい相当額の付加給付を含んでいる。たとえば、財閥でもっとも低い職階の理事でさえ、お抱え運転手付きのセダンやゴルフクラブの永年会員権(数万ドルの投資だが、実際の価格はゴルフクラブによって異なる)、交際費、さらにその他多くの特典があった（一九八七年二月二〇日付け「コリア・ヘラルド」、六面）。地位に応じて付加給付がシステマティックに増えることをふまえると（第四章）、より高い地位には、おそらくより大きい経済価値や数々の特権が生じるだろう。テスン財閥の会長は、韓国の新聞が毎年報じる最高額納税者リストの常連だった。

新古典派経済学の基本的仮説の一つに「会社のオーナーあるいは経営者は利益あるいは投資利益率を最大にしようとする」というものがある。しかし、大規模コングロマリットを支配するオーナー家族の特異な地位と彼らと国家との関係は、彼らの努力を別の方向に向けるべく導いてきたように思われる。鄭求鉉は、財閥の経営幹部に関する徹底した研究のなかで［Jung Ku-Hyun 1987: 174］、「大財閥の会社の目的は収益の最大化ではなく、売上の最大化である。会社を維持するのにじゅうぶんな収益が得られれば、それでよいのだ」と述べている。この主張を一部補強するものとして、鄭は「一九七六年から一九八五年にかけて施行されていた韓国の税法のもとでは、持ち株制度それ自体は社債に比べてはるかに収益率が低く、必然的にリスクが低い」と主張する未刊行の論文［Kim E. Han n.d.］を引用している。

鄭の解釈は、テスンが開示している決算報告書に含まれるデータと整合しているが、そのような解釈自体が問題を含んでいる（第四章）。会社の設立は朝鮮戦争の前で、一九七〇年から韓国株式取引所に上場されている。しかし、会社の収益は株式配当と歩調が合っていない。一九八六年のテスンの貸借対照表では、債権者が主張する債権（すなわち負債）が総額五四〇〇億ウォンであるのに対して、同社の総資産はほぼ七〇六〇億ウォン（約一〇億ドル）である。株主が債権を主張している負債を差し引いた残りの純資産一六七〇億ウォンのうち、一千億は会社の株式資本によるものであり、二九〇億は資産再評価によるもの、そしてわずかに三八〇億だけが前の年までの収益の内部留保によるものだった。たとえば、一九八六年の純利益は総額一六〇億ウォンであり、そのうち一二〇億ウォンは一九八七年に配当として支払われた。配当は額面価格の一二パーセントで計算されているが、それは当時の株の市場価値の四パーセントに相当した。政府は、当時の年間インフレ率を並外れて低い三パーセントとしていた［National Bureau of Statistics 1989: 413, 465］。

これらの財務諸表や先に紹介した鄭の解釈、そして韓国の政治経済の性質に鑑みると、オーナー経営者たちが利益を最大化することに相対的に無頓着だったことには、いくつかの理由が考えられるだろう。

まず、企業の成長に必要な資金は、ほとんどの場合、政府主導の融資あるいは財閥内企業間の相互投資で調達されていたので、事業規模拡大のために利益は不可欠ではなかったという事情がある。

次に、コングロマリット各社の負債が莫大だったために、株主の企業資産に対する要求はさほど重要ではなく、オーナー経営者たちの企業資産に対する要求も無視できる程度だった。言い換えれば、オーナーとしての権利は、企業資産や配当に対する要求のためというよりも、経営支配のためにはるかに重要だったのである。

三番目に、オーナー経営者たちはおそらく、ほかの株主と分け合う株式配当として分配される利益よりも、はるかに大きな収入を給与から得ていたからである。

四番目に、オーナー経営者たちは、利潤の低下が株の市場価値に与える影響を気にする理由はほとんどなかった。彼らの持ち株は支配を目的に保持されており、売却される可能性はまずなかったし、追加株式の発行は資本を増やすための重要な手段ではなかった［Jung 1987: 121］。これまで見てきたように、既存の株主にほぼ額面どおりの価格で株式を取得する権利を与えるオプションを通じて、追加株式が発行された。テスンは一九八七年に、政府からの圧力によって、初めて額面を上回る価格で追加株式を発行したが、それでも市場価格の半分にも満たない価格だったので、本来得られるはずの資本よりもはるかに少ない資本しか追加されなかった。このように、株式所有の主な動機は、明らかに、高給を得られ、誰の目にも誉れ高い経営者としての地位を確保することにあり、利益に関しては、オーナーの給与の高さをカバーして、ほどよい比率の収入になることのみが重要だったのである。

鄭の主張［Jung 1987: 174］によれば、企業収益の最大化よりも、売上の最大化のほうが優先順位が高かったという。そしてそれは私の経験とも一致していた。私が英語を教えていたテスンのある部局では、部長は、オフィスに着くとただちにコンピュータ端末にログインして、最新の売上高を把握していた。そして若手管理職の毎週の成績も、売上高で評価された。売上の最大化がこのように重要視されたのは、売上が会社の規模を示し、規模の大きさこそが国の優遇措置を受け、ひろく世間に認められるための重要な資格だったからである。たとえば、一九七五年、政府が日本の商社をモデルにした国際貿易会社の事業を後押しした際には、輸出額が五〇〇〇万ドル以上の会社にのみ恩恵を与えていた［Cho Dong Sung 1984: 246］。

利益というものに対するこの相対的な無関心は、特別の意味を持っている。というのは、大規模コングロマリットのオーナー経営者が、韓国政府や国外の金融筋と手を結び、一部の部下や一般大衆の目を意識しながら、彼ら自身に見合った資本主義をつくり上げ、再生産し続けている、その姿を指し示しているからである。支配者一族には、利益の最大化には無頓着で、自分たちの財閥の経営権を一族以外の経営者に明け渡すことには消極的な、彼らなりの理由があった。その動機は、彼らの政治経済に対する理解と、政府当局者がどんな選択や行動に走るか、またコングロマリットの経営権を非親族がにぎった場合何が起きるか、についての彼らなりの予想にもとづいていた。

一九八七年、ある自殺事件がマスコミにひろく報じられたが、この事件は、企業のオーナー一族が、たとえ（専務理事や会社社長のような）特別に高い地位を得ていても、いかに非親族の管理職に潜在的に脅かされているかを白日の下にさらした。

パン・オーシャン社の会長兼主席オーナーが、経営権を非親族の専門管理職に譲ったところ、後にその経営者は、企業経営をめぐって会長と対立するようになった。双方が、相手方の、主として不法な外国為替取引に関わる違法行為の証拠を警察に提供し、その捜査のさなかにオーナーが自殺したのである（『ファー・イースタン・エコノミック・レビュー』一九八七年五月七日号、一〇四〜一〇五頁）。ソウルの一経済紙（一九八七年四月二七日付け『毎日経済新聞』）とテスンの理事の一人は、事件が経営権を持つ親族集団と非親族管理職たちとの関係に影響を与えるのではないかと懸念を述べていた。

オーナー親族集団と非親族管理職たちとのあいだの階層の違いは、明示的にも暗黙裡にも韓国語の表現に表われることが多い。新聞では、財閥の会長を示すのに「総帥（총수）」という言葉がよく用いられるが、コングロマリットを支配する親族経営者に対するもっと一般的な表現は、「所有経営人（소유경영인）」か、英語由来の「オーナー」、または「大企業主（대기업주）」である。「所有経営人」「オーナー」という言葉は所有権を明確に示しており、親族以外の管理職を指す「専門経営人（전문경영인）」（プロフェッショナル・マネジャー）とは明確に区別される。その場合、非親族の「専門経営人」が自社株をどれほど所有しているかは問題にされない。「大企業主」の「主（주）」または「主人（주인）」は、より口語的に曖昧に、「所有権」「所有」あるいは単に「支配」を表わしている。

これに対して、知識人のなかには、コングロマリットを支配する一族のメンバーを「資本家」や「ブルジョワジー」と呼び始める人たちがいて、一九八八年の報道自由化の後には、それがさらに高い頻度で登場するようになった。この用語は、一族以外の血縁関係のない部下はまったく含まれないのかどうかという点で、いささか正確さを欠いていたが、通常は、財閥と系列企業を支配する親族集団の、人目を引く、影響力の強い特権や行動を指すもので、非親族の管理職に向けられたものではなかった。そして、これらの知識人のなかには、このエリート集団（親族集団）とほかの管理職（非親族集団）を区別し、非親族集団に対しては「中流階級」あるいは「新中流階級」という表現を用いる者も現れた［Christian Institute for the Study of Justice and Development 1988: 150］。「新中流階級」という用語は、「利益の一部は所有権を持つ親族集団の利益と一致するが、残りの部分は対立する」という点で、非親族の管理職や管理職予備軍の社員にふさわしく思われた［Koo and Hong 1980; Giddens 1981a; Wright et al. 1989］。最高位にある非親族管理職の地位さえもが矛盾を含んでいて、その利害関係の一部はオーナーたちの利害関係と一致し、ほかは別の階層の利害と一致した。非親族の管理職は、職階を上れば上がるほど、支配層の親族集団の持つ特権からより大きな物質的報酬と権力を得ることになるが、彼らの利害がエリート集団（親族集団）の利害と一致することはけっしてなかった。非親族の管理職の仕事のレベルが高くなるほど、さらなる昇格のチャンスは、トップ管理職のポストのほぼすべてを独占する親族集団によってブロックされることが多くなる（これに対する部分的な改善策として、テスングループでは、こうした非親族の管理職の一部を社内のさらに高い管理職に登用し始めるいっぽうで、自分たち自身を財閥内のさらに高位のポストに昇進させたが、その結果、表2の「K」に見られるように、（親族の副会長職を追加することによる）会長職数の増加につながった）。これら高い地位にある非親族管理職が、自分たちはオーナーの親族集団の強い味方だと、メディアや部下の前で述べたとしても、その裏では非親族管理職とオーナー経営者の同盟関係がいかに脆いものであるかを、パン・オーシャン社の事件が白日にさらしてしまったのである。

こうした資本家エリート（親族集団）のイデオロギー的主張を明らかにすることが、本章の残りのテーマだが、彼らを表現する適切な言葉を見つけるのは難しい。「オーナー経営者」という表現は、この言葉が彼らの所有権や生産手段の支配を認めている点では支配的親族集団にとって有益であるが、それは同時に、彼らの主張の正当性に問題があることやその企業支配が本質的に紛争含みであることを隠している。後者の隠された意味を表わすのであれば「ブルジョワジー」は便利な用語だが、この言葉にはヨーロッパ資本主義の歴史に由来する複雑な意味合いが含まれている。私はこの両方の用語を使うことで妥協することにしよう。財閥の人的・物質的生産手段を支配的親族集団が所有し支配するとなると、常にではないにせよ、時に争いが起きる。私は、この二つの用語を行き来することによって、それがどのようなものかを伝えたいと思う。非親族の管理職とそのほかの新中流階級のホワイトカラー社員は、このカテゴリーに含まれない。彼らの特権は（親族集団に比べて）目に見えて少なく、それに対して彼らが異議を唱えることもほとんどない。

オーナー経営者たちに焦点をあてるために、私は、「権力と経済的特権の非対称的な関係を持続あるいは再生産する諸概念」［J. Thompson 1984: 4］という意味で「イデオロギー」という用語を用いる。こうした用語法は、「経営イデオロギー」を口にする組織理論専攻の研究者や学生のあいだでは、ここ数年、一部の研究者に取り上げられるようになってはいるが［Salaman and Thompson 1980; Morgan 1986: 366; Weiss 1986: 227］、まだまだ一般的ではない。しかし、その批判的な意味合いは、学術論文には、よりひろく行き渡っている［Eagleton 1991: 5］。

イデオロギーを特権集団の利益に奉仕するものとして概念化するには、そのメタファーの頻繁な使用を否定する必要はないし［Geertz 1973: 193– 233］、その構成的機能を否定する必要もない［Ricoeur 1986: 13］。イデオロギーはレトリックに似ている。説得を試み、それが真実である場合も、しばしばメタファーを用いた強調によって、他の犠牲のもとに、ある種の特性なり因果関係なりを歪めるからである。思想（アイディア）というものは、首尾よくいけば、行動や解釈の枠組みをも与えてくれ、知識やアイデンティティの構築、利害関係の認識や社会システムの再生産にも寄与する。マルクスやウェーバー、そしてデュルケムといった理論的に多様な著述家たちは皆、たとえ思想の源（ソース）や帰結、その意義についてさまざまに異なる見解を持っていたとしても、社会システムが物理的強制だけで維持され再生産されることはないと認める点で、思想の本質的な役割を認識していた。彼ら三人は皆、市場志向の経済学と数多くの合理的選択理論に影響を与え続けている功利主義的哲学の伝統にひそむ欠陥［Bloch 1989: 107］を修復しようとしたのである。

この章では、自己の利益を守るためにブルジョワジーが用いている、より明示的でイデオロギー的な主張を検討する。私はまた、オーナー経営者が、伝統や政治経済、国民福祉、そしてコングロマリットそれ自身のコンセプトをいかに利用し、刷新したのかを検討することで、それらの思想が、先の二つの章で検討した文化的知識とどのように結びついているのかを示そうと思う。

オーナー経営者のレトリックをこうして詳しく吟味するとなると、ある特定のイデオロギーの研究で通常見られるような虚偽性の暴露（debunking）は避けがたいことがわかった。それは、ブルジョワジーのイデオロギーが比較的理解しやすいからであり、新中流階級やホワイトカラー労働者の利益に比べて、この階層の利益は明確に描きやすいし、矛盾が少ないからである［Ehrenreich and Ehrenreich 1977; Wright 1985; Poulantzas 1974: 193-331; Clegg, Boreham, and Dow 1986: 158-203］。

しかし、私は、テスンのオーナー経営者たちの裏表のない正直さを否定したり、彼らの徳性を中傷したりすることは避けたいと思う。ポール・ウィリスが述べているように［Willis 1981: 123］、ブルジョアジーは、物質的だが見かけは非物質的な彼らの象徴的優位性を前面に出そうと考えており、そうした考えを信じるには彼らなりの理由がある。そしてさらに、テスンのオーナー経営者が自らの主要企業の一つを私が研究することを快諾したことは、彼らの自信と確信が、意図的な策略を上回ることをはっきり示している。我々と同じように、ブルジョワジーもまた、自らの物質的優位と齟齬を来すことのない体面や道徳的な主張をつくり上げたり、つくり直したりしている。ブルジョワジーを他と区別するのは、彼らの道徳性ではなく、彼らが支配している資源（リソース）と彼らの行動の結果なのである。

テスン財閥のオーナー経営者たちは、国内の政治経済においても、部下との関係においても特権的な地位を占めているがゆえに、一般大衆に対しても社員に対しても、イデオロギー的な主張

を打ち出さざるをえない。その場合、これら二つの聴き手の別々の関心と経験、オーナー経営者たちが動員できるリソースの種類、期待される結果のありようなどを考慮すると、二つの集団に対するイデオロギー的戦略が同じというわけにはいかなかった。もっとも、同一の主張の多くが、大衆向けと社員向けに重複した役割を持たされることはあったのだが。さらに、彼らの下で働く社員も、大衆に向けられた主張を、おもに新聞・テレビにおける財閥の会長のインタビューや、商品コマーシャルや、全国経済人連合会（전국경제인연합회）、通称全経連（전경련）経由で認知している。そこで私は、ブルジョワジーのイデオロギーに関する解説を大衆に向けられた表象の検討から始めることにしたい。

1. 一般大衆

オーナー経営者たちは、一般の人びとをして、自社の商品を購入するように、また自分たちのテスン支配に同意してくれるようにしむけようと努めた。すでに見たように、彼らの支配の正当性は、ほかの多くの社会で資本家が享受しているそれよりも脆弱であった。コングロマリット組織の人的・物的リソースを掌握できているか、収益に占める彼らの特権的なシェアについてはどうか。それらがともに心許ないことをオーナー経営者たちは感じ取っていた。彼らが大衆に向けて払う努力の大きさがそのことを示している。この認識は文化的に形成されたもので、それはつまり、こうした大組織の所有権が、私有財産権が先進資本主義社会では当然享受しているはずの神聖さをいまだに手に入れていないためである。富裕層は財産の一部を放棄すべきであるという提案に大多数の中流階級が賛同したが（第二章）、そうした動きの類例は過去二、三〇年のうちに一再ならず見られた。農地改革、朴正煕が財閥の指導者に命じた罰金、一九七二年の場外市場融資の凍結［Cole and Park 1983: 158-68］、強制的な合併と吸収、そしておそらくは、一九八五年の全斗煥による「国際」財閥の取り潰しも、すべてが、国家は民間人から資産を取り上げる力があるという文化的認識を強化した。たとえ抜本的なものではないにせよ、国家は財閥のオーナー経営者たちに対して同じような行動を起こす可能性がある、と多くの韓国人が受け止めていたし、多くの新聞の社説はまさにそのことを主張していた。

そのようなさほど抜本的ともいえない施策を未然に防ぐか、少なくとも最小限にとどめる、あるいはブルジョワジーの利益をさらに高めるように国を動かすには、大衆がそれを黙認していてくれることが望ましかった。コングロマリットのオーナー経営者たちの利益を前進させるか後退させるかは、官僚の決断にかかっていた。政府は、ブルジョワジーの「支配的なパートナー」であり、奉仕者ではないとひろく認知されていたが［Jones and SaKong 1980: 293］、政府がそのような上位の立場を維持しているか否かは、近年の議論の的であった［Yoon Jeong-Ro 1989; Kim Eun Mee 1987］。そして、私の調査の時点では、政府は国内における高度の自律性を享受していたが、市民社会から完全に独立しているわけではなかった。

官僚たちはしばしば、巨大コングロマリットの成長を抑制したり、オーナー経営者に圧力をかけて韓国株式取引所に上場させて［Shin Young Moo 1983］負債を減らさせたり、会社の株式持ち合いを制限する傍ら中小規模の会社を支援することによって過度の経済集中を防いだり、さらにホワイトカラーとブルーカラーの賃金格差を減らすなど、国民の利益に資するとひろく理解されているあらゆる施策をとることで、大衆向けの姿勢をアピールし、自らの正統性を高めようとした。たとえば一九八七年二月、韓国が良好な貿易収支に沸き、アメリカとの貿易紛争を改善しようと目に見える努力を重ねていた時点で、当局は大企業向けの輸出信用融資を信用状一ドル当たり六七〇から六四五ウォンに、中小企業向けの輸出信用融資を七〇〇から六八〇ウォンに減額して［一九八七年二月一一日付け「コリア・ヘラルド」六面、Koo Bon Ho 1988: 82］、中小企業に限定的な特恵支援を与えると発表した。

しかし、新聞記事や社説にはそのような措置は効果がないとするレポートがあふれており、多くの人びとはそうした対策を講ずる努力に懐疑的だった。たとえば、一九八二年二月二五日付けの「東亜日報」の社説は、国内市場での大企業のシェアが増加していることを示す統計をあげて、こう分析した。「独占企業、寡占企業の市場シェアが増加しているという事実は、競争秩序（경쟁질서）を確立し、同時に独占や寡占を規制しようという政府の推進する目標が、何ら重要な成果を上げなかったことを示している」

同様に、一九八七年二月一四日付けの「毎日経済新聞」は一面で、一九八六年の経営・管理職の平均給与は月額七〇万五二三ウォンだが、サービス部門の労働者の平均はわずか二一万五八七九ウォンだと指摘し、以下のようにコメントしている。「政府が賃金格差是正の方針を継続しているにもかかわらず、昨年の我が国の労働者の、学歴と職業による賃金格差は一九八五年より増大していることが、最近明らかになった」

一般大衆向けのブルジョアジーの主張の多くは、コングロマリットに好意的なイメージを再確認し強化して、前章の末尾で示した一般的な疑問に対応しようとしていた。したがって、財閥のオーナー経営者たちと彼らの批判者とのあいだには、双方の発言が互いに他方の発言に反映されるという、一種の間接的な対話が生まれていた。オーナー経営者たちは、ほとんどの中流階級がすでに知っていることを繰り返し語っている。つまり、経済成長への財閥の貢献、商品の信頼性、そして自分たちの先端科学技術の紹介である。「先端技術（첨단기술）」と「国内初（국내 최초）」という言葉が広告コピーに頻繁に登場した。同時に、大衆の批判の対象となっている事柄（不正蓄財、政府による特恵、同族による所有と経営、経済集中、ブルーカラー労働者の低賃金など）に関しては、故意に省略するか、ふれることを最少限にとどめ、マスコミに偏った情報を与えて世論を誘導しようとした。

テスンの会長は、私のフィールドワーク当時、全国経済人連合会の会長を務めており、新聞や雑誌のインタビューを依頼されることが何度かあった。彼のインタビューの多くはいつも同じ批判を引き起こし、私は彼の応答からそのイデオロギーを解説することができた。テスンの会長は連合会を代表する立場で語っていたのだが、インタビューの大半は彼自身の財閥についてのものだった。[3]

インタビュワーから政府と業界のなれ合いについて質問されたとき、テスンの会長はその批判を否定はしなかったが、その重要性を小さく見せるために、国の報道ガイドラインが採用している「印象管理（impression management）」にならった戦略を用いて、このように述べた。「過去においては国内の会社の一部は〈政治〉[4]と密接な関係にあったので、今でも大企業のイメージに汚点があるように見えるのです」（一九八七年二月二八日付け「朝鮮日報」、一〇面）。会長が日頃から政府の恣意的な経済介入に対して不満を述べていたのは、こうした批判に対する、遠回しの防御ではなかったかと思われる。

企業のオーナーが同族中心になっている点を質問された時には、テスンの会長はコングロマリットにとってより有利な解釈をもって答えようとして、次のように述べた。

インタビュワー：日本の財閥系企業の場合、[5]ひろく株主を分散させることによって国民の企業（국민의 기업）になっています。当然、市民は財閥の会社を「私の会社」と考えるし、そういう会社に愛情を持ちます。それに対して我々の場合は、財閥の会社はいまだに事実上一人のオーナー経営者かその一族によって所有され経営されているので、会社に愛情を持った

り、会社に参加しているという感覚を持ったりすることを〔市民に〕期待するのはかなり難しいのではないでしょうか。

会長：日本の三菱や三井などの会社はすでに七〇年か八〇年前には株を公開していましたし、創業者や主要株主は〔今では〕二パーセントか三パーセントしか株を持っていないと聞いています。そのうえ、会社の経営は専門管理職たちに任せられています。けれども、私たちの場合は、株式取引所に上場したのはわずか二〇年ほど前のことです。私たちの会社もまた、将来は日本のようなスタイルになるように思えます。私の孫の時代のことになるかどうか、よくわかりませんが、孫の時代にはファミリーのなかから後継者を出すのは難しくなっているように思います（一九八七年二月二八日付け「朝鮮日報」、一〇面）。

同じインタビューの後半で、会長は管理職を一族が占めていることを次のように弁明した。

インタビュワー：テスングループはＮａの親族が経営する同族企業だというふうによく批判されていますが〔訳注：原著書では匿名性確保のため人名がＮａ〔not authorized 非公表〕になっている〕。

会長：Ｎａの親族のうち、社長やそれ以上の役職の管理職は皆、創業時から〔財閥に〕参加して働いています。[6] したがって、もし彼らがファミリーの人たちでなかったとしてもですが、そのような人たちは今、最高幹部になっていると思います。さらにいえば、彼らは持てる能力によって選ばれたのです。(同)。

経済集中に対する批判から身を守るために、財閥のオーナー経営者たちは市場経済の用語を大いに利用する。成長の理由は国の援助ではなく自らの競争的努力の成果であるとし、はるかに規模の大きな外国企業との国際競争に直面していることを指摘して、彼らは企業の規模を正当化しようとした。実際、国際競争に対処するためには大きな経済規模が不可欠とみなされていた(つまり、ブルデュー流に言い換えるなら〝〔不可欠なことは〕言うまでもなかった〟[Bourdieu 1977: 167])ので、じつに「国際的競争」は、いわば「企業規模」の隠語(婉曲表現)であった。経済集中を批判する新聞の社説でさえその点は認めていて、たとえば、一九八二年二月二五日付けの「東亜日報」は、「もちろん独占や寡占が有利に働くこともある。我々の国内市場の小ささを考慮すれば、大量生産によって国際競争に対応できる〈規模の経済性〉を獲得するためには独占や寡占も必要だ、という事実がもっとも重要である」と記していた(7)。

一九八七年上旬のテスンの会長の公開インタビューには「規模の経済」という用語が見当たらなかったが、それはおそらく、「東亜日報」が最近、財閥の規模を正当化するために国際競争を持ち出していることを見透かすように、社説で財閥の会長をチクリと批判したからだろう。大規模コングロマリット内各社の会長による経済評価にふれて、その社説はこのように述べていた。

〔財閥トップの言葉によれば〕経済効率を高めるための規模の経済〔の達成〕、そして財務効率の最大化、それには資本の蓄積が必要だが、これを抑制しようとする傾向〔まさに雰囲気〕が蔓延していることこそが問題だという。ゼネラルモーターズ（GM）の売上は、年間九六三億ドル、我が国最大の一〇〇社の売上の合計の少なくとも三倍である。だから韓国の財閥はまださらに大きくならなければならない、と彼らは言うのだ。〔実際、〕彼らは〔規模の大きさを暗示してしまうため〕「財閥」という言葉そのものを嫌っている。……〔韓国の〕会社は依然として規模が小さいと言われるが、アメリカのGNP（国内経済の商品とサービスの総計）は我々のおよそ四〇倍であり、我々の会社はGMと同じくらい大きくあるべきだという主張には無理がある。我々の場合、通貨や土地やそのほかの生産要素は根本的にかぎられており、我々の大企業を韓国式の大企業にふさわしい大きさにするというのがよいアイデアなのではないだろうか（一九八七年一月一〇日付け「東亜日報」、一二面）

この社説が出てから数か月のあいだ、テスンの会長は明らかに「規模の経済」という用語を避けて、より間接的な「経済競争力」という言葉を選んだ。たとえば、その後に出した公式声明では、会長は強さや力、あるいは能力を示す「力（력）」という接尾辞を言葉に付け加えて数多くの新語をつくり出した。たとえば一九八七年四月三日付けの「毎日経済新聞」（五面）では、

企業の活動は、厳しい競争に直面せざるをえない以上、まず第一にその資本力（자본력）が重要であり、そのうえで企画力、生産力、技術力、判断力、製品の品質の競争力、そして価格競争力が重要になります。

テスンのトップは、財閥の規模に関する批判への対応に加えて、コングロマリットがたびたび批判を受けている収入の格差や労働者の搾取といった問題についても、戦略的に、より有利な解釈を打ち出した。それらの不公正に関する質問には、会長は雇用の創出について語ることで答えた。

一九八七年二月二八日付けの「朝鮮日報」（一〇面）では、以下のように語っている。

インタビュワー：我々の社会には、絶対的貧困にある人びとや疎外されている階層がいまだにとても多いのです。今でこそ、政府はいくらか関心を寄せていますが、過去においてはずっとそうではありませんでした。もしもこのような条件が続くのなら、資本主義システムを維持するのは困難になるでしょう。企業の視点からご覧になると、この問題はどのように見えるのでしょうか。

会長：大企業にできることはただ一つ、正直に税金を収め、雇用機会を増大することです。

とりわけ、新しい雇用機会を創り出すことは、間違いなく、経済界の最大の役割だと思います。

テスンの会長には、大衆の目に映っている特権を正当化するねらいがあった。そのために、世間一般の批判に対抗するいっぽうで、財閥のプラスになるような政府のしかるべき経済的役割を明確にすることへの大衆の支持を獲得し、あるいは少なくとも批判を減じようとした。また、政府の行動に関する発言が多いのは、一つには連合会の会長としての自分の役割に対する文化的期待に応える必要を感じていたためで、連合会は政府の諮問機関としての役割を果たしていたのである。

政府の介入に関する発言のなかで、テスンの会長は、大規模コングロマリットにとって有利な国の行動を求めつつも、政治経済の自由市場モデルを堅く支持する人物を演じようとした。財閥を利する国の行動を「市場志向」とし、それ以外を「介入主義」と表現することで、これら二つの立場のあいだの明らかな矛盾を隠蔽した。たとえば、一九八七年二月二八日付け「朝鮮日報」(一〇面)のインタビューでは、彼は自由市場擁護の立場をとってこう述べている。

インタビュワー：全国経済人連合会の会長を引き受けられて以来、会長は、あらゆる機会に「自由企業体制の促進」を訴えてこられました。具体的には、何をなさるおつもりなのでしょう。

会長：未来志向の実業家の姿勢は、資本主義市場経済を特徴づける重要な要素です。制限のない環境だけが、人に未来に目を向けさせ、投資させることができるのですが、私たちの場合、障害となる制限や規制だらけなのです。

同じインタビューの後半、会長は政府の「割り当て式で指令的」な（配定方式で指示形式〔배정하는 식이고 지시하는 형식〕の）準租税制度に対する不満を述べ、そこで、各企業に納税額を、財閥に「自主的」拠出金を課する政府の方式が、法的ルールではなく裁量的な命令という形になっているという共通理解にふれた。その翌年の一九八八年の報道は、一九八六年度の上位五〇社の貢献（自主的拠出金）が、法律上の納税額を上回っていたことを明らかにした（一九八八年七月二四日付け「コリア・ヘラルド」、六面）。

しかし、国の介入に頻繁に抗議していたにもかかわらず、ひと月も経たないうちに会長は、コングロマリットの利益のために国の介入を求めることになった。次の声明では、輸出に対する継続的な資金援助、より特恵的な為替レートの維持、そして新規事業者の社債発行による資金調達などを、国際市場での競争のためだとして正当化したのである。声明は次のように言う。

我が国の輸出先の四〇パーセントを占めるアメリカは、たいへん重要な市場である。そのかぎりにおいて貿易摩擦にはとくに注意深く対処しなければならない。日本との貿易赤字は、我が国経済の慢性疾患ではないだろうか。これらの問題を解決しないかぎり、我が国産業の構造化を加速することは困難である。

この二つの懸案を解決するために、我々は国際競争力のある産業と企業を育成して、効率的な産業構造をつくり上げなければならない。

私は（経済連合会会長として）、輸出に対する財政援助を縮小して貿易黒字分の通貨を吸収するという政府の強制的な試みには、通貨流通量を減らすために政府がとってきたそのほかの強力な手段と同じように同意できない（一九八七年三月二六日付け「毎日経済新聞」、三面）。

このように、会長は、政府による経済介入の後退と解釈されてしかるべき輸出金融支援の削減を、介入の積極的かつ「強硬な企て」だと表現した。彼は、それが規模の小さい会社よりも大企業に与えられていた恩恵を削減する措置だという事実には、まったく言及しなかった。

政府の経済介入に関する会長の発言には、政府の行動を修正したいという限定的なねらいがあったように思われる。会長は、ほかの機会には、誰もが当時の抑圧的な政府を暗に思い描く「政治的安定」を支持すると明言していたので、全斗煥政権の正当性に疑問を呈したり、より抜本的な変化を促進しようとしたとは思われない［Chira 1990: 3］。「もし社会が安定し経済が発展すべきであるならば、政治は安定（안정）すべきである」という意見を会長は述べている（一九八七年二

月一三日付け「毎日経済新聞」、二面)。

アメリカとの貿易紛争に対しては、会長は少々融和的なスタンスをとった。前章で議論したスタンス――それは、第六章で検討する多くの部下のスタンスでもあるのだが――よりもさらに融和的だった。不公正で、理不尽で、威圧的だとしてアメリカを非難するかわりに、会長はアメリカの要求を「もっとも」なことだと述べていた。アメリカの要求に屈服することを拒否するかわりに、たとえば次のように、段階的な歩みよりを受け入れる意思を表明したのだった。

ウォン＝ドルの為替レートの変更と韓国市場開放を迫るアメリカの圧力は、たいへん困った問題だ。私は、アメリカ側からすればその提案はもっともなことだろうが、我々にとっては痛撃以外のなにものでもないと考える。たとえウォン＝ドルの為替レートを変更するにしても、合理的でゆっくりとした変更であるべきだし、市場開放の措置は、もしもそれが必要になった場合でも、農民や漁民にショックを与えないように、じゅうぶん限定的なものでなければならない(一九八七年二月一三日付け「毎日経済新聞」二面)。

このさらに融和的な立場をとる理由が少なくとも一つあることは容易に推測がつく。韓国の農業市場の開放を求めるアメリカの要求を一部黙って呑むについては、コングロマリットのアメリカ向け輸出製品にさらなる貿易保護政策が及ぶことを未然に防ぐねらいがあった。農民の利益が、財閥のオーナー経営者たちの利益と衝突することについて、ある韓国の研究者がこう指摘していた。「アメリカからの輸入開放圧力が韓国の工業化の成功に起因することを農民は知っているのです。大君（財閥オーナー）たちが恩恵を得ている時に、どうして農民たちが我慢しなければならないのか」（「ファー・イースタン・エコノミック・レビュー」一九八八年七月二一日号、五七頁）。

2. 経営イデオロギー

部下に向けて語られるイデオロギー的テーマは、主として一般大衆に向けて語られるそれとは異なるものであった。ホワイトカラーの社員に対しては、オーナー経営者たちはより野心的な目的を持っていた。つまり、自分たちの特権に積極的に寄与するとともに、自分たちの指示に日頃から従順であるように誘導しようと努めていた。さらに、オーナー経営者たちには、自分の見方を部下に印象づける機会が多く、その目的のために、より多様な手段を使うことを指示した。

ホワイトカラー社員は、入社以前にも、新聞・雑誌や学校、軍隊、家庭、さらに、ルイ・アルチュセール［Althusser 1971］が「国家のイデオロギー装置」と呼んだそのほかの社会制度を通して、ある程度まで服従する準備ができていた。アルチュセールは、アントニオ・グラムシの考察［Gramsci 1971］にもとづいて、これらの市民社会の諸制度が資本主義的な関係を正当化し、階級支配に順応させることによって人びとを教化する、と指摘している［Buci-Glucksmann 1980: 63-66］。

第一章において私は、職場の規律への順応は、部分的には家庭や学校、軍隊、そして都市生活によって用意されると指摘した。同じことが新聞や雑誌に関しても指摘できる。たとえば、メディアは財閥を批判しながらも、財閥の解散や国有化はけっして提起しないことで、その存在を自然なものとすることに寄与している。しかしながら、イデオロギーの基盤的起源、イデオロギーの遍在性、その内容の経時的安定性などについてのアルチュセールの決定論的な見方と、私の観察や経験とは容易に折り合いがつかない。私はこの研究を通じて、家族、村、学校、軍隊、新聞・雑誌、政府機関、市場、そして職場での経験から生まれた競合する解釈が、しだいに組み替えられて再形成されてゆく経緯を示そうとしている。もしもアルチュセールが正しいのなら、テスン財閥と会社は、自分たちのイデオロギーをひろめるために、自分たちの保有する手段をなぜあれほど多く使ったのか。それらの手段には、本部ビルの壁のポスターや社内放送システム、社史の出版物、会社と財閥の教習プログラム、本部スタッフの月例会議、財閥と会社の月刊のカンパニーマガジンまで含まれるのだ(8)。

社員に示される経営イデオロギーは、人間関係が生んだ偶発的で可変的な産物ではなく、経営上層部が部下に押しつけようとしたひと揃いのアイデア群であることが一瞥しただけでわかる。これらのアイデアの系譜の一部は、日本の植民地時代の「文化的ナショナリズム」にまでさかのぼることができる。それは財閥のイデオロギーのうちに、新しく現れたのではなく慣性で継続してきたように見えるが、じつは、ブルジョワジーが職場で社員と弁証法的に関わることで、持続的に再生産され、変遷をとげてきた成果だったのである。

これらのアイデアは、社員の反応に対応する形で、何年にもわたって経営上層部によって積極的に再生産され、手直しされてきた。私はその事実を、会社のイデオロギーの作成と広報の専門家だった社員たちとの交流経験を通じて知ることができた。ホワイトカラー社員相手の研修プログラムの企画と施行に従事していたスタッフは、多くのイデオロギー的テーマが発信される研修の場で、常に新しい実践やアイデアを試していた。この数年間に研修を受けたことがあるテスンの社員によると、研修の内容は年ごとに異なっていた。たとえば、第四章で述べる自己管理トレーニング（克己訓練 극기훈련）は、ほんの数年前に始められたばかりだったが、明らかに、トマス・ローレン［Rohlen 1974: 199-211］とドリンヌ・コンドー［Kondo 1990: 76-115］の説く日本のビジネス訓練の影響を受けたものだった。訓練はトレーニング専門の小さな会社と契約しておこなわれていたが、テスンのトレーニングスタッフは、そのトレーニング中に、またトレーニング後の面接を通じて新入社員の反応を観察し、もっともうまくいった訓練を記録していた[9]。彼らはまた、将来どの訓練を残してどれを変えるべきかを上層部に助言した[10]。そして上層部の経営陣は、トレーニングの実施前にプランを決定し、プログラム全体を統括し、さらにトレーニングスタッフがおこなった助言を評価した。

テスン社とテスン財閥は、あり余るほどのイデオロギー資産を世に供していた。社史や月刊誌などの大量の印刷物とトレーニングマニュアルは、社員の責任感と協調を得るために、好ましくてまっとうな組織イメージを強調する無数のイデオロギー的テーマを含んでいた[Salaman and Thompson 1980: 244]。私は、コングロマリットの経営イデオロギーのすべてではなく、ナショナリズムと人間関係の和(harmony)に焦点を絞って調査しようと考えた。それが政治経済と「伝統的」文化の理解にもっとも関わりが深く、もっとも強調されていると思われたからだ。私が日本人か韓国人の民族誌研究者であったのなら、また、私にこの両国での企業経験が前もってありさえすれば、ナショナリズムと人の和はそれほど突出しては見えなかったろうし、おそらく私がそれほど首をかしげることもなかっただろう。

私はナショナリズムと人の和を分けて別々に検討するが、この二つには関連がある。人の和はまず第一に社内の人間関係に適用された(人和団結=後出)が、それは社会関係にも及び、国全体の福祉を前進させるための倫理基準としても奨励された。人の和はまた、国民のアイデンティティの一部を表わす儒教的な考えであることは明らかだった。韓国は一般に、ほかのどこよりも儒教の原則に忠実な国と見られてきたのである[Dix 1977; Haboush 1991: 85-86]。

オーナーたちが、韓国の文化とアイデンティティを連想させる象徴的意味合いの染みこんだテーマを選択的に強調したことは明らかだった。もし自分たちのイデオロギー的主張が、社員たちの共通の理解と共鳴する、彼らにとっても有意義で賞賛すべき主張であるならば、それはいっそう効果を発揮する可能性があったからだ。すでにラインハルト・ベンディクスの優れた研究は、さまざまな経営イデオロギーが、異なる社会の文化や政治経済とどのように交わるかを明らかにしていた[Bendix 1956]。マイケル・ヨシノによる日本における経営イデオロギーの研究[Yoshino 1968]は、その経営イデオロギーが日本のブルジョワジーの政治的経済的利害のみならず、日本の文化からどのような影響を受けてきたかを示している。同じように韓国のブルジョワジーの経営イデオロギーも、社員たちの文化や政治経済に関する認識、なかんずくテスン財閥と系列各社に関する認識に影響を受け、またそれを変えようと試みてきた。私たちはここで、それがどのようになされたのかを検証しておく必要がある。

ナショナリズム

オーナー経営者たちは、自分たちの企業が国民の福利を増進させたという文化ナショナリズムの思想を、さまざまな方法で取り入れた。「GM(ゼネラルモーターズ)にとっての善は国民にとっての善である」という格言がまさに示すように、この考えは韓国固有のものではない。しかし、何度も繰り返し示されるうちに、その独特の表現が政治経済、歴史、そして文化それ自体への文化理解を呼び起こしたのである。

「財閥の経済的利益は国民の利益と同じである」という明確な主張が、コングロマリットの月刊のカンパニーマガジン、一九八七年三月号所載のエッセイで表明された。そこには、コングロマリットの会長がその年のために選んだ「私たちは一つ(우리는 하나)」というメインスローガン

の意味が詳しく述べられていた。エッセイは、財閥経営の最上層部に属するグループである企画調整室の企画チーム全体の手になるもので、[12]コングロマリットおよび関連各社の印刷物に掲載されるイデオロギー的な論説の多くと同じように、新聞の社説やインタビューの闊達なスタイルにくらべると、はるかに説教くさかった。

「私たちは一つ」という考えは、次の三つの社会的結合体から構成されている。

第一に、一つの企業（기업）として、私たちは国民社会と一体である。

一つの企業は国家の市民や社会に基礎を置いている。したがって、市民や社会の正当な期待に応えながら、企業は自らの能力に見合った成長分野を選び、質の高い製品やサービスを提供することで消費者に仕え、産業の持続的成長を通じて雇用機会を増大する。さらに、わが社に商品を納入する関連企業、我々の商品を扱うフランチャイズ契約の代理店各社との共存・共栄をはかることを通じて、会社は社会的責任を果たし、そうして国民と一つになるのである。

この文章は、財閥の利益と国民の利益は完全に一致するものだと述べている。国民の利益を経済成長と雇用機会の拡大という観点から定義しており、経済集中や、新聞雑誌にたびたび登場するコングロマリットの否定的属性などへの言及はここにはない。同様に、コングロマリットのグループの利益もまたオーナーの収益ではなく、成長の観点から定義されていた。財閥のオーナー経営者は、彼ら自身の所得や利益が、彼らの債権者、仕入先、顧客、競争相手、そして社員の犠牲のうえに得られていることを認めなかった。ある事実を選択的に強調し、別の事実を隠すとによって、国民と企業は等しいとしたのである。

この声明は、利害の対立や敵対的関係には一言もふれていない。たとえば、政府のコントロールへの言及がない。オーナー経営者と社員の利益の対立は、「私たち」という一人称複数の代名詞を使ってビジネスグループ全体を集合的アクターとして描くことによって隠された。仕入関係先と代理店が言及されているのは、おそらく、大財閥が韓国経済を独占して中小企業の成長を妨げているという批判をかわすためだったのだろう。数か月後、ある系列会社とその独立系の代理店の利害対立が露骨なまでに明らかになった。かなりの数の代理店の人たちが、本部ビルのロビーで数日にわたって激しくデモをおこない、自分たちが仕入れて一般に販売する商品に対する、より適切な価格の設定と支払い契約を求めたのである。業者による激しいデモはビルへの出入りを混乱させ、新聞各紙でも取り上げられた。

カンパニーマガジンのエッセイが事業運営に関して詳しく語った部分では、テスンは国益を増進させる会社として描かれていた。創業初期の輸入代替（国産化）の時代に、競合するあるアメリカ製品を韓国市場から放逐したという成功事例も機会あるごとに紹介されはしたが、社員はカンパニーマガジンや年報、新人研修マニュアルや社内掲示板のお知らせなどのメディアによって、いっそう頻繁に自社の輸出の規模が増えていることを知らされてきた。輸出目標の達成を顕彰する政府のトロフィーの写真が、会社の印刷物や掲示板を飾った。財閥の社歌の歌詞の最後の部分では、「世界中に届け、テスンよ」というフレーズによって輸出拡大が歌い込まれていた。そして、海外の先端技術製品を使ったのは自社が初めてだったことに間接的にふれた箇所以外では、輸出品を製造するために必要な原材料や機械を、グループや系列各社が輸入に頼っていることには言及がなかった。

オーナー経営者たちは、ただ単に政治経済の都合のよい理論を選択的に利用したり、彼らの利益を部分的に表現したりすることで、ナショナリズムに訴えただけではなかった。ほかにも、あれやこれや手の込んだ、感情に訴えるさまざまな主張を繰り出して、コングロマリットと系列各社が国民の利益に貢献しているという考え方を表現していた。テスンの本社スタッフの月例会議や公式行事などで歌われるグループの社歌は、冒頭の「我々は、この国の若い働き手（우리는 이나라의 젊은 일꾼들）」という歌詞で社員に言及し、リフレインの最後から二番目のところでは、コングロマリットを「国の誇りだ（나라의 자랑이다）」と唱っていた。朝な夕なに社内放送を通じて国歌が流れると、社員は起立して、どのオフィスにもかかげられている韓国の国旗（太極旗）に向かって正対する。国歌が流れていても、かかってきた電話には出るが、そのあいだ、こちらから電話をかけたり、オフィス内で話をしたりすることはない。

毎月開催される本部スタッフの社内会議の冒頭には国歌が流された。続いて太極旗への正式の一礼があり、行事担当のスタッフの号令で、その場の全員が気をつけの姿勢をとったり、逆に一斉に休めの姿勢をとるのだった。およそ三×四フィートの大きな太極旗は、通常は社長が社員に話をする演壇の真後ろの壁にひろげられていた。社員の側から見ると、太極旗は社長の頭部と上半身に並ぶ形になり、社長が国に代わって語っているか、あるいは社長の指示には国がお墨付きを与えていることを暗示していた。ＰＲ誌や出版された社史のなかでは、大きな太極旗を背にした社長の肖像写真がページを飾り、社員に語りかけていた。写真は望遠レンズで撮影されることが多く、社長と旗のあいだの距離を消し去っていた。新人研修を始めとする会議では、同じようなサイズの太極旗がいくぶん目立たないように飾られ、別の旗竿にかかげられた同じサイズの社旗がはっきりとよく見えた。よく目にする財閥本部の写真は太極旗がよく見える角度で撮影されていて、コングロマリットの旗や国が進める「セマウル運動」（訳注：七〇年代初めに朴政権が展開した新しい村づくり運動）の旗といっしょに前景で風にはためいていた。

ナショナリスティックな感情は別の形でも現れていた。財閥の会長が、新しく任命された理事たちに向かって、みなさんは「愛国者」であると語り、その会長挨拶がグループの社内報に掲載された（一九八七年五月号）こともあった。掲示板やグループの社内報には、トップ経営陣と高級官僚との会議の写真が掲載され、なかには大統領といっしょに写ったものもあった。政府による介入に批判的な立場は、会長の公式声明の基本的論点ではあったが、社員に向かって、政府は介入しすぎだなどと縷々述べることはなかった。もとより、そうした考えを国と財閥の利益の完全な一致と調和させるのが困難だったであろうから。また、オーナー経営者たちは、社員にそんな話をするまでもないことをわきまえていたにちがいない。第六章で述べるように、部下たちもまた、自分たちの仕事に対する政府のコントロールには否定的な見解を隠さなかったのである。

自分たちの一族が国益に貢献してきたという主張を押し出すにあたって、オーナー経営者たちが選んだ象徴的戦略を特徴づけていたのは、自国の歴史への文化理解であった。一九八七年に最新版が出た社史のなかでは、コングロマリットの成長を実現させたものは、創業者のリスク負担、刻苦勉励、技術革新、先見の明の鋭さと並んで、彼のナショナリズムであったと述べられていた。

社史の伝えるところによれば、創業者が商業活動を始めたのはコングロマリットの創業以前の日本の植民地時代にまでさかのぼる。不正蓄財で追求される財閥もオーナー経営者たちも存在しなかった時代である。この初期の時代における創業者の活動は国家への全面的な責任感によって動機づけられていたとされている。社史によれば、創業者は、祖父の影響の下で成長したが、その祖父は「熱烈な愛国心」の持ち主で、時あたかも朝鮮王朝の衰退期、宮廷は外国勢力の進出によって腐敗していたので、彼は役人の地位を辞して、故郷に帰ったのだった。さらに国に対する祖父の燃えるような愛は、明らかな口承伝説の描くところとなった。いわく、日本による「地獄のような」併合がおこなわれるとすぐに、祖父は自らを罪人とみなして三日間何も食べず、あるいは三か月間家を出たという。これは「親を失った息子は、自らを親の死を防げなかった罪人だとみなす」という韓国の葬礼の慣行のメタファーである。[13]

創業者はまた「愛国精神（애국정신）」を抱いており、創業者の商業への関心は、村に住みついて雑貨店を開いた日本人商人の手に、村の利益がこれ以上落ちるのを防ぐために、村に協同組合をつくりたいという思いに発していた。したがって、両班のエリート一家から非儒教的な商人身分への転身は、国を思うがゆえと説明されたのだった。

読者は、社史を通じて、創業者と会社が、とくに新しい製造技術の導入によって国の経済的、技術的な発展を促した経緯を知ることになる。そのなかでもっとも重要な達成に関しては、「我が国の産業発展への貢献」の章で繰り返し語られている。別の章では、創業者には「我が国産業界の大黒柱（巨木）우리 나라 산업계 의 거목」の呼称が冠せられていた。社史は創業者が満州を訪れていたことにもふれていて、その旅が輸出に対する先見の明の証であったとの解釈を示し、満州を訪れたことが日本の植民地政策の推進ではないにしても、それへの黙認と受け取られかねないことにはまったく懸念を示していない。

ビジネスグループと国家を結びつける手段はいくらでもあった。双方の利益を等しいものと見なしたり、（国旗などの）公式のシンボルを利用したり、過去の出来事を語ったりすることに加え、「伝統的」韓国文化へのコミットメントを伝えるなどして、会社はより巧妙な装いで社員の愛国心に働きかけた。とはいえ、会社が喚起する「伝統」の多くは、オフィスの日常活動とは無縁なさまざまな実践を必要とした。たとえば、社内報には「韓国の美」という記事が連載されていて、民俗芸術の写真と短い解説がついていた。また、コングロマリットは、政府がすでに太陽暦を採用していたにもかかわらず、農村でひろく祝われていた旧暦の正月に三日間の休日を社員に与えていて[14]、社員は、この三日間の休暇を利用して農村に帰省して家族や友だちとともに祝日を過ごすことができた。エレベーターの隣に、キムチなどを保存するために使用されていた陶器の甕（オンギ）の大きな灰皿が置かれていたのも、伝統を感じさせる手法の一つだった。さらに、本部ビルの窓には、古民家の扉や窓を模した、障子の日除けが付けられていた。

会社はまた、本部スタッフの月次会議などにゲストを招いて講演を依頼し、選り抜きの文化的アイデンティティの象徴にコミットしていることを示した。講演者の多くは民族主義的なテーマを語り、後日、系列会社や財閥のカンパニーマガジンに講演の要約が掲載された。私の調査当時の講演では、ある歴史家が、高麗王朝はかつて山東半島まで進出していたと主張していた。ある歌唱指導者は、韓国人はどこの国民よりも歌をうまく歌えると言い張った。有名大学に籍を置くある講演者は、韓国と西欧の文化的実践の違いをいくつかユーモラスに比較したうえで、いずれにおいてもなぜ韓国のほうが優れているのかを解説した。彼はブリーフケースとポジャギ（보자기）――日本の風呂敷のように物を包む四角い布――を比較した。ポジャギが過去数十年で急速に人気がなくなったのは、流行遅れで田舎臭くなったからだが、ブリーフケースのサイズは決まっていて、物を入れるのに大きすぎたり小さすぎたりすると指摘した。さらに、ブリーフケースは中身が空になっても持ち歩かねばならないとも述べた。それに対してポジャギは中身の大きさに合わせるのが簡単で、包むものがなくなれば畳んでポケットにしまえるから、両手が自由に

なるとも述べた。

彼はまた、韓国男性のパジ（ズボン）のウエストは西欧のズボンのようにサイズが決まっていないので、たくさん食べた後や痩せた時にもウエストサイズを簡単に調節できるとも述べた。さらに、ビールの注文についても語った。居酒屋に入った時に、正確な本数はウェイターやウェイトレスに任せて、ビールを「何本か」（一、二、三、四本［한두서너 병］）お願い、という大雑把な注文が可能なのは韓国だけである（訳注：実際には「およそ三、四本［한 서너 병］」という表現が一般的だという）。このことは、韓国人が細かい計算にとらわれず、これからますますコンピュータに操られてゆくような頭の働かせかたはしないことを表わしている。ここで講演者が指摘するのは、韓国人の細かいことにこだわらない性格で、これはポピュラーなナショナル・アイデンティティのテーマであり、現在は批判の的ではあるが、今後の脱工業化社会においては、その柔軟性と見通しの広さが再評価され、韓国人にとって有利に働くだろうというのである。

企業と国民の利益に関する説教じみた主張とは異なり、この講演はユーモラスで楽しいものだった。多くの社員がその話に説得力があると感じ、その後さまざまな機会に話題に上ったので、講演のメッセージはますます強く伝わった。社長が「コーヒーでも飲みましょう」と講演者を自分のオフィスに誘ったのだから、社長も話を気に入ったにちがいない、と指摘する者もいた。

人の和（ハーモニー）

ハーモニー（「人和団結（인화단결）」）は、テスン財閥がかかげる経営イデオロギーのなかの三つの基本方針（社訓 사훈）の一つである。テスン社の社訓の三つの基本方針の一つでもあって、「協同的生活（협동적생활）」とも呼ばれていた。人の和と団結（단결）あるいは協調は、韓国のおよそ半数の会社で基本方針とされているのだが、部外者も社員も「テスンはこのテーマにとくに重きを置いている」と指摘する［Yi Kiŭl 1988: 492; Lee Hak Chong 1986:98; Hwang Pyongjun 1985: 34 - 35］。

人和団結は、会社とグループ双方のレベルではっきりと認識されていたので、論評や注釈が数多く付けられていた。たとえば、アート紙を使った美しいテスンのパンフレットには財閥とその事業が紹介されていたが、その英語版、韓国語版ともに次のような解釈が載っていた。「（テスン）グループは人間関係における和（harmony）と結束（unity）を追求し、愛情と信頼、尊敬と協調を重んじ、そしてなによりも一体感（a sense of oneness）を大切にする。人の和（human harmony）は、事業組織としてのグループの利益と同様に、公共の幸せを促進するために欠くことのできないものとして重要である」。

人和団結は、①チームワーク（英語からの借用語）に訴える、②社員とグループ会社の利益が一体であることを忘れない、③外部からのリスクを警戒する、④財閥を家族に喩える、というテスンの少なくとも四つの一般的実践のなかに喚起されていた。とくに最初の「チームワークに訴える」については、次の章の社内研修の項で取り上げる。私は、その研修活動を観察するなかでいくつかの驚くべき事例に出会うことになった。

そのほかの三つのテーマに関する私の関心は、それらのテーマが、物質的利益の追求を韓国の伝統の構成要素、とりわけ韓国の家族に関する一般的な理解にどう結びつけたか、という点に絞られる。そのうち最初の二つは、こうした理解を暗黙のうちに示し、三番目はそれを明示的に示している。

オーナー経営者たちは、財閥や会社の利益と国民の利益が一体であるとの見方を確立しようとした。同じように社員の利益についても財閥や会社の利益と一体とみなそうとしたわけである。「我々は一つ」というコングロマリットの一九八七年のスローガンが国民と財閥の一体性に言及していることを説明した後で、企画調整室は、個人と各部署のあいだにも協力と信頼があることを指摘して、「第二に、グループ内の各工場と各会社、会社（회사）の各機能組織（기능조직）として、我々は一つ、なのです」と言い、さらにそのうえで、コングロマリットとその社員のあいだの利害の一致を指摘して、「第三に、一つの企業とその社員として、我々は一つ、なのです」と述べている。かくして、財閥と社員は同じ利益を共有したのである。


会社それ自体がその社員なのです。相互の協調と信頼に支えられた環境をつくることなしに、個人の成長あるいは企業の成長、発展は期待できません。その基礎となるのは、社員の積極的な姿勢と自主的な参加、そして責任意識です。

企業の成長と発展を通じて社員の雇用の確保が守られ、昇進と自己実現の機会が提供されます。こうした状態になった時には、社員が自主的に参加し、率先して責任を引き受ける職場の風土が確立しているわけで、社員間にとどまらず各部署間においても、協調と信頼にあふれた環境づくりを可能にすることで企業の発展は自然に達成されるのです。社員が生計を立てるための基礎を提供するという役割を企業が達成する時には、(社員)個人の成長を通じて会社の発展が達成され、企業と社員は一つになるのです。

第一章では、農村の家族は、その成員が利害対立よりも相互利益を共有する集団として理解されることが多いことを説明した。

ここではまた別の主張として、家族に対する文化理解と財閥に対する認識のあいだに、もう一つのつながりを構築してみたい。オーナー経営者たちは、社員たちが昇進を見送られたり、解雇されることもある財閥それ自体のリスクは低く見積もり、代わりに、グループが直面している国内外の競争者たちがもたらす対外的危機を強調することで、社員の協調を引き出そうとしていた。このような実践は、幼い子どもを監督しようとする韓国の親たちが、体罰そのほかのペナルティで脅すのではなく、虎のような外部の危険について警告することによって、子どもを支配し、従順さを教え込もうとする戦略に部分的に類似していた。韓国の親たちの側のこのアプローチはすでに人の知るところだが[Han Dongse 1972; Dix 1977: 84]、経営戦略とのアナロジーは私のものである。

オーナー経営者たちは外部のリスクをことあるごとに指摘した。国際市場の条件は財閥の短期的な成長には好ましいものだったが、テスンの会長と社長はともに「さらなる国際競争と先進国の保護主義の台頭が待ち受けている」との認識を述べた。社員たちは、差し迫る危険に打ち勝つための力添えを求められたのである。

国内の競合他社からの脅威は、海外からの脅威ほどには明確な注意を喚起されることはなかったが、それはおそらく、国内の脅威を強調するとコングロマリットと国全体の利益が一致するという主張と整合しなくなるためで、国内競合他社の脅威は情報セキュリティの強調という形に姿を変えて示された。会社の組織図のような、多くの書類が機密扱いされた。机の上のメモやそのほかの書類は通りすがりの人に内容を読まれないように、持ち歩かれたりカバーをかけられたりした。そして、オフィスのいくつかのエリアには「立入禁止」の表示がかかげられた。本部ビルのあちこちのひろいオフィスの壁で目にしたポスターは、経済競争を戦争に見立てていた。ポスターの漫画的な筆致、単純な配色（黒、白、赤）、飾りのない散文体は、ミリタリー・ポスターのようなおもむきを与えていた。

〈セキュリティ意識のための一〇項目のガイドライン〉

・他社（競合他社）の利益になるような機密に属する内容を作成する際には適切な処置をお

こない、それに関連する責任を負う立場にないスタッフが内容を書き写したり、コピーを取ることを許可しないこと。[15]

・機密文書を取り扱う場合、たとえ短時間でも席を離れる時は、常に机あるいはファイリングキャビネットに入れたうえで鍵をかけること。

・他社の幹部あるいはスタッフとの会話には用心し、言葉遣いや行動にも気をつけること。

・機密に関わるが完全にはガードされてはいない部署（秘書室、テレックス・ファクシミリ・コピー室、電話交換室等）においては、社員を完全に管理統括すること。

・社内業務の詳細は、家族や親類、あるいは友人にも話さないこと。

・競合他社が情報収集する目的のうちもっとも重要なのは、新製品の関連情報であることを忘れないこと。

・断片的で取るに足りないような些細な情報でも、つなぎ合わせれば重要な情報になる場合があることを忘れないこと。

・競合他社は、ただ情報を収集するだけでなく、誤った情報を流して会社の経営を混乱させようとすることを忘れないこと。

・職責が高ければ高いほど流出する情報の価値も高い。しかし、些細な情報であっても、管理を怠らないようにすること。

・高度の重要性を持つ機密に関わる部署の人員には、数え切れない誘惑（金、酒、女性、情実等）の手がひろげられることを忘れないこと。
＊一人の一言が会社の成功と失敗を決めることがあることを忘れず、全社員は機密保持を日常生活の一部とし、厳重なセキュリティを維持しなければならない。

相互の利益、力を合わせる必要性、外部からの脅威といった指摘は、暗に家族による実践を連想させた。実際、家族はまた、会社や財閥の明示的なメタファーとしても使用されており、たとえば、親族を表わす用語が、商業的な関係を表わすために使われていた。テスン社はグループの「母体（모체）」と呼ばれ、コングロマリットの各社はときには「姉妹会社（자매회사）」と呼ばれた。グループの月刊の社内報には「私たちは一つの家族（우리는 한 가족）」というタイトルの連載があって、毎回、テスンのグループ企業、フランチャイズ企業のうちの一社を取り上げていた。

社員のほうが、グループ会社よりも家族という表現の対象となる機会が多かった。コングロマリットの会長は、集まった理事たちの前で新年の挨拶を述べる時には、まず「テスン・ファミリー・メンバーズ」と呼びかけた（一九八七年一月号のグループマガジン）。社内報にエッセイを投稿した社員からは、「私は一九七五年にテスン・ファミリーのメンバーになりました」（一九八七年一月号）との自己紹介があった。社内報の説明では新規採用者は「ファミリー・メンバーとなったテスンの新入社員」（同、一九八七年二月号）となっていた。ある常務理事（상무이사）は財閥のカンパニーマガジン（一九八六年一一月号）に、部下を正しく管理することは子どもを正しく教育

するようなもの、と記していた。そのエッセイのタイトルにいわく「たとえ働く者には厳しくとも、人として」、彼はこう記した。「人が生まれて、周囲の人びと、とくに親から影響を受けて育つのと同じように、会社での管理職の役割は、社員の個人的能力を育て、彼らの人和団結への努力（harmonious efforts）を導き出すことにある」（一九八六年一一月号）。

オフィスと家庭生活の一致を細かい点まで上手に書いた女性社員の投稿が、グループマガジンに掲載された。投稿は、上級職社員たちと彼らの信念に声援を送る部下とのあいだの一種の共同作業である。彼女は「私たちは一つ」のテーマに対する個人的な感想を編集部から求められた社員の一人で、このように述べていた（一九八七年三月号）。

> 私たちは、仕事仲間や、上司と部下の関係を、あまりクールに見すぎていないでしょうか。
> 私たちは、上司と部下の関係をとても自分本位で難しいものだと思いがちなのです。
> それなら、別の視点から見てみればどうでしょう。つまり、親と子の関係として。
> 親というものは、子どもの才能や能力に対してけっして無関心ではいられません。親は子どもの能力を伸ばし、子どもの才能について一生懸命知ろうとするものです。子どももまた、親を完全に信頼、信用して、敬意を持って日々の生活を送るものです。そのうえ、末娘は家族の「可愛らしい人[16]（웃음 꽃）」と呼ばれ、とても大事な場所を占めているといわれます。
> この雰囲気をオフィスに移してみましょう。管理職は、親の愛のような暖かく人間らしい

感情を社員に対して持ち、一人ひとりの知識や能力を伸ばして、その才能や実力によって自分の仕事を判断するように導くのです。社員もまた、親に対する息子や娘のように、信頼と敬意を持って自分たちの責任を果たすのです。そして、家族のなかで「可愛らしい人」になる末娘のように、女性社員は部署のなかの摩擦を減らし、社員同士の関係の基礎となる架け橋の役割を果たしてはいかがでしょう。

女性職員のこの意見表明は、韓国の家庭とオフィスライフの一般常識に選択的に光をあて、家族と職場のあいだのアナロジーを上手に引き出していた。女性社員を家庭の末娘と同一視したことは、女性職員がほとんどの場合、男性のオフィスワーカーよりも若いという事実にうまく適合していた。[17] また、女性社員は会社にとって一時的なメンバーと見なされていたが、これは、未婚女性がしばしば、やがては生家を離れる一時的な成員と見なされていたことと符合する。[18] 未婚の娘という存在は、子どもたちが青春期にあるか成人になってまもない時期、両親の支配力がおそらくは頂点にある時期の家族のイメージを彷彿とさせた。

この意見表明は、家族をめぐる多くの文化理解と一致していたが、やはり部分的な真実でしかなかった。それは、管理職の叱責や躾(しつけ)は、親が子どもの成長を願って叱るのと同じで、部下の一番の利益を思うがゆえの実践だと主張して正当化しようとしている。さらには、管理職は部下の能力を認めたいが、その成長を願うがゆえにほめることはしないのだとも主張した。このような主張は、管理職と部下との利害対立を隠蔽していた。つまり、部下が働けば働くほど、管理職には部下が優秀に見えるのである。この文章を書いた女性は、親の子に対する支配と、部下に対する管理者的な支配のあいだに（あまりにも抽象的なせいで）疑うことのできないアナロジーをつくり上げてしまった。そのため、①韓国の家庭は、非親族間の人間関係のモデルにはならないこと、②親の権威は、親孝行と家族財産の共同所有によって正当化されること、③社会的威信の付与や象徴資本の増加が、人の和を行動で示す動機となること、④社員は、子どもが絶縁されるより、はるかに容易に解雇されること、⑤家族内の年齢の階梯を自分の兄弟姉妹よりゆっくり昇ることは不可能だが、同期の仲間よりも昇進が遅れることはありうること、などを無視してしまった。彼女はまた、親の支配に抵抗したり、それをかわしたりするために、子どもたちが逃げたり、言い逃れをしたり、（親の幸せを）都合よく解釈したりする事実をも、隠蔽したのである。

現代韓国の社会制度における協調的な社会的関係を奨励するメタファーとしては、家族よりも農村のほうが適切だったように思われる。実際、学生や反体制グループは、自分たちの組織に向けてこのメタファーをよく使っていた。おそらく、農村のいっそう平等主義的な人間関係は、ブルジョアジーには魅力の乏しいメタファーだったのだろう。

ナショナリズムと同じように、会社は家族なりとする考えは、一見際限のない、多種多様な微妙な象徴と実践の形をとって伝えられた。「父母の日」には、課長の机の上には花が飾られた。よりよい人間関係を築くために、課長や部長たちには交際費があって、勤務の合間にはコーヒーや

クッキーのようなちょっとした物を配り、昼には部下をランチに連れ出し、夜には飲みに、週末にはピクニックというように、皆が楽しめることなら何にでも付き合った。社員にはまた、大切な祝日には会社の製品が贈られ、毎朝の通勤には会社のバスが提供され、コングロマリットの社員食堂ではランチが出た。社員たちの住まいが地理的に分散していたある部署では、毎年イベントを開催していたが、イベント企画書によれば、それは「一体感（일체감）」を促進することが大きな目標であった。

3．そのほかのイデオロギー的テーマ

テスンを始めとする企業で使われたイデオロギー的テーマは、ナショナリズムと人和団結に尽きるわけではなかった。七七社でおこなった経営原則に関するアンケート調査の結果を、イ・ハクチョン（이학종）Lee Hak Chong は次のようなテーマに分類している［Lee Hak Chong 1989a: 149］。「人の和と団結」、「正直と勤勉」、「創造と発展」、「ビジネスの信頼性・生産性・品質」、「仕事の責任」、「革新性」、「社会的責任」、「科学的管理」、そして「犠牲と奉仕」[19]。

これらナショナリズムと人和団結以外のテーマは、意味論的には二つの極に集中しているように見える。一つは「合理性」、「テクノロジー」、「イノベーション」、「真実」という科学的な極、も

う一つは「誠実」、「責任」、「正直」、「信頼」というモラルの極である。

技術革新

技術革新と製品の品質は、少なくともホワイトカラーの職場では、どちらもナショナリズムや人和団結ほどには注目されていないようだが、けっして存在しないわけではない。財閥のPR誌には毎月新製品がお目見えするし、毎週水曜の朝には、社内放送システムから新商品について五分間のアナウンスが流される。美しいパンフレットには、グループの研究所も特集されていたし、会社が出版した社史は技術革新を大きく扱っていた。

テスン各社やグループが技術革新を強く前面に打ち出しているのは、その企業規模に即した論理的な戦略である。研究開発のための高価な施設を持つ余裕のある大企業が、テクノロジーの最前線にいるということはひろく認識されている。小規模な会社はやや後方にいると考えられている。小規模な会社には、格の低さ、技術の単純さ、路地裏操業、といった含意もある[Brandt 1980]。革創期のアップルコンピュータのような革新的な会社の話は韓国では聞いたことがない。技術革新は企業規模に連動するのであり、それゆえ財閥による経済集中にお墨付きを得ることが有効なのである。

技術革新はナショナリズムとも無関係なわけではない。韓国社会では、労働コストの比較優位を失ういっぽうで、テクノロジーの欠如によるハンディキャップが増大するとみられており、新製品を開発したり、海外から新しいテクノロジーを真っ先に導入したりすることが、国全体の知の集積を促すものと考えられている。韓国内で賃金が上昇するなかで、国際貿易で競争力を維持しようとするなら、商品のライフサイクルを短く切り詰めねばならないことに、社員たちは気づいていたのである。[20]

テスン社が技術革新に重きを置いたのは、消費財のメーカーであるという自社イメージに、おそらく上層部が敏感だったことにも関係があるだろう。新入社員研修で、ある講師が、とくに自社が製造する（消費財以外の）工業製品について説明した。すると、見るからに熱心な一人の新入社員がすぐに手をあげて、会社のそういう面について、もっと大衆を教育したほうがいいと提案した。それに対してその講師は、あきらめ顔で、パブリックイメージは主として広告を通じて形成されるのであり、工業製品をマスメディアで宣伝しても、潜在的な顧客はほとんどないのだから、経済的に釣り合わないのだと答えた。

最後に、「なぜそれほど技術開発の成果に重きを置くことにしたのか」という私の質問に、ある管理職が返した思いがけない答えを紹介しておく。彼の示唆するところでは、「会社がブルーカラー労働者を搾取しているという批判をかわすために、利益と成長の理由は低賃金ではなく技術革新によるものとされたのです」という。この答えを、私はまったく予期していなかった

道徳（モラル）の価値

イ・ハクチョンが調査したほかの会社の幹部たちと同じように、テスンのオーナー経営者たちも、社員の考え方を磨きなおすために、道徳性を含んださまざまなアイデアを用意した。グループとして企業として国民の福利を増進させている、との主張に加えて、彼らは何度もこう宣言した。自分たちの企業は商品の品質を通じて大衆の信頼を得ており、その結果、一部のブランド名は日常の生活用語（一般名詞）にもなったのだ、と。実際、その商品は韓国においてもっとも信頼されており、私の消費者としての経験からも、もっとも信頼できる商品のうちに入っていた。財閥がこれらの製品の大きな販売シェアを享受していたので、国は、それがいくつかの市場で独占にあたると宣言し、価格統制に従わせた。

財閥オーナーの利益を増進すべく、「しっかり働けばさまざまな形で報われる」といった類の約束と、精神的な激励の言葉で社員を鼓舞する、というアイデアも見られた。会社の研修マニュアルにかかげられた社員指導原則には、「私は働くことが大好きだ」、「私は理性的で、かつ意欲的だ」、「私は仕事が手早く、かつ正確だ」などの言葉があった。エレベーター内とオフィスの壁の掲示には、社史にあった「成功は自分自身の努力しだいだ」という理念が繰り返されていた。あるポスターには、「オリジナリティのある仕事の改善が、会社と自分自身を発展させる」とあった。「（中途半端な仕事に満足する）適当主義（적당주의）を捨て、官僚主義的メンタリティを根絶しよう」と書かれたポスターもあった。さらに「能力を信じ、だがそれを鼻にかけるな。骨惜しみ

せずに自分自身を成長させせよう」という標語もあった。
そのなかでもっともよく耳にしたスローガンは「誠実（성실）」で、それは、後に日本におけるこの概念に関するヘレン・ハーデイカーの解説［Hardacre 1986: 26-27］を読むまで、私には理解できないものだった。「誠実」は、私心を捨て心を込めて全力を尽くすことを意味し、成功した場合も失敗した場合も責任を取ることにつながる。これは、「私たちは一つ」というスローガンについての企画調整室の説明に含まれるテーマでもあった。ハーデイカーは、皮肉にも、これらの考えは日本に住む韓国人にはめったに見られない、とも記していた［Hardacre 1986: 31-32］。最終章において、テスンの企業内の実践と日本でよく見られるそれとの関係を取り上げることにする。

注

（1）これはおおまかな数字である。配当とオプションのおよそ三分の一から二分の一は関連会社に配分されていた。したがって、それらは財閥の内部に留まることになり、間接的に個人株主の所有となった。ストックオプションの比率は配当のそれよりもいくらか低かった。それはオプションの一〇パーセントが、法の定めるところにより社員向けに発行されることになっていたからである。したがって、オプションはその九〇パーセントだけが、他の会社やオーナー経営者、そして他の株主に支払われたわけだ。
（2）このデータをまとめるにあたり、私はいくらかの調整をおこない、二、三の慣例に従った。たとえば、図1では理事かそれ以上の地位の人のみを示している。父系の系列間の養子縁組は考慮していない。一七世紀以来の韓国の族譜で使われた慣行に従い、長男は右側に記載してある。ただし、家族の戸籍は調査していないため、女性の年齢の順はわからない。ここでも韓国の慣行にしたがって、女性は男性の兄弟の左側に記載してある。また、図1に記載されている一人は亡くなっているものと思うが、それは、鄭が一九八五年にデータをまとめた時に、その人の息子の一人（L）は六二歳だったからだ。そのほかにも、表2に記載されている「会長」は明らかに例外で、どうやら長男には年下の兄弟よりもある程度は高い地位を与えようとしたように思われる。兄弟がそれぞれ任じられた会社のコングロマリット内での規模や重要性は同等ではなかったが、年長の兄弟より高い地位の肩書を持つ人はいなかった。一九八〇年代末においても、名誉職号をおくる慣行はまだ続いており、会長職、副会長職が次々に作られたが、Aで示されている男性は財閥の最高経営責任者（CEO）のままだった。

（3）全国経済人連合会は、会員の見解表明の英語版を出版している［The Federation of Korean Industries 1987］。

（4）このテキストはインタビューを採録しているが、活字になったインタビュー記事では、「政治的」という言葉は、韓国で慣例的に引用符として用いられるアングルブラケット〈 〉で囲まれていた。

（5）公開されたインタビュー記事では、「財閥」という用語はハングルで「재벌（財閥）」と書かれていた。そのことから、インタビューの現場では、財閥は漢字を日本語読みした「ざいばつ」ではなく、「재벌（ジェボル）」と発音されていたのだろうと思う。

（6）これは厳密には必ずしも真実ではない。会長自身が財閥に加わったのは創業の翌年である。

（7）しかしながら、この点は論議のあるところだ。アリス・アムスデン［Amsden 1989: 117］は、製造コストの見地からこの言葉を解釈して、ここでの「スケールメリット」が会社のサイズよりもプラントのサイズを指している点を注記している。とはいえ、近年の日本の総合商社の成長は、企業規模がマーケティングや情報収集の優位性に寄与していることを示唆している。

（8）カンパニーマガジンには漢字がほとんど使われていないことから、読者としてブルーカラー社員をも対象にしているように見える。ほとんどがハングルで書かれており、たいていは簡単な文章だったので、中等教育を受けていれば誰にでも読めただろう。そのうえ、時折、ブルーカラー社員からの投稿や工場労働者の個人を取り上げた記事が掲載された。

(9) これらの活動にかかわっていたなかでは、若い人たちがもっとも熱心だったのではないかと思う。会社が軍隊的であることや、残業に対して、あるいは上司からのコントロールに関して批判的なコメントをした人は一人もいなかった。ある日、他部署の理事とランチに出てオフィスに戻る途中、理事に対して一人のトレーニングスタッフがきちんと深く体を曲げておじぎをしたことに、私はほんとうに驚かされた。

(10) たとえば、一九八七年には、フォーマルなディナーと西欧式テーブルマナーの講習が研修の課題に加えられていた。ソウルでもっとも高い六三階建てのビルの高層階の一部屋に集合すると、受講生は皆ディナーにも窓からの景色にも魅了されたようだった。そこは新しい高級レストランの一つで、実習生たちの景色に興味津々な態度からは、そこでの食事が初めてであることがうかがえた。どうやらそのイベントは、テスンの社員という新たな身分のもつ特権をいっそうありがたく感じさせたようだった。ある管理職によれば、その体験は、実習生の評判もすこぶるよく、今後も継続するとのことだった。とはいえ、部下たちはその他の多くの西欧的実践の押し付けには抵抗したのだったが(第六章を参照)。

(11) 一〇年前に編集された一世代前のテスンの社史はソフトカバーのガリ版刷りで、社内の図書室に保管されており、「社外秘(사외비)」と書かれていた。それとは対照的に、最新版にはアート紙が使われ、白黒やカラーの写真が随所にあって、天鵞絨(びろうど)のハードカバー仕様で、広範囲に配られていた。

(12) 企画調整室は、財閥の中枢神経と表現されることもあり、アメリカ企業には該当する部署はまったくないようだ。鄭求鉉 [Jung 1987: 144-145] が述べたように、韓国のコングロマリットが巨大化し、多様化しながら成長したために、さまざまな系列会社や広範囲のオペレーションを一元管理するなんらかのメカニズムが必要となり、そのために設けられたのが企画調整室である。テスンにおいては、企画調整室はいずれの系列会社にも属さず、コングロマリット経営の最高レベルに直属していた。私のフィールドワーク中には、現職の会長の長男で後継者にあたる人物がそこで副社長として指揮にあたっていた。企画調整室のスタッフは、グループの月刊のカンパニーマガジンを発行する任にあった。

(13) 韓国の葬祭の慣習についての記述は、Janelli and Janelli［1982: 63-64］と Dredge［1987］を参照のこと。

(14) 民俗的なノスタルジアの高まりのさなか、政府は旧正月を「民俗の日」に制定し、祝日とした。しかし、故郷に帰省してお祝いをするには、たった一日ではふじゅうぶんである。私がフィールドワークを終えた直後には三連休の祝日となった。旧正月の祝賀についての記述は、Rutt［1964: 184-89］と Janelli and Janelli［1982: 26, 82, 86-121, 128, 174］と Dix［1987］の記述を参照のこと。

(15) ルールは公共標識でよく使われる仮定法で書かれていた。英語では命令形のほうが適切だろう。たとえば、「芝生に入らないこと」ではなく「芝生を保護しましょう」というふうに。命令形を使うとよりナチュラルな英訳になるが、協調を訴えるニュアンスが失われてしまう。

(16) 웃음 꽃（Ŭsum kkot、直訳すれば「微笑みの花」）は「楽しい、心地よい（pleasant）」を意味する隠喩表現である［Yi Hŭisŭng 1982: 2726］。この語の英訳として「可愛らしい人 darling」を教えてくれた任晳宰に感謝する。

(17) 一般に、末娘は、家族のなかで、家事に対してもっとも責任が軽いと考えられている。

(18) これさえも部分的なアナロジーなのかもしれない。ローレル・ケンドール［Kendall 1985］は、農村の女性は結婚後も生家の家族と強いつながりを維持していることが多いことを指摘している。彼女の解釈は、妻が通常離れた土地から嫁いでくるような、名声のある単一リネージに統括されるコミュニティにはそぐわないように思えるが［Janelli and Janelli 1982］、実際には妻が生まれた村のなかで嫁いだり、近隣集落から嫁いでくることも適切なことと考えられている［e.g. Chun 1984］。

(19) これらのテーマは頻度の高いものから低いものの順に示してあるが、その頻度は分類体系（データベース）にもとづいている。イ・ハクチョンは他の著書ではそのカテゴリーを変更しており［Lee Hak Chong 1986: 98; 1990: 434］、その結果統計数値はいささか違ったものになっている。

(20)それにはまた外国へのロイヤルティ支払いを軽減する意味も含まれていただろう。一九八八年の地下鉄でのソフトドリンクの宣伝には、「この飲み物は純韓国製の技術を使用しているので、外国にロイヤルティを払っていません」と記されていた。

第四章　トップからの支配

もっとも成功したイデオロギー的効果とは、言葉にする必要がなく、共犯者の沈黙以外には、なにも必要のない効果である。

ピエール・ブルデュー［Bourdieu 1977: 188］

テスンのオーナー経営者たちは、権力と経済的特権の非対称的な関係を維持し再生産する強圧的な実践を通じて、財閥の金銭的および人的資源の取り分を確保しようとした。しかし、（これまで述べてきたさまざまなイデオロギーの注入とは）別の次のような実践も、やはりイデオロギー的な影響と無縁ではなかった。ブルジョアジーは自己の利益を守る強力な手段を思うがままに使うことができるのだ、という思想を伝えているからである。

テスンのオーナー経営者たちによる、細部にわたる監視や直接の介入を含むもっとも強力な管理手法の一部は、財務管理と人事管理の分野で実行された。財務管理の分野は、とりわけブルジョアジーによるコングロマリットの資本への特権的なアクセスを、外部からの、とくにほかの株主の、さらにひろくは大衆の突きつけてくる課題から隔離するのに役立った。他方、人事管理は、組織内のあらゆるレベルの社員からの、経営管理に対する抵抗や挑戦を抑え込もうとした。

1. 財務管理

テスン財閥と各社のオーナーと上級管理職は、公開される財務諸表のほか政府機関に提出するさまざまな報告書を作成し、理事会メンバーの任免を管理し、外部の干渉を排して資産管理を自らの手に握り続けるために株主総会の主導権をにぎった。これらの実践、とりわけ財務記録と株主総会について述べるにあたっては、その不誠実さを公然と、あるいは遠回しに指摘せざるをえない。つまり道徳的非難を暗に伝えないわけにはいかないのだ。

たとえば、公開される財務記録には、ブルジョアジーの利益を損なう可能性があり、敵には有利になるような情報を見えにくくしている一面があった。[1] そして、株主総会は、管理職が現実とみなす事柄を意図的にぼかそうとしていた。しかし、もしオーナー経営者が、自分たちが不当な批判を受けてきたと感じたとなれば、彼らはそのような実践をも正当な自己防衛手段と認めることができた。あるいは、総会屋（총회꾼）――株主総会への参加資格を得るために会社の株を数株取得し、見返りを出さなければ総会を妨害すると脅す部外者――から会社を守る必要性を理由にあげることもできた。

このような慣行は周知の事実である。オブザーバーとして出席した研究者たちは、財務諸表の

「信頼性の低さ」を指摘しているし［Jung 1987: 178; Shin Young Moo 1983］、新聞の解説も株主総会の茶番を暴露している。(2) 大衆もまた財閥に対する健全な懐疑を抱いていたので、多くの人びとが欺かれていたとは考えにくい。ここで私が描いたような手法は、不都合な事実の開示を避け、社会的な正当性を維持し、言い換えれば自らの象徴資本と経済資本を守ることによって、ブルジョアジーの支配を推し進めていた。その手法は、信用詐欺というよりも、アーヴィン・ゴフマンいうところの「印象管理（impression management）」［Goffman 1959］に属している。

財務諸表

財務理論の専門家なら誰もが知っているように、純利益報告や貸借対照表、あるいはそのほかの財務諸表は、取引とその経済的帰結の解釈である［Montagna 1986］。韓国企業の財務諸表は、ほかの国の資本主義組織とは異なる制約と可能性によって規定され、異なる文化理解に基づいている。そしてこれらの社会的、文化的条件は、経理担当者や監査役の責任が何であるか、彼らが利用すべきデータはどのようなものか、資産や収益はどのように計算されるべきか［Joo 1991］、最終的には、企業のどの行動がどの利益を増進したのか、あるいは増進する可能性があったのか、といった事案の選択に影響を与えたのである。

国は会計基準を定め、勘定科目の一覧表まで指定し、会計士が扱う機密データのカテゴリーを決めていたが、いっぽうでは、記録の保管にはかなりの自由を許していた。コングロマリットには法人格がなかったため、いかなる国の機関も、公式の財務報告書を求めることはなかった。その代わりに、コングロマリットの系列各社は、まるで各社が自立した組織であるかのように、それぞれが自社の記録を作成し公開したために、政治経済的な実体としてのコングロマリットの存在を隠蔽することになった。ほとんどのメディアや、アカデミックな評論や、親コングロマリットのオブザーバーたちまでが、グループ各社の財務報告書を単純に合計して、ビジネスグループ全体を一つのものとして量的に分析しようとした。しかし、そのようなアプローチはコングロマリットの債務の程度を過小評価し[3]、売上と収益の数値をふくらませるいっぽう、ほかの財務データを財閥内取引を通じて操作できるようにして、大ビジネスグループによる明らかな経済集中を最小化して見せることになった[4]［Jeong Kap-young 1990: 63］。

とはいえ、各コングロマリットの包括的な財務報告書は、どうやら非公式には用意されていたようである。売上を始め数種類の主要な指標を連結した数値が、数年にわたって、フォーチュン誌が毎年発表する「インターナショナル五〇〇」に提供されていた。一九八七年には、主要グループの数社が、アメリカの保護主義的感情の悪化を嫌って、業績を低く見せるために、その数値のフォーチュン誌への提供を停止した（一九八七年五月一四日付け「エイジアン・ウォール・ストリート・ジャーナル」、二面）。数年後にフォーチュン誌のリストに統一企業として掲載されたのは四大財閥のうち二つだけだった。ほかの二財閥については、グループ内最大の企業が単一の企業として掲載されていた。

国はまた、グループの各社が公開財務諸表を準備する際に、外部の会計士による詳細な審査を受けることを義務づけなかった。一九八九年一一月九日発行の「ファー・イースタン・エコノミック・レビュー」(七三〜七四頁)は、国が監査人に支払う手数料を規制し、適正な調査をするには低すぎる価格を設定したが、その方策も最近設けられたのではないか、と報じた。一九八〇年代初期には、会社は、外部監査の結果を反映させて公的な財務諸表を修正することを、法的には求められていなかったのである[5][Shin Young Moo 1983: 165-66]。

もしも、より徹底した財務記録の調査をおこなうことが許されていたとしても、独立監査人が、オーナー経営者の私的流用と解釈できるような資金計上に該当する取引を暴くことはきわめて困難だっただろう。西欧で発達した会計監査のテクニックは、社員の独立性を前提にしており、社員が会社の不正行為に荷担することを難しくしているが、韓国の企業には、西欧に比べてはるかに徹底した社員への支配と「和」の慣習が存在し、(会社と社員の)協力関係を容易にしていたからである。銀行口座や土地、持ち株そのほかの資産の所有権を示す際に、仮名(가명)や親類の名前が使われていたことも、あらゆる取引や会社間の株の持ち合い、所有権の主張などが、すべて会社の財務記録に含まれていることを証明しようとする監査人の努力にことごとく水を差しただろう。

私が言いたいのは、韓国の財務諸表は不正確な「現実の鏡像」[Rorty 1979]だということではない。むしろそれらは人間の手でつくり上げられたもので、まず国によって課された制限や可能事項を反映し、一定の文化理解に特徴づけられている。したがって、それらの資料を用いたいかなる政治経済の解釈も、すでに解釈ずみのデータにもとづくことになって、こうしたレポートのなかでは解釈学的循環を生み出してしまう。

公的書類に対して懐疑を抱くこと、それ自体が韓国では長い歴史を持つ文化的知識の一端である。公的記録は、各種規制法に準拠しているように見えながらも、実際には規制の眼を逃れて、個人やグループがさらに有利になるように使われてきた。たとえば、朝鮮王朝時代(一三九二〜一九一〇)の土地台帳には、耕作地の区画を架空の名で記録したものが多かったが、それが課税を避けるためであるのは明らかだった。日本の植民地時代、またそれ以降は、戸籍にも同様の操作が見られた。誕生、結婚、死去を記録した日付はしばしばあてにならず、甚だしく改変されているものもあった[6]。それゆえ一般に、公開された財務諸表やそのほかの公的書類は人の手が入ったものとして理解されており、そのような書類が通常アメリカでそなえているような真実性のオーラはない。

国が効果的に財閥の活動をコントロールするには、一般に提供された以上の、またそれとは異なる情報が必要なのだが、どうやら当局はそのようなデータを入手していたようだ。たとえば、株式上場企業は外部の監査を経た財務報告を証券取引委員会に提出することを求められていたが、それを一般に公開することは求められていなかった[Shin Young Moo 1983: 165]。一九八七年の報道の自由化の後、当局の別の部署が、自分たちが使うために、コングロマリットに追加資料(部内用の控の類）の提出を求めていたことが報道された。一九八八年八月には、韓国銀行が財閥の銀行融資残高を初めて連結数値で公開し、一九九〇年には、国の監査官が、主たる用途がビジネスではなく投資目的での保有だったと思われるコングロマリットの土地所有の詳細を、国の承認なしで公開したとして、警察に拘束された。

当局はコングロマリットの公式記録を額面通りに受け取らないものだ、ということを理解して初めて、土地の保有、財務管理、そして当局からの要求に対するブルジョアジーの反応にまつわる、ある逸話の意味を理解することができる。この話を聞かせてくれた管理職は、国のわずらわしい管理を強調し、自分の会社と上級管理職は、本件に関しても、ほかの件に関しても無実だと述べた。しかしながら、私の一番の関心は、その事案が本当に起きたのか否かでも、管理職の意図するものが何なのかでもなく、そのストーリーを成り立たせていた文化的前提、すなわち、官庁とやり合う場合、公的書類にはほとんど権威がなかったという点である。

その管理職によれば、当局は、テスンを支配する親族の一人がビジネスに不必要な土地を所有しているとして、その土地の売却を要求してゆずらなかった（この事件が起きたのは、財閥の土地投機に対して国が何度目かのキャンペーンをおこなった時期のことだと思われる）。その親族はその土地を所有していないとして抵抗したが、当局の役人は彼の言い分を信じようとせず、テスンへの融資を停止するように銀行に指示した。その融資の一部は毎日更新しなければならなかったので、それはとりわけ有効な締めつけになった。グループの信用をただちに回復するために、くだんのオーナーは自分が所有していない土地の売却を契約しなければならなかった[7]。当局は、後になって自分の誤りに気がついたのだと、その管理職は語った。

理事会（取締役会）

テスン各社の理事会（取締役会）は、常務理事、専務理事（전무이사）、副社長、社長、そして二名の監査（감사）役を含む、すべての理事（이사）とそれ以上の上級職によって構成される。監査役はすべて財閥内の別会社から起用されていた。彼らはグループを支配する親族か非親族の上級管理職だった。公式記録によると、テスンの理事会は、一九八六年の時点で三三あり、別にグループの会長がいた。銀行の役員や、主要な得意先あるいは仕入先が会社の理事会に含まれることはほとんどなく、このことは、他社にあっては経営を規制しかねない外部的制約から、財閥のオーナー経営者たちを守っていた。私が知る唯一の例外は合弁企業で、そこでは外国人パートナーも理事会に席を与えられていた。理事の任命は、公式には、新聞紙上で数週間前に告知された後に、毎年の株主総会で発声評決によってなされることになっていた。株主の同意が、すでにブルジョアジーによってなされていた決定にお墨付きを与えていたのである。

テスンのグループ企業の理事会は通常、週に一度、一、二時間程度の会議を開いていた。私は会議を見学することはできなかったが、参加した二、三人に聞いた説明によると、理事たちが関係部署ごとの事業活動を社長（理事長）に報告し、社の事業計画あるいは新しい動きに関する情報

が配布され、社内のさまざまな部署間の連携がその場で確認された。会議の形式は、次章で詳しく述べる毎週の部課長会（부과장회）と同じだという参加者もいた。これらの理事会の会議では、時々社長が事案を決裁したが、その会議を集団的意思決定の場だと述べた人はいなかった。おそらく、会議の参加者が多すぎて、集団的意思決定の方式をとることが難しかったのだろう。

各企業レベルの理事たちの会議に加えて、財閥全体レベルでの理事の会議もあった。財閥内のメンバー企業数社から選抜された四〇名ほどの理事が「総合理事会（종합이사회）」を構成していた。こちらはテスングループの各企業自身の理事会よりもさらに大きく、やはり参加型の意思決定の場というよりも、情報の伝達やグループ全体にかかわる事業計画、事業活動の調整の場とされていた。

いっぽうで、管理職最高幹部によるもっと少人数の集まりがあり、こちらのほうが熟慮と討議のためにははるかに有効であった。参加を求められる地位に達した会社の理事には、社長レベル（社長団 사장단）や会長レベル（会長団 회장단）の会議が毎週あった。会長レベルの会議はもっとも少人数で、会長と副会長、グループの最高幹部だけが参加した。父親の死後、現在のポストについたテスンの会長は父親の兄弟たちとともに働くことになったので、この親密なグループでは、より集団的で参加型の意思決定が生まれたものと思われる［Jung 1987: 285］。四大財閥「ビッグフォー」のほかの会長が、ひろく公表されているある声明のなかで、おそらくこの最高レベルの意思決定にふれてこう述べていた。「テスン以外の我が国のビッググループは、いわば独裁制

なのです」

株主総会

株式を公開している圧倒的多数の会社と同じように、テスン社をはじめとしたテスン財閥の大企業は、毎年二月末に株主総会を開催する。新聞報道が観察したように（一九八七年二月二六日付け「毎日経済新聞」）、株主は数社の総会に出席するのが精一杯なので、このかぎられた日に一斉に開催する慣行は外部株主の参加を牽制するのに役立っていた。提案の事前配布や郵送による投票がないこともまた、ブルジョアジー支配に異議を唱えるために外部株主が株主総会を利用することを妨げていた。私がありがたくも傍聴を許された株主総会では、むしろ、提案はフロアから提示され、株主による正式の投票ではなく、拍手によって承認されていた。

ひろい会場を自社の社員で埋めつくすことができたので、テスンのオーナー経営者たちにとって、拍手による承認方式は有利だった。財閥本部に隣接するビルで開かれた総会には、株主の資格を有するとされる何十人もの課長や部長たちが参加していた。(8) 株主総会が始まる直前に、参加を促す合図が社内のスピーカーから流れた。管理職たちはほとんど全員が背広の衿に社章をつけていたから、ひと目で社員とわかり、オーバーコートを着ている者もいなかった。外部の者がひろい会議室に入ろうとすると、入室を許される前に株主資格のチェックがおこなわれ、前年度の財務諸表と株主一覧表、安価なボールペンと自社製品のお土産（スモールギフト）を渡される。管理職たちは総会の運営係員たちとすでに顔なじみなので、会社の株を保有しているか否かのチェックもなく入場した。

株主総会は、参加者と新聞の解説双方の言葉を借りるなら、あらかじめ用意された「脚本（각본）」をなぞる形で進行した（一九八七年二月二八日付け「朝鮮日報」、二面）。テスンの年次株主総会では、社長が進行役をつとめ、提案をおこなうためにとくに声の大きな中間管理職が前もって選ばれていた。彼らは、総会への参加資格を問われるのを避けるために、前年度末までに会社の株を数株支給されていた。私が株主総会を傍聴した年には、提案をおこなうために選ばれた管理職の大多数は、財閥の新会社のある部署に最近転任となった人たちであり、厳密にいえばもはやテスン社の社員ではなかったが、まだテスンの社章をつけていて、テスン社員であるかのように行動し、話していた。社長が決議あるいは提案を呼びかけると、指名されていた管理職たちが即座に提案の許可を求め、間髪入れずに社長からその承認を受けるやすぐさま提案をおこなった。提案が終われば社長が異論はありませんかとたずね、息もつかずに票決を求めた。株主総会は四五分以内に終了した。

株主総会が計画通りに進行すると、数人の中間理職と私はこっそり微笑を交わして、私たち全員が外部株主をミスリードする陰謀に関わっていたという私の理解を確認しあった。私は、ある部署のよく知っている課長がオーバーコートを着ていることに興味を抱いた。私が尋ねると、彼は、社員としての自分の身分を偽り部外者であるかのような印象を与えるために、自分の判断でこうしているのだと説明した。彼の行動は、フィールドワークで私が出会ったなかで、もっとも会社への忠誠心を感じさせる事例だった。

株主総会を運営するためのこうした戦略は、日本の場合と似ているが、韓国では最近盛んになったのかもしれない。株式を上場した韓国企業のほとんどは、部分的には国からの強い要請に応えて、この一〇年以内に株式を公開したにすぎない [Shin Young Moo 1983]。初期には支配する一族が明らかに株式の過半数を保有しており、株主総会は、どうやらごく最近になってやっと一つ開いた壊れやすい窓だったようである。

厳密には社員とはいえない人たちを、あらかじめ用意された提案をおこなうために用意していることを除けば、テスンのオーナー経営者たちは、韓国のほかの株式上場企業の責任者と同じく、当時の新聞の少なくとも二紙(一九八七年二月二六日付け「毎日経済新聞」、一九八七年二月二八日付け「朝鮮日報」)が報じたように、株主総会をうまくコントロールしていた。したがって、もっとも世知に疎い人たちだけが騙されたのかもしれない。不満をもつ株主の一団が本格的に協調して反対行動を行っていれば、妨害はできたかもしれないが、完全には阻止はできなかっただろう。管理職の話では、他社の株主総会では首尾よく運ばず、総会が数時間に及ぶこともあったという。しかし、複数の新聞記事も伝えるように、会社の過去の事業活動と将来の事業計画に関する公開の質疑は控えられ、オーナー経営者たちはやっかいな質問を受けることもほとんどなく、引き続き強い立場で経営をコントロールできることになった。

オーナー経営者たちにそうした戦術をとるもっともな理由がなかったわけではない。彼らは、それは自己の利益よりも会社の利益を守るため、自分たちの企業経営に対する質問を防ぐためではなく、議事のスムーズな進行が乱されるのを未然に防ぐための施策だったと言うかもしれない。総会に参加するために株式を数株取得し、事前に見返りを払わないと総会を混乱させると言って脅迫する「総会のやっかいな活動家（総会屋）」の存在を指摘する年配の管理職もいた。暗に、こういう連中の妨害を避けるために、シナリオ通りの総会が用意されているのだというわけである。もう一つの防衛手段として、彼らの支払い要求に応じ、彼らを味方につけるという戦術がある。私が同席した株主総会で、筋書通りの提案をした唯一の非理事は、このような外部の株主の一人だったことが判明している。(9)

財務と内部統制

ブルジョワジーは、企業の金融資産を内外の挑戦課題から守っていた。財布の紐をコントロールする手段として、経営の各レベルで承認できる支出総額に上限を設ける、出張やそのほかの一日当たりの支出を制限し、レシートなどの書類を求める、などがおこなわれた。一九八七年になると、テスン財閥は自身のクレジットカード会社の運営を開始したので、若手管理職には会社関連支出専用のクレジットカードが支給され、それによって支出管理の新しい形式が導入された。支配を維持するために、広範な事業計画書と収支予算書も用いられた。テスンには、月次、四半期、年次、三年ごと、五年ごとの計画があり、その計画から逸脱すると必ず説明が求められた。管理職たちが週ごとに顔を合わせて進展を評価していたので、費用の増加や製品売上の減少が長期間放置されることはなかった。そうした懸念を払拭するために、少なくとも一人の理事が、オフィスに到着するやいなやコンピュータ端末にログインして、月次目標に対する売上の進捗を確認していた。また別の管理職は、私が予算の話を切り出すと、大きな残高が次年度の予算割当を減らされる理由にならないよう、個々人の支出割当を期末前にすべて使い切る戦術がしばしばとられていると語った。

事業計画書および収支予算書は、さらにまた別の方面でも人的資産をコントロールしていた。管理職たちはＭＢＯ（Management by Objectives 目標による管理）という略語を習熟していたが、このテクニックがテスンで行きわたっていることに、私は興味を持った。私の机がある部署の本部長は、私の時間制限なしの調査方法に懸念を表明して、もっときちんとした計画を立てて、できれば彼の部署のそれぞれの課で数か月ずつ働いてはどうかと提案してくれた。私はこの提案を、在籍中に私をできるだけ働かせようというよりも、まず第一に私のフィールドワークを支援しようとしたものだと解釈した。というのも、会社の業務に加わることが調査の役に立つと私が述べた結果、この思いがけない提案になったからである（本部長は、彼の部署の業務をくわしく説明するたいへん役に立つ本を私に与えてくれた）。にもかかわらず、私は本部長の提案を辞退した。参与観察の初期の数週間に特定の計画を持ってのぞめば、逃れがたい関係（コミットメント）が生まれ、その結果、後に見つかるかもしれない調査のトピックを追求できなくなる恐れがあったからである。

若手管理職のなかには、私の調査の具体的な研究目的を完全には理解できていないと言った人たちもいたが、それに対しては、私自身にもわからないと私は正直に返答した。人類学のフィールドワークにおける発見的性格（heuristic aspect）を説明しようとする私の意図は丁重に受け取ってはもらえたが、熱意をもって迎えられたわけではなかった。

2. 人事管理

ブルジョアジーはまた、支配の手段として、強制とイデオロギーをともなうさまざまな人事政策の指揮をとり、財閥の人的資源を統御した。たとえば、時折おこなわれる解雇は、望ましくない人物を排除し、オーナー経営者には、誰であれ不適切な情熱や能力を見せる者に対しては、自らの物質的利益を守る力と意思があることを、会社に残る者たちに教えた。

暗黙裡にイデオロギー的なものを内包する高圧的なテクニックは、テスンの社員が、なぜ自分たちに対する支配に黙って従い、オーナー経営者の特権を黙認することが多いのか、その理由を解き明かす役に立つ。本書の終わりに近づくにつれ、ホワイトカラー社員たちは、これまでの章で論じたような露骨なイデオロギー的テーマを完全に受け入れていたわけではないことが明らかになるだろう。多くの社員が家族の喩えに異を唱えたり、長い労働時間に不満を述べたりしたものだが、人事政策とその諸手続が社員たちを行儀良くさせる追加的な手段となっていた。これらの実践に関する私の説明は、要約を少し上回る程度のものだが、①そうした実践が部下たちの統制にどのように役立ったか、②それらはどのような変遷をとげたのか、というこの研究の二つの主要な関心について示そうとしている。社内研修の項では、人事にまつわる実践が、権威と人の和と、そのほかの社会関係に関する文化理解を、いかにつくり変えようとしたかについても指摘する。[10]

新入社員の採用

私は、テスンにすでに雇用されている男性たちに関心を集中させていたため、新入社員の採用プロセスには最小限の関わりしか持たなかった。唯一私が直接に参加した採用面接の対象は、グループ内の小さな会社で英語の翻訳が主な業務となる数人の採用内定者だった。したがって、採用プロセスについての私の説明は、テスン社員のコメントや、新聞に載った就職希望者への説明やアドバイス、それにホワイトカラーの就職市場向け月刊誌「リクルート（리크루트）」から得た情報が大半を占める。

テスングループは、一九八一年までは、当時採用された管理職たちの話では、ホワイトカラー社員を年に五回採用していた。一九八〇年代半ばには、主な採用活動は秋と春の年二回に集中するようになっていた。秋は最後の学期を終えようとする大学四年生を対象としており、春はROTC（学生軍事教育団）を近く除隊する士官を対象としていた。とくに必要が生じれば、そのほかの時期にも社員を採用することがあった。

それぞれの主たる採用活動期間には、テスンもまたほかの主要な財閥と同じように、志望者を勧誘すべく韓国の主な新聞数紙に大きな募集広告を載せた。その広告では採用する人数を示すか、より漠然と新規採用の規模を○マークの桁数で示していた（○○なら一○名から九九名、○○○なら一○○名から九九九名という具合に）。願書の提出場所や日時、入社試験の日程、必要な資格の一覧といった採用の手順は小さな活字で列挙されていた。応募資格には、年齢は二九歳までであること[11]、四年制大学卒であること、特定の専攻分野のどれかを履修したこと、兵役が終了または免除されていることなどが含まれていた。ほかの財閥の採用広告と同様に、これらの広告はしばしば新聞の一面下三分の一を使って目を引くように掲載された。

ところが、採用プロセスを解説する出版物のなかには、これらの募集広告を鵜呑みにしてはいけないと警告するものがいくつかあった。主要経済紙の一つ（一九八八年九月一二日付け「毎日経済新聞」）の付録の就職案内は、会社は往々にして、事業の成長を印象づけるために採用人数を過大に発表するものだと警告していた。警告は明らかに数か月前に政府の雇用労働部がおこなった調査にもとづいており、その調査は、採用人数がしばしば誇張されていると述べ、広告にはそのほかにも不当表示があると指摘していた（「リクルート」一九八八年五月号、七二頁）。

求人広告では、条件の合致する志望者全員に雇用が開かれているという印象を与えていた（一九八六年一〇月一九日付け「朝鮮日報」二面によれば、一九八六年に大財閥に雇用された新規社員のおよそ八〇から九〇パーセントがこの〔募集広告による〕方式で採用されたという）が、「開かれた雇用」という言葉の意味するところは解釈次第だった。たとえば一九八六年には、多くの広告は女性にも男性同様に雇用が開かれていると述べていたが、実際に採用された女性はきわめて少なかった（一九八六年一〇月二三日付け「朝鮮日報」、六面）。さらに、大学推薦によってその職を得た社員にとっては、採用プロセスは形式的なものでしかなかった。

一般に、大企業の人事部の管理職は、とりわけ権威あるビジネススクールの教職員たちとは良好な関係を結ぼうとするものである。そのような学校で教えている私の友人によれば、学生を推薦すれば、ある財閥からは決まって靴の商品券が届いたというし、教授推薦の学生を採用しないと、それ以後の推薦を受けられなくなるかもしれないので、企業にとって不採用の決定は具合が悪いだろう、とも彼は付け加えた。政府の雇用労働部が一九八八年に八つの財閥を抜き出して雇用慣行を調べた報告書にはこう述べられている。

新聞や雑誌そのほかのメディアに発表された採用の公示では、就職希望者はオープンな選抜試験を通じて採用されるとのことだった。しかし、相当数が個人的推薦をはじめとするほかの方式で雇用されていた。極端なケースでは、オープンな選抜試験での採用人数は五〇パーセントに満たなかったことさえあった(「リクルート」一九八八年五月号、七二頁)。

地域差別もまた選考過程に影響を与えており、南西部の全羅道出身者はとくに不利だった[Yu 1990: 一九八八年一〇月一五日付け「ハンギョレ新聞」、一〇面]。たしかに、テスンで私は、全羅道の方言は耳にしたことがなかったが、朝鮮半島南東部の慶尚道のアクセントや方言には気づかざるを得なかった。私にはしばしば発言が理解できなかったからである。朴正熙、全斗煥、そして財閥のオーナー経営者たちは慶尚道の出身であり、慶尚道は、長くライバルだった金大中の故郷で光州事件の舞台となった全羅道に比べて、韓国の経済発展の恩恵をより多く受けていた。

テスンには、選別対象となる多数の就職希望者が集まるため、地域による差別が可能であった。テスンの求人に対する応募者の比率は減少傾向にはあったが、コングロマリットへの就職希望者は依然あふれていた。全斗煥政権が、一九八〇年代に高等教育機関の数を大きく増やしたので、一九八四年から一九八七年のあいだに四年制大学卒で卒業前に就職先の決まらない人の比率は二一パーセントから三八パーセントに上昇した(「リクルート」一九八八年五月号、五八頁)。

四大コングロマリットの一つとして、テスンは、相対的に高い賃金と充実した福利厚生を提供し、一九八六年におこなわれたアンケート調査では(一九八六年一一月一日付け「コリア・ヘラルド」、六面)、就職希望者のあいだではもっとも人気のあるビジネスグループとされていた。一九八七年秋に、テスン財閥は、一万五四一八人の応募があり、そのうち二四〇〇人を雇用したと発表した管理職たちは就職希望者の質の低下を心配していると述べていた。勤務歴の長い何人かの社員は、名門大学からの採用者の率が下がっているとコメントした。

一九八六年秋の採用手続きのなかには入社試験（입사시험）があって、規模の大きいビジネスグループ数十社が同じ日におこなった。規模の小さい企業の入社試験は日程が後になった。小さな企業ほど推薦に頼る可能性が高かったのだが［Seoul National University 1985: 185］。一部の管理職の解説によると、大財閥がすべて同じ日に試験をするのは政府の圧力のせいだという。就職希望者が一つの企業しか受験できないようにして、有名校の卒業生が雇用機会を独占できないようにするのが政府のねらいだった。最初の試験の不合格組を採用できるように、規模の小さな企業の入社試験日はその後に設定された。韓国教育部もまた、単科大学と総合大学の入学試験（입학시험）を重複して受験できる並列方式を二、三〇年前に制定していた。

入社試験は基礎学力よりも専門知識のほうに重点がおかれていた。財閥の入社試験問題にはさまざまなテーマが含まれていたが、通常は志願者の専攻科目と外国語（通常は英語か日本語）、それにさまざまな分野の基礎知識で構成されていた。この三番目の領域は「一般教養」と呼ばれ、選択式、あるいは穴埋め式の問題だったが、時事問題と学生たちが履修課程で出会ったはずの、政治と外交、経済と貿易、芸術、科学、哲学、歴史といった幅ひろいトピックについての、非常に細かな知識が求められていた。ほかのコングロマリットが出版した市販の参考書や試験問題集によると、試験問題は詳細にわたり難しいものだった。

春の採用シーズンには筆記試験はおこなわれなかった。春の採用はＲＯＴＣ（学生軍事教育団）に任官し、まもなく除隊予定の武官たちが対象で、その選考は主として学部での専攻科目、軍の上官の推薦、それに面接にもとづいておこなわれた。ある課長たちによると、軍の上官が同じ人物を異なる二社に推薦することはないので、春には同じ日に入社試験を組む必要はないのだという。春の就職希望者は大学の授業から離れて久しいので、筆記試験をしてもあまり意味がないのです、と管理職の一人が言葉を添えた。しかし、ある年配の管理職が言うには、いずれにせよ、採用面接と学校成績をもとに簡単に社員を選考できるのだから、じつは入社試験はまったく必要ないのだそうだ。彼の見解では、採用試験が有用なのは、友人や親類、さらにはコングロマリットの経営幹部からしばしば求められる特定志願者への特別な配慮を拒否するだけの、客観的に見え、社会的にも容認されやすい理由を用意してくれるためだという。

試験で良好な成績をあげた者は正式に採用面接を受けることになるが、面接の主な目的は志願者の人柄の評価だと管理職たちは説明した。これには社長を含む最高幹部も一部、参加した。ある若い社員が耳にした伝説では、適度の敬意を示さず気楽にしすぎる輩を見つけ出すために、就職希望者が強くもたれかかると、椅子の背もたれが後ろに倒れるようになっているという。ある理事は、面接で就職希望者に家族の背景をたずね、さまざまの世代からなる大家族の出身者を優遇すると解説し、そのような家族の出身者は、他者に従うことやヒエラルキーの順序（순서）を守

ることに慣れていると思うので、と彼はその理由を述べた。

一九八八年のメディアの報道によると、面接を受ける志望者は大学での課外活動についてたずねられることがよくあるが、これは会社側がブルーカラー社員と同盟を組まれることを恐れて、学生運動の活動経験のある者をふるい落とすためだという。こうした会社側の動きは、前年にブルーカラー社員の賃上げ要求をホワイトカラー社員が支援したためだったのかもしれない。就職希望者はまた、どの職務分野で働きたいか、それはなぜか、をたずねられた。会話能力のテストとして、面接官の一人に、学んだ外国語で会話することを求められた志願者もいた。このようにして得られた情報と評価は、後日、配属を決める際に使われた。

一九八〇年代の中頃の時点では、面接に呼ばれた人のおよそ三分の一が最終的に採用されていた。かつては、まるで大学入試の合格発表のように、めでたく採用された就職希望者の名前が本部の壁に張り出されたものだったが、最近では電話か電報で知らされるようになった。採用が決まった人は研修に出向く日取りを告げられ、研修を終えると正式にそれぞれの会社や部署に配属された。

新規採用者の配属先の決定に際して、大学での専攻が考慮される分野は、ごくかぎられていた。たとえば、財務あるいは会計にはビジネススクールを出た人だけが配属され、国際貿易や外国語を専攻した人なら輸出部署に配属されるチャンスがあった。けれども、新入社員が大学で受けた教育は、業界が求める細かな手続きやスキル、必要とされる業界用語にまで役に立つ知識を供してはくれないので、彼らの配属希望が大学での教育内容にもとづく部分はごく小さかった。

一九七〇年代には、海外旅行の機会に恵まれそうだという理由で、輸出部署がとくに多くの志望を集めた。私がフィールドワークをしていた一九八六年から一九八七年には、韓国の国際収支が大幅に改善し、資本の蓄積が株式市場やそのほかの金融機関を急成長させていたため、金融関係部署（財務部署）に人気があった。

年配で経験豊富な管理職も何人か採用されたが、テスンのような大財閥では例外的であり、特別な事情のある場合にかぎられていた。日本のように定年後の役人が天下るという制度化された慣行はなかったが、まったく耳にしないわけでもなかった。もっともよく見られたのは、コングロマリットが自ら設立した新会社に経験のある人材を自前で配属できない場合に、グループ外から経験豊富な管理職を雇用するケースである。テスンを含む大財閥のなかには、そうした場合、経験者を求める求人広告を新聞に出すことさえあって、一九八〇年代後半には多くの企業が、自ら展開する金融サービス会社に配すべく「引き抜き（スカウト）」を行っていると言われていた。社員の引き抜きが頻繁になると、金融関係部署（財務部署）の管理職の報酬はほかの部署の平均を上回るようになった（一九八七年二月一八日付け「毎日経済新聞」一一面）。テスンの管理職たちは、社員が他社に雇用される際に離職証明書を得るための手順について話してくれたが、具体的な事例は述べなかった。自身がスカウトされたと語った人は、私が出会った人のなかにはいなかった。

以上に述べたような採用の手順は、さまざまな意味で雇用者側に有利だった。たとえば、年齢制限が設けられていたことは、より経験豊富で価値の高い社員の流動化を制限し、若く、そしておそらく可塑性に富んだ新規採用者を得ることを確実にした。この年齢制限が内部昇進制度と組み合わされると、管理職のほうがどの部下よりも社内経験が豊かになる可能性が強まる。また、入社試験では、もっとも知的かつ勤勉な人をすくい上げるべく記憶による知識が重視されたのかもしれないが、反面、それはまた、大学時代の相当部分を学生デモに費やした人たちを不利にすることでもあった。

主要財閥の入社試験をすべて同じ日に設定することで、求職者は一社しか志願できなくなり、それによって雇用者側は採用予定者が他社と二股をかけていないことを保証された。面接官のほとんどすべての説明に共通している特徴は、彼らが従順に見える部下を好むという文化理解である。会社は職場配置の際に、被傭者のそれまでの経験や特別なスキルにほとんど信を置いていないので、社員になる側はそれらを交渉材料として使うことができなかった。その意味するところは、社外で得た才能やスキルではなく、テスンでの経験こそがもっとも重要な競争のベースになるということである。

新入社員の研修

テスン財閥と系列各社には、ホワイトカラー社員のキャリアに応じたさまざまな研修プログラムがあって、それぞれの研修プログラムごとに、公式の研修計画、受講者向けマニュアルをはじめとするいくつかの文書が用意されていた。日本の銀行の社員研修に関するトマス・ローレンの生き生きとした報告［Rohlen 1974: 194-211］に刺激を受けて、テスン社の一部の研修に参加させてほしい旨を願い出ると、寛大にも願いがかなった。研修の観察を通じて私は、新人社員たちが会社に持ちこんだ文化的知識能力を、会社がどのように変容させようとしたかを学んだ。

研修を運営し統括するテスンのスタッフは、新入社員に、会社の歴史、組織、製品、製造過程といった基本的情報を、第三章で述べたイデオロギー的主張にそって伝え、韓国の経済発展やハイテク技術の発展に対する会社の貢献を印象づけるのがその任務であった。それに加えて、スタッフたちは、新入社員にテスンの社員としての新しいアイデンティティを植えつけようと試みた。しかし、おそらく何にも増して壮大な目標は、新規採用者たちの社会的人間関係のあり方を変えることだった。私がここで強調したいのは、研修の実践がどのようにして部下たちに服従の習慣を刻み込み、他者との関係に対する理解を改めさせようと試みたか、である。

研修のもっともストレートな戦略は、命令を受け入れるように新入社員を訓練することだった。たとえば、研修で使われたビデオテープは、まぎれもなく、私にアメリカ軍で目にした訓練映像を思い出させた。そのシナリオでは、部下が不適切なふるまいをして、ナレーターが部下の犯した誤りと、むしろ部下はどうするべきだったのかを説いていた。そして次に、新入社員は同じ配役が同じ状況で適切なふるまいをする映像を見せられることになる。そのフィルムが伝えようとするポイントは以下の通りである。

（1）課長に呼ばれたら、どんなに忙しくしていてもすぐに返事をすること。二度も三度も呼ばれることがないようにすること。
（2）指示を受け入れ、時間通りに終わらせるために全力を尽くすこと。もしすぐにするように言われた場合には、今は別の仕事があるので、その後にしますと言ってはならない。
（3）与えられた仕事を終えた時には、その結果を課長に報告すること。課長の机の上にただ文書を置くだけで終わらせてはいけない。ほかの書類の下に隠れてしまい、課長がそれを見ないかもしれないからである。
（4）もし与えられた仕事をやり遂げるのに時間が長くかかるのなら、その仕事が時間通り完了すると課長が思わないように、課長に中間報告をおこなうこと。
（5）必要な情報がそろった形で報告をおこなえるように準備をすること。また、指示を受けるように言われた時にはペンとメモを用意すること。
（6）直属ではない管理職から指示を受けることがある。与えられた仕事は受けなければならないが、課長にはそのことを知らせておくこと。課長はその仕事の結果を自分自身でその管理職に報告するかもしれないからである。

部下を習慣づけるための戦略はさらに手がこんでいて、同じく軍隊での訓練を思わせるものだった。会社が所有、あるいは借用している施設に集団で合宿した新入社員たちは、午前六時起床、七時まで二キロのランニング、その後で朝食を取り、八時ちょうどには研修室に入ることを求められた。ときにはその二時間のうちに自分たちの部屋を整頓しておくことも期待された。会社は研修参加者全員に同じ運動着を支給したが、それにはコングロマリットの名前とロゴがプリントされていた。

教室では、研修参加者はそれぞれ名札で指定された席に座り、名前を呼ばれたり自発的に話す時には立ち上がって自分の名を名乗り、聞き取りやすいようにはっきりと話すよう求められた。ときには問いかけに唱和で応答しなければならなかった。その応答にやる気が感じられないと、インストラクターは、より大きな声で答えを繰り返させた。講義の最中に居眠りをしてしまったある参加者は、研修スタッフに小突かれて起こされていた。さらに戸外での訓練では、ランチが軍隊式にカーキ色のコンテナで支給された[12]。

トレーニングプログラムのなかには、達成不可能に見える課題をやりとげるものが含まれており、それは、冬の森で蛙を探す、削られていない鉛筆で手紙を書く、ドアも窓も使わずに部屋を出るという類のものだった。こうした訓練は、テスンの管理職によれば、一見勝算がなくともベストを尽くす態度を植えつけ、同時に不合理と思われる指示にも従うよう新入社員を訓練するためであった。

ほとんどの課題は実際には達成可能なのです、とある管理職は説く。鉛筆は歯でも削れるし、部屋の壁の一つは押せば隙間が空くようになっていた。彼は説明を続けて、「達成がきわめて困難であったり達成不可能な課題を管理職が部下に出すこともときにはあるが、〈ネガティブ〉と思われないためには、拒んだり、不満を口にしたり、問い返したりしてはならないのです」と述べ、さらにつけ加えた。「課題が達成不可能に見えても、何もしないよりも達成するために努力するほうがいい。ときには、今は明らかになってはいない解決方法を後になって見つける者もいるし、求められた結果を一〇〇パーセント達成できなくても、二〇ないしは三〇パーセント達成できれば、何もしないよりはましなのです」。

会社はまた社員に対して、どうすればより平等な人間関係を築けるかを教育しようとしていた。協調とチームワークを教育する手段には、楽しくて当たり障りのないものもあった。あるセッションでは、新入社員は全員整列して、前の人の背中をマッサージすることを命じられた。次に、回れ右をして前に自分の背中をマッサージしてくれた人の背中を、今度は自分がマッサージするよう指示された。

協調やチームワークに関連して、もっともドラマチックで話題になった訓練は、「自己管理研修（극기훈련：克己訓練）」と呼ばれるものだった。およそ一〇〇人の研修参加者を各一二人ほどのグループに分け、それぞれに実行困難な課題が与えられる。その課題は、研修を運営するために契約した専門会社が用意したもので、テスンの研修スタッフの監督の下、その会社のインストラクターが指導した。社内研修担当の部長の話によれば、新人社員たちは、事前によく考えられ

た、個人の努力よりもチーム全員の知識やアイデアを集めて取り組むほうが解きやすい、パズルまたは任務を与えられる。訓練が始まる前に、一人のインストラクターが参加者に説明していわく、「本日の活動の目的は皆に苦痛を与えることではなく、これまでに経験したことがないような課題を達成させることであり、同時に、自分のことより、ほかの人の立場や、ほかの人が何を必要としているかを考えることによって、どのように友だちをつくり、どのようにチームワークに加わるかを教えるものなのです」

自己管理研修は、チーム全員でパズルを解くといった単純な課題からはじまったが、次第に難易度が高くなっていった。午前中、各チームはある色の服を着た女性を探し出して、集合場所まで同行してくれるよう説得し、その道すがら彼女に会社と製品に関する情報を伝え、その情報を彼女が記憶するのを助けるように指示された。皆が女性とともに目的地に着くと、インストラクターは女性たち一人ひとりにクイズを出して会社の製品の小さな贈り物を手渡し、研修参加者やスタッフとのランチに招待した。チームが課題を達成する速度、女性の解答の正確さ、チームワークの発揮され具合に応じて得点が与えられた。集合場所までいっしょに走ってくれるように女性を説得できたチームもあった。

午後にはさらに挑戦的な訓練が控えていた。それぞれのチームは、登山道や標識を利用せずに、地図とコンパスだけで、近くの山を数時間かけて登ることを要求された（私にはそのコースの三分の一ほどもこなせなかった）。すっかり暗くなり、インストラクターが探しに出たあとになってやっと戻ってくるチームもあった。新入社員全員が登山を終えて集合地点に戻ってきた時にはあたりは闇に閉ざされていて、一二月の気候はとても寒かった。全員が帰還すると、彼らはスタッフとともに手をつないで大きな輪をつくり、会社のロゴの形をした焚き火を囲み、コングロマリットの歌を歌った。

これらすべての訓練は、明らかに協調精神の涵養を目的としていたが、その協調とは、社員が自分の好き嫌いや共通の利益にもとづいて参加する類のものではなかった。この場合の協調性とは、状況の要請に応じて、ある者から次の者に受け継がれる意識的なものだった。特定の組み合わせができるのを避けるために、チームのメンバーの割り振りや寝床の配置、席順はローテーションによる、とインストラクターから説明があった。したがって、韓国でよく形成される学校の同級生や出身地、親族あるいは共通利益にもとづいた個人対個人の人間関係（dyadic relations）とネットワークの形成は、事実上阻止されたわけである。

基準となる職階と昇進

ホワイトカラーの社員は、一人ひとり、軍隊の階級のように、明確なヒエラルキーのなかのポジションがひと目でわかる肩書を持っていた。肩書や職階の名称と私の英訳は表3に示した通りである。[13] テスンのこれらの肩書は、韓国の会社には共通のものであり、明らかに日本の職階が元になっている［cf. R. Clark 1979: 105; Dore 1973: 222］。追加されたり削られたりしている職階もある

表3　テスンの肩書

職階		英語
회장	会長（財閥レベルの職階）	Chairman
부회장	副会長（財閥レベルの職階）	Vice-chairman
사장	社長	President
부사장	副社長	Vice-president
전무이사	専務理事	Senior managing director
상무이사	常務理事	Managing director
이사	理事	Director
본부장	本部長	Deputy director
부장	部長	Department head
과장	課長	Section chief
사원 or 담당	一般社員or担当	Office worker

が、序列は常に変わらない。たとえば、他社の多くは課長と部長のあいだに次長（차장）を置いている。また、テスンの副理事のポストは、好景気が記録的な昇進をもたらした一九八七年初頭にはほとんど廃止された。ある年配の管理職によれば、副理事の職は理事のポストに空きがない時に、部長を昇進させるために作られたもので、多くの場合名目的なものすぎなかったという。「皆、長い間昇進しないまま会社にいたくはありませんからね」と彼は言った。

とくに地位の低いホワイトカラーの場合は、主として勤続年数と、もっとも関係の近い二人の上司が毎年おこなう評価によって、昇進が決まった。[14] けれども、一般社員から課長への昇進に際しては、入社数年後から受験資格のある社内試験に合格することも必要とされた。私は、テスンのホワイトカラー社員用評価表を調べることはできなかったが、マニュアル本や韓国企業が使っている評価シートの多くのサンプル[Samsong ch'ulp'ansa p'yon jipkuk 1987; Han'guk insa kwalli hyophoe 1988］によれば、評価にあたっては能力や業績と同等に勤務態度を重視していることがうかがわれた。概して数値で表せない質的、主観的な判定を定量的に客観化するために、直属の上司たちは、とくに優れたものに一定点数の満点を与え、優秀の場合はそこから一点減点、平均より上の場合には二点減点という具合に、ポイント制を採用していた。四点満点制で評価されていたのは、「誠実さ、すなわち上司の業務命令に対する従順さ、会社への忠誠度、職務に対する誠実さと責任感などであった」［Han'guk insa kwalli hyophoe 1988: 267］。この評価は重視された。若いホワイトカラー社員たちの話では、上司たちが部下の昇進を阻止するためにそれを利用したケースも多々あったそうである。

こうした肩書と昇進の仕組みとともに、グレードを意味する級（급）やステップにあたる号俸（호봉）――略称「号」――などで構成される別の計数システムがあり、これによって個々人の給与の多くを占める基本給が決められた。これまた軍隊や政府の官僚機構、そして大学で用いられているシステムとよく似ていた[15]。

テスンでは、グレード（級）は次のようなランク付けと相関関係があった。5は女性社員に、3あるいは4は男性社員に、2あるいは3は課長に、そして1か2は部長に対応した[16]。1のグレード（級）が最高位、5のグレードが最低位のランクだった。「任員（임원）」と呼ばれる理事（役員）たちは、このシステムの外にいた。

ステップにあたる号俸は、各グレード（級）のなかに細かい区分をつける役割を果たしていた

（二四九頁　表5参照）。大卒の男性は、グレード4、ステップ36（第4級36号）の新入社員としてテスンに入社し、給与ステップの数字は雇用年数に応じてグレード（級）のなかで一年ごとに小さくなっていった。勤務一年ごとに社員の号俸の数字は二つずつ減るが、最大一〇パーセントの社員については、一度に三つ、場合によれば四つ減った。管理職はこの特別な減数を利用して、特定の部下の給与と昇進のスピードを変えることができた。ときにはペナルティとして、社員の号俸が一ステップか二ステップ増え、格下げになることもあったが、そのようなケースは非常にまれだといわれていた。たとえば、数年前に資金流用が発覚した際には、容疑者を統括する立場にあった幹部たちにはそれぞれステップが一つずつ加算された。

社外で取得された資格や特殊技能、出身大学、専攻、あるいは入社前の経験が考慮されて、新入社員の入社時のグレード（級）や号俸が調整されることは皆無に近かった。大学院卒の資格を持っていたり、他社から引き抜かれた場合をのぞいて、新入社員は全員が等しく一般社員のグレード4・ステップ36のランクで雇用された。経営学修士（MBA）の資格を持つ場合は二、三年の勤務歴相当（ステップの数字は四から六減らされる）と見なされるが、それ以上ではなく、大学院に行かずに入社した場合よりわずかによい条件となるにすぎなかった。他社から引き抜かれた場合だけは高い地位を与えられた。そして、オーナー家族のメンバー以外は、出世コースに乗せるために特別扱いされたことはないといわれていた。

一般の新人社員は通常、二年間の勤務の後にグレード4・ステップ32となってグレード3への昇進試験を受ける資格ができ、したがって後に課長に昇進する資格を得ることになる。この試験の合格点は流動的であり、受験する社員の実績と将来の課長のポストの空き具合によって足切り点が毎年変化した。しかし、私が知っていた一九八七年の受験者のなかでは、試験に合格したのは勤続四年に達していた人だけだった。試験の結果よりも勤務年数のほうがその年の判断基準だったのだろうと社員たちは推測していた。

グレード3・ステップ26になった（すなわちグレード3での勤続が二年の）人は課長代理への昇進適格者となるが、それは（主として所属部署の）ポストの空き具合や上司の推薦次第であり、上司にとってはこれは部下の昇進に介入する機会でもあった。理事もまた、部や課の新設を要求して、自らの部署の昇進ポストの数を増やす権限を持っていたが、そのような要望を受け入れるか否かについて、人事部や上級管理職はかなり慎重だった。

社員はほとんど全員が、昇進のグレード（級）に見合った同じ給与のステップが与えられたので、昇進が遅いと、同僚との出世競争ではハンディキャップを負ったままになる。たとえば、グレード3に昇進した人は、昇進前のステップにかかわらず、ほぼ全員がステップ30を与えられた。ある人のステップが例外的に低かった場合（すなわち昇進が遅かった場合）にだけ、多少の減数がおこなわれた。そういう人はせいぜいステップ29だろうと管理職たちは言っていた。

昇進は、社長のイニシャルか検印のある連絡票の形で公式に告知され、各部署の掲示板に張り出された。人事異動はすべて連絡票の日付けか、その前日付けで発効したが、自分が昇進することは、人事部の社員と非公式に接触したり上司から知らされたりして、ほとんど全員が事前に知っていた。

昇進から昇進までの平均的な期間は、公表される性質のものではなかった。一九八七年七月号の「リクルート」誌（三七頁）によれば、財閥間だけでなく同じコングロマリットのあいだでも各社で違いがあって、平均的な昇進の間隔は会社の成長のスピード次第だという。大財閥の規定は、概して新入社員が部長に昇進する資格を得るまでにはおよそ一四年間の勤続を求めていた。新聞報道では、一九八七年時点で、現職の部長の平均勤続年数は一四・七年だったが（一九八七年一月二六日付け「毎日経済新聞」一一面）、先の「リクルート」誌のレポートによれば、個々の昇進にはこれより数年遅い例もあった。

こうした昇進の全体的な秩序が、部下に対する上司の影響力を弱めているようには見えなかった。社員は、いずれは昇進するということでは満足していなかったからである。昇進は勤続年数と密接に結びついていたため、年功序列と職階のあいだの高い相関関係によって、たとえ小さな例外であっても非常に目立つことになった。入社年次が自分より数か月だけ若い誰かが先に昇進しただけでも、それは痛切な屈辱となり、その象徴資産の消失はその人の出世の見通しを傷つけることになった。ふだんの会話でも、自分の昇進が少なくとも同期の社員並みでないかぎりは、勤続年数や入社年を明かす人はいなかった。

表4　報道による韓国コングロマリットの賃金（1987年1月）（単位：ウォン）

役　職	上位5人の平均	上位40人の平均
部長	897,250	822,907
課長	609,750	574,653
グレード3の一般社員	487,500	452,372
一般社員	318,800	3125,039

出典：1987年1月26日付け「毎日経済新聞」11面

給与

給与は各種評価基準の組み合わせで決まるもの、とはいえ、その人の職階と相関関係が深かった。各人の収入には少なくとも三つの源泉があった。基本給、賞与（ボーナス）、そして諸手当である。それらを順番に検討し、またその計算の元になる各種基準について見てゆくこととする。

男性社員の毎月の基本給は、下級および中級のランク（職階）に置かれた当初は、テスンやほかのコングロマリットが一九八七年初めに公開した数字によると表5のとおりである（一九八七年一月二六日付け「毎日経済新聞」一一面）。この内容、またその他公開されたレポート（「リクルート」一九八七年六月号、四二頁）のディテイルを見ると、これらすべてのグループの下級・中級の賃金レベルにはわずかな差しかがないことがわかる。

基本給は、地位（部課長等の職階）ではなく、給与等級（グレード）と俸給ステップのシステムによって決められた。ありがたいことに、私は各テスン社員と管理職の一九八四年の基本給一覧を提供され、それをこの研究で使う許可も得た[17]（表4参照）。

基本給の次には、賞与が給与の大きな部分を占めた。賞与には基本給以上に大きな違いがあったが、大財閥のあいだでは大きな差はなかった。

表5　グレードと号棒によるテスンの相対的基本給（1984）

	グレード（級）			
号給	1	2	3	4（男性）
1	1	0.72	0.55	0.45
2	0.99	0.71	0.55	0.45
3	0.99	0.71	0.55	0.45
4	0.98	0.70	0.55	0.44
5	0.97	0.70	0.55	0.44
6	0.96	0.69	0.55	0.44
7	0.95	0.69	0.54	0.44
8	0.94	0.68	0.54	0.44
9	0.93	0.68	0.54	0.44
10	0.92	0.67	0.54	0.43
11	0.91	0.67	0.53	0.43
12	0.90	0.66	0.53	0.43
13	0.89	0.65	0.53	0.43
14	0.87	0.65	0.52	0.43
15	0.86	0.64	0.52	0.43
16	0.84	0.63	0.51	0.42
17	0.83	0.62	0.50	0.42
18	0.81	0.61	0.50	0.42
19	0.80	0.60	0.49	0.42
20	0.78	0.58	0.48	0.41
21	0.76	0.57	0.48	0.41
22	0.75	0.56	0.47	0.40
23	0.73	0.54	0.46	0.40
24	0.72	0.53	0.45	0.39
25	0.70	0.52	0.44	0.38
26	0.69	0.51	0.43	0.38
27	0.68	0.50	0.42	0.37
28		0.49	0.41	0.35
29		0.48	0.40	0.34
30			0.38	0.33
31				0.32
32				0.31
33				0.29
34				0.28
35				0.27
36				0.26

一九八七年の初め、ほとんどの大規模コングロマリットは、年間、毎月の基本給の四、五か月、あるいは六か月分にあたる賞与を出していた。テスンの場合、一九八七年までは、賞与の額は地位（職階）のみによって自動的に決まっていた。一般社員は年間に月給の五・五か月分、そして課長と部長は年間に月給の六・五か月分だった。

だが、一九八七年、テスンは、もっとも評価の高い全体の一〇パーセントにあたる部署の社員に半月分の特別給与を支給、業績が下から五パーセントの部署は半月分を減らすという、限定的な成果主義の賞与システムを導入した。おそらくこの新しい方式は、妥協の産物だったのだろう。というのも、個人の業績をもとに賞与を決めたのでは職場の人和団結への脅威になると、一部の理事たちが強く主張していたからである。利潤は会社全体の努力の成果とみなされるべきで、一個人や一部署の努力の結果ではないと彼らは説いた。しかし、決定が下された後には、私はさらなる抗議の声を耳にすることはなかった。むしろ、新システム導入に反対していた年配の管理職の一人が、新システムは個人に罰を与えるというより、個人を励ます意味があると指摘していたほどだ。彼は、新システムが業績に重きを置くことで、部下への褒賞に対する上司の恣意的な力を増大させる点にはふれなかった。

基本給と賞与に加えて、毎月、日曜出勤の超過勤務手当（一般社員のみ）、特別職務手当（たとえば当直 당직）、そして標準の時間外賃金（勤務時間数に関係なく一律）といった数々の小さな支払項目があった。それらの支払は多岐にわたり、その額もまたさまざまだった。一九八七年にテスン

で使われていた給与明細には、二八種類の支払項目が載っていて控除が二四種類あり、これを一般化することは困難だった。その数年前に造船業の「管理職と幹部管理職」を対象におこなわれたある調査では、これらの支払加算（手当）は給与総額の四パーセントから三三パーセントにあたっていた［Kim Soo-kun 1982: 55］。テスンでは、これらの支払の多くは、賞与のように、勤務年数が増え職階が上がるにつれて増加した。

最後に、通常は報酬の一部とは見なされなかったが、社員は数々の特典を得ており、社用バスによる通勤、会社製品のギフト、数々の経費の支給、そして無料のランチといったものも給与の一部だと、財閥の一部が「リクルート」誌の取材に回答していた。たとえば、課長には部下に奢るための交際費が毎月支給されており、彼らはウィークデーにはコーヒーを奢り、退勤後には飲み会やそのほかの娯楽に部下を誘った。部長や理事もそうした交際費を使うことができた。

給与システムの複雑さ、その場その場でおこなわれているような経費の補塡、具体的な詳細を公表したがらない会社側の姿勢、そして公式の統計に見られるカテゴリーの多様さなど、さまざまな事情のために、規模の異なるコングロマリット間で、あるいは同一グループ内の会社間で、給与を単純に比較する以上のことはできなかった。

刊行されている資料はあまり役に立たない。たとえば、政府の雇用労働部は賃金水準の年次報告書を作成しているが、社員五〇〇人以上の企業を一括して扱っている。それによると、賃金は会社の規模に従って上昇し、賞与は年齢、勤続年数が増すにつれ、高学歴であるほど、そして役職が高いほど高くなっていた。二五歳から二九歳のあいだの少なくとも大卒資格のある男性新入社員の賞与がおよそ月給一か月分であるのに対し、同じ学歴の社員でも勤務歴が五年から九年で三〇歳から三四歳となると、年間に月給三か月分を得ていた［Ministry of Labor 1987: 168-71］。ではなかった。

この報告書には作為的な曖昧さが見られるが、それはコングロマリット間の競争のせいばかりではなかった。政府が学歴による賃金の格差を減らそうと呼びかけていること、一般に優秀な管理職を財閥が独占していると見られていることなども、給与に関してあまり具体的には明らかにできない理由に挙げられていた。過去には、政府が主なコングロマリットのホワイトカラー社員の給与の上昇を制限しようとしたことがあったが、それは、同等のキャリア（職務歴）の国の官僚と比べて、ホワイトカラーの給与が高すぎたからである。さらに、ある韓国人エコノミストによれば［Kim Sookun 1982: 57-58］、ブルーカラー社員の給与システムも同じように複雑だったが、こちらは実態よりも見かけをよくするように工夫されていたという。労働法は、労働者へのさまざまな補完的な給与や超過勤務の支給を求めていたが、彼らの給与は、総額がまず決められ、それにもとづいて基本給、賞与、そしてさまざまな追加給付が算出されていた。

詳細が不明なため、給与システムにひそむ強圧的、イデオロギー的な意味合いはぼやけてしまっているが、それでもいくつかの点ははっきり見てとれる。まず第一に、テスンそのほかの大財閥のホワイトカラー社員の給与は特別に高く、かくも有利な雇用を打ち切るぞという脅しには、じつに実効性があった。給与レベルのもっとも低い男性一般社員の基本給と賞与の合計は、公表された一九八七年の一人あたり国民総生産のおよそ二・五倍だった。追加の諸手当を加えれば、控えめに計算してもおよそ三倍になるだろう。同様の推計に従えば、新任の部長は、一人あたり国民総生産の九倍から一〇倍の所得を得ていることになる。

この給与システムは、イデオロギー的にもさまざまな影響をもたらしていた。グレード（級）と給与ステップの全社共通のシステムは、社員の文化的期待を満たし、オーナー経営者は、給与レベルがもっとも低い新入社員にも、他と比べ「妥当」［Salaman 1981: 181］と感じさせることができた。一五年間勤務して、給与の購買力が三倍になったことで、もっとも経験豊富な社員の転職の可能性は低くなり、ブルジョワジーは熟練した管理職を、いっそうしっかりと確保することができたのである。

経験年数が大きくものをいう給与システムはまた、経験豊富な社員がもっとも大きく会社に貢献し、ほかに比べてより貴重な存在で、それゆえ物事を決めるのにもっともふさわしい、という暗黙のメッセージを伝えていた。

専門的知識や社外で取得した資格が重視されることはほとんどまれで、その価値は低く見られていた。それに加えて、ランク（職階）、ステップ（段階）、そしてグレード（級）による給与システムは、実質的に分割統治戦略の一環をなしていた。

マルクス主義の影響を受けた研究者たちからは、職階と賃金の細かい等級が、ホワイトカラー社員と同じようにブルーカラー社員を支配するためのメカニズムになっている、という次のような指摘があった。

組織された労働力の差別化は、社員たちを分断し、お互いに対立し合うようにしむけるようにさえ作用する。多くの細かな等級、地位、職務、職階の存在が、組織のなかの一部のメンバーにほかのメンバーに対する優越感を生じさせる。あるいはまた、個人的なあるいは集団的な経験や喪失が、個人の力不足、達成能力の欠如や志気の不足、あるいは「ライバル」部署やほかの勤務グループの敵対的行動、ある特定の労働者グループによる敵対行為などの結果だという印象を抱かせたりもする［Salaman 1981: 175-76］。

解雇、配置転換、そして辞職

テスンの新入社員に手渡される研修マニュアル所載の雇用契約によると、ホワイトカラー社員にはさまざまな理由で解雇される可能性のあることがわかる(18)。それらの規則は、社員の終身雇用についていかなる権利も認めず、あらゆる不測の事態に備えているように見える。

第一八条　解雇

被雇用者において下記のうちの一つが適用される場合、解雇が生じる。

一　辞職を求められ、社員がそれを受け入れた時。

二　社員が定年に達した時。
三　（臨時雇用者の）雇用期間が満了した時。
四　試用期間中に採用が取り消された時。
五　社員が死亡した時。
六　社員が実刑あるいは重い刑罰を宣告された時。
七　社員が、法的責任能力がないか、もしくは責任能力が限定的と（法的に）宣告されたとき、または破産した時。
八　身体的あるいは精神的障害によって業務を遂行し得なくなった時。
九　社員の業務実績あるいは能力が明らかに劣っていると認められる時。
一〇　自然災害あるいはほかの同様の事由が発生した時。
一一　職務の再編あるいは会社の状況により人員削減が求められる時。
一二　しかるべき懲戒処分や解雇が決定された時。

このような規定が発動されることはまれだったが、解雇されて、テスンで働くことで得られる魅力的な恩恵を失うぞ、という脅迫が、おそらく社員による規定の遵守をたしかなものにしていたのだろう。たとえ彼らがほかの財閥に雇用され、幸運にもテスンで得ていたのと同様の賃金の規模や付加給付、雇用の安定や尊敬される地位を提供してもらえたとしても、二九歳以下の社員は、入社試験を受け直し、過去の職歴を資産というよりマイナス要因と見なされながら、すべてを初めからやり直さねばならなかったはずである。そのうえ、他社の諸条件もまた大差はなかったはずなのだ。そして、特別な場合を除けば、年配の社員は転職へのさらなる阻害要因に直面した。つまり、主に個人的なコネに頼らねばならないという、きわめて無秩序な求人市場である。

正式に解雇される人はほとんどいなかったとはいえ、管理職や社員は、普段から（そんなことをしたら）「クビになる（出ていかねばならない、나가야 한다）」と言い、明らかに彼らが解雇されることを現実的な可能性ととらえていることがうかがわれた。指示に従わなかった結果起きたことや、業績不足を話題にする時には、決まってその言い方になった。会社はどのようにして誰かを追い払おうとするのかとたずねると、公然と解雇するかわりに、仕事を与えなかったり、望まない部署に配置転換したりして、その人の自尊心を傷つけて辞めるようにしむけるのだと、数人の中級管理職が教えてくれた。そのなかの一人は、四大財閥（ビッグフォー）の他社の社員が、辞めさせようとする会社の圧力に抵抗した結果、自分のデスクがなくなったという話を披露した。おそらくその逸話は当時、ひろく流布していたのだろう。数か月後には、オフィスライフを扱ったテレビドラマになっていた。机を取り上げられたり、仕事を与えられない人を私は見たことはなかったが、それに類する配置転換には何度か気づくことがあった。

配置転換に関しては人事部からは説明がないので、解釈が必要だった。社員たちはそれを考えるために、自分なりの文化的知識能力を蓄積していた。中級管理職は、配置転換を社員たちの勤務経験の積み重ねとしてではなく、会社側の都合によるものととらえていた。人事異動がその人の将来を予想するものと受け取られることもあった。財閥の企画調整室のような権力中枢への配置転換は、好ましいものとされ、新しい職場への異動は祝福された。いっぽうで、異動が激しいと噂されるポストや、それまでの研修や職務経験と一致しない部署、あるいは、ソウル以外の周縁的な職場や財閥内の小さな会社への異動は、その人のキャリアに問題があるしるしだと通常は受け取られ、そのような場合、祝福はなかった。

人事異動の多くは、どちらとも受け取れる性格のものであった。配置転換の内示を受けると、当人は新しい任務の意味を解釈しなければならず、同僚たちは、すぐに現実のものとなるその人の異動を静かに話題にし、その解釈に知恵を絞った。自分のキャリアのなかで、現在の、また過去の配置転換は、プラスにもマイナスにも解釈できた、と少なからぬ管理職が認めていた。

ご褒美でも罰でもない要素が理由と思われた配置転換もあった。ある課長が部長に昇進し、彼よりも先に入社していた課長の上司になった時、先輩社員はかつての後輩の部下になる屈辱を避けるために（別の部署に）異動となった。昇進組をすべて受け入れるだけの部や課が足りない場合には、部署間の配置転換がおこなわれることもあり、ときには部下の希望が考慮されることもあった。所属する課の課長が嫌いだと私に語ったある社員は、後に別の課に配置転換となったが、彼の新しい課長は、その配置転換は、より合理的な人員配置をめざしたものだと語っていた。

同じ部内の課をまたいでの配置転換はふつうのことで、ほとんどの人が課長になるまでに一度は経験していた。しかし、多くの社員は自分のキャリアの大半を同じ部署で過ごしたいと望んでいた。

もっとも若い層の社員をのぞけば、配置転換を理由に辞表が出されることはまずなかった。私がフィールドワークをおこなった何か月かのあいだに、かなりの人たちが財閥内の他社に配置転換されたが、そのほとんどは新規事業を起こす部署への分離だった。ほかにも社内の別の部署に配置転換となった人は多かったが、その後、幹部社員一人だけが退職した。財閥内の他社への人事異動は、明らかに長い間の慣行であり、グループ内他社の上層部の多くは、最初にテスンで経験を積んだ後にそのポストを得ていた。したがって、配置転換がいつも遠回しに解雇を意味するというわけではなかった。

辞表を出すのは配置転換された社員たちではなく、もっとも流動的な社員、つまり新入社員だった。私のフィールドワークの期間中に、韓国の大財閥の大部分で、こうした人たちの退職が急増し、テスンの上層部は、一九八七年春のこの新しい動きを懸念すると述べていた。前年に採用した社員のおよそ三分の一が退職したのだが、大規模コングロマリットのすべてで同じことが起きていると新聞は報じていた。学業を継続したいというのが大方の退職者の言い分だったが、それはほかの理由を隠すための、文化的に当たり障りのない口実だと受け取られていた。テスンでは一般に、最若年層の退職は上司とうまくやっていけないために起こる、と解釈された。退職することで自分の意志を示そうとする若手社員が増えていたのである。

注

（1）この意図的な不明瞭化について、「一般に受け入れられている会計原則」と会計士が呼んでいるものも国ごとに違うのです、と説明してすますわけにはいかない。韓国における会計の慣行は、一般にアメリカの慣行をモデルにしている［Yi Chongho 1985: 439］。韓国の会計原則の英語による説明については、Korean Institute of Certified Public Accountants［1985］とJoo［1991］を参照のこと。

（2）私は「茶番（antics）」という言葉を、評判を落とすためにではなく、テスン職員や新聞がこうした慣行をどのように語っているか、そこに含まれるユーモア感覚を伝えようとして使用している。

（3）過小評価の総額は実際に連結計算書を入手しないと算出できないが、その原理は一例をもって示すことができる。もしA社がオーナーの資金二万五〇〇〇ドルと七万五〇〇〇ドルの負債によって資金調達していたなら、貸借対照表の負債・自己資本比率は三対一となる。

	資産		負債		オーナー資金
A社	一〇万	＝	七万五〇〇〇	＋	二万五〇〇〇

もしその後A社のオーナーが、完全子会社を一つ作るためにこの自己資金二万五〇〇〇ドルと追加債務七万五〇〇〇ドルを使ったなら、それぞれの会社の独立貸借対照表を合計あるいは平均した負債・自己資本比率もまた三対一になるはずである。

A社	一〇万	＝	七万五〇〇〇	＋	二万五〇〇〇
B社	一〇万	＝	七万五〇〇〇	＋	二万五〇〇〇
合計	二〇万	＝	一五万	＋	五万

いっぽう、連結計算書では一つ目の会社の資産二万五〇〇〇ドルは二つ目の会社の資本となり、二重計

上は消去されて、自己資本・負債比率は六対一となる。

A社&B社　一七万五〇〇〇　＝一五万＋二万五〇〇〇

(4) 韓国の会計士はこの問題に気づいていた［Nam 1985: 468-69］。

(5) 一九八七年にテスンで使われていた計算書には独立監査人の証明が入っていた。

(6) たとえば、任敦姫と私はある村の植民地期の戸籍を研究したことがあり、そのなかに年齢が六か月しか離れていない兄弟が同じ母親から生まれたことになっている家族を見つけたが、その母親は、息子の一人は夫の内妻が産んだと何年か前に私たちに話していた。同じ時期の台湾の戸籍の正確さと対照的であることに驚かされる［cf. Wolf and Huang 1980］。この文書に私の関心を向けさせてくれたアーサー・P・ウルフ Arthur P. Wolf に感謝する。

(7) こうした契約の場合、その不履行は、損害賠償額確定が裁判所を介することなく処理されることがよくあった。売買契約を履行しない売り手は、買い手が預けた保証金の倍額を返済しなければならなかった。またこの話は、契約に関する文化的な知識能力（knowledgeability）のあり方を暗示している。このことは第六章で検討する。

(8) 韓国の法律はテスンにストックオプションの一〇パーセントを社員に分配することを求めたのだが、すでに多くの管理職が持ち株を売却してしまっていた。

(9) 私はここに、農村の乞食や鬼神、より小さな神々、それに祖先などにそなわった戦略のアナロジーを見る。それらはすべて、供物を与えるまでは迷惑事を引き起こす。それらの超自然的存在もまた、捧げ物を与えられると守護する存在に変わる可能性があるわけだ［Janelli and Janelli 1982.; Kendall 1985］。しかし、韓国の民衆信仰について私のような関心を持たない管理職はこうした比較をしなかった。韓国の管理職に関して、これとよく似た指摘をおこなった日本の研究者がいる［Hayashi 1988: 13］。

(10) 他の人事慣行と農村での経験のあいだには部分的なアナロジーを見いだすことができ、シン・ヨグンもそれを指摘している［Shin 1984: 26-58］。しかし、それらのアナロジーは、〈父―息子〉関係の叙述と同じく、具体的な経験から抽出されたものである。さらにいえば、親の権威と管理職の権威のアナロジーとは異なり、それらはテスン社員のコメントのなかにはなかった。

(11) 採用広告には、応募は指定された年の一月一日以降の生まれに限ることを明記してあった。韓国では年齢は新年を迎えると一つ歳をとるので（数え年）、このようにして年齢の上限が示されていた。

(12) 研修スタッフたちは、職階に対する態度を考慮に入れて選ばれていたのではないかと思う（第三章の注9を参照のこと）。

(13) 専務理事と常務理事はふつう専務と常務と略される。

(14) 本部の女性社員は、一九八七年以前には一般社員以上に昇進する資格がなかった。わずかに雇用されていた四年制大学卒の女性は、工場や研究所で即戦力となるような技術的なスキルを持っていた。しかし、一九八七年には、二、三人の女性が管理職候補として雇用されて男性社員と同じ研修プログラムを受けた。

(15) ロドニイ・クラークは日本の会社での同様のシステムを報告している［Clark 1979：118-22］。

(16) 表5で一部を示した給与システムには、グレード4の女性社員の別表もある。専門の技術職として採用され本部外で雇用されている四年生大学卒、コングロマリットの図書館司書のような二、三の短期大学卒の女性にもこの給与システムが適用されているのかどうかは確認できなかった。

(17) グレード（級）と号俸（俸給ステップ）のシステムは職階のシステムとは正確には一致しておらず、理論的には、新任の部長よりも勤務歴の長い課長の基本給のほうが高くなる可能性があったが、職階とともに増える（以下の本文の記述を参照のこと）さまざまな追加給付によって、基本給のそうした差額は埋め合わされた。

(18) 私はテスンで定年退職した人には出会わなかった。

第五章　中間での支配

最高経営幹部たちは通常、言うことをきかない恐れのある社員たちを支配する手段をいくつかとることができる。しかし、そうした支配には一揃いのテクニックとストラテジーが必要であろうし、あらゆる種類の制裁規定やリソースやメカニズムを操作することになるだろう。

グレアム・サラマン［Salaman1 980: 75］

財閥とその系列各社のオーナー経営者の特権的地位は、彼ら自身の努力以上の何かによって守られていた。たとえば、テスン社の社長は、年に一度の株主総会を一人で運営したり、毎週の理事会の進行役をつとめたり、昇進や配置転換を社内に掲示する連絡票を承認したり、その他管理事項に直接たずさわっていたが、七〇〇〇人を超える自社の社員を統率するには、組織全体を通して専門の、または非親族の管理職の積極的な参加を必要としていた。これらの専門管理職の統率を維持するためには、キャリアパスや年間賞与の額に配慮するといった、人事制度を通じた優遇措置に頼るだけではすまなかった。オーナー経営者たちは、部下たちが確実に彼らの指示に従い、全力を尽くしてくれるよう、積極的な戦略を押し進めた。オーナー経営者たちの支配は、既存の権力構造に安住し、努力なしにただオーナー経営者の役を演じるだけで得られるものではなかった。部下たちには、潜在的に反抗する能力があり、そのチェックを続けねばならなかったのである。

1. 毎週の部課長会

部下をコントロールするもっともドラマチックな手法の一つに、部署ごとに毎週開かれる部課長会（부과장회）があり、その席で各課長は、前の週の自分の努力とその成果を報告した。理事たちはこの部課長会を通じて、毎週の理事会で明らかになった新規計画あるいは注意事項など、経営上層部からの情報を伝えた。会議参加者それぞれの所属部署における、予想される進展あるいは問題点、考え得るその解決策なども議論された。

会議を率いる管理職の言葉のなかに、毎週の部課長会は「訓練をさせる（훈련을 시키다）」場だ、という表現があったが、課長たちはしばしばそれを「叱りつけられる（야단을 맞다）」場だと言い換えていた。会議は閉め切ったドアの向こうでおこなわれた。

多くの理事は金曜の午前中を中間管理職との会議にあてていた。会議は必然的にその日の最初の仕事となり、八時三〇分から始める部署と九時からの部署があった。しかし、すべての部門の責任者がその会議を利用したわけではない。部と部のあいだにほとんど関連のない部署では、理

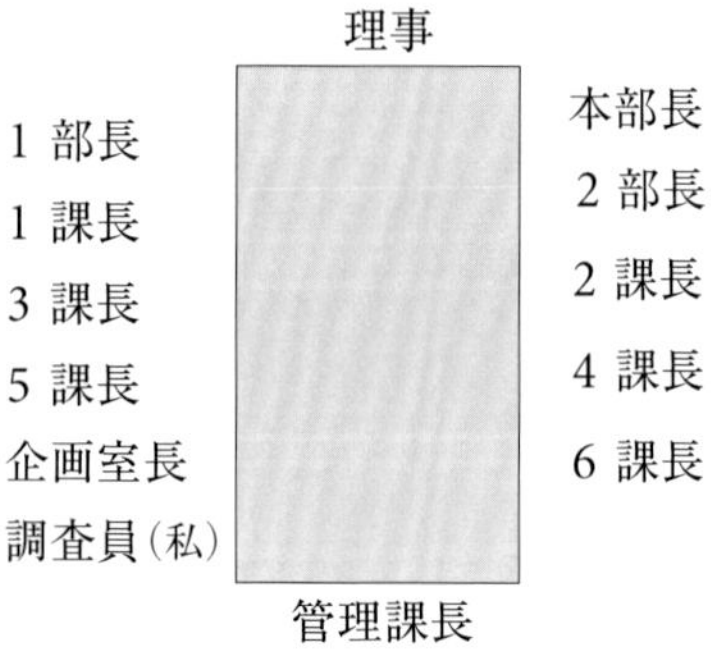

事や副理事（本部長）が部長グループや課長たちと個別に会っていた。

毎週の部課長会の席次には、儀式的な決まりがあった。もっとも職階の高い人物が長いテーブルの上座に座り、次に職階が高い人物がその隣に、残りの人たちは、部署におけるそれぞれの地位の順に座った。図2はある会議での席順である。

図2　ある週次部課長会の席順

1部長	理事	本部長
1課長		2部長
3課長		2課長
5課長		4課長
企画室長		6課長
調査員（私）	管理課長	

そのほかの席順にも職階とポストが反映していた。図2で、理事が出席できない場合には、彼の席には本部長が座り、右側の残りの席は一つずつ繰り上がって座りなおされ、企画室長が反対側の席の第六課長の隣に移った[1]。私が観察したなかで、職階順の席次での唯一の例外は、ある課長が不在だった時に、彼の最年長の部下が課長のいつもの席に座ったことだったが、それは明らかにその一般社員が課長の代理の立場で会議に参加していることを示していた。

席順が組織図とそれぞれの職階を象徴的に表わすことは、他社や政府の官僚機構でもひろく見られたようだ。私がフィールドワークをしていた頃、毎週放映されていたテレビの人気コメディでは、この席順の話が、会社員生活のその他多くの事柄とともにパロディ化されていた。番組は財閥の会長と数人の幹部理事たちによる会議を描いたもので、登場人物たちの席順は同じようにそれぞれの地位を反映していた。ドラマでは、頻繁な昇進と降格のせいで会議は椅子取りゲームになり、職階が新しく変わるたびに席順が入れ替わった。テスンの社員は、日曜の午後に放映されていたその番組をよく観ていて、日常の会話でもそれはたびたび話題になった（新聞に載った大統領と内閣の写真でも、大統領は長机の上座に座り、閣僚たちはその両脇に座る姿が確認される）。

毎週の部課長会の冒頭、経営幹部は皆の出席確認をした。次に示すのは異なる二つの部署の部課長会の冒頭のやり取りである。最初の会議の参加者で後の会議にも出席した者は私のほかにはいない。

経営幹部：金課長はどうした？
文課長　：彼は予備軍訓練（예비군훈련）に参加しました（訓練のなかには夜間におこなわれるものもあるため、この発言は、金課長は仮眠中で、非常に疲れており、おそらくまだオフィスには戻っていないことを暗示している）。
経営幹部：予備訓練に出たほかの課長はここにいるじゃないか。彼はなぜ来ないんだ？　行って連れて来い（管理課長が退出し、不在だった課長を連れて戻ってきてから会議は再開された）。
経営幹部：李課長はどこにいる？

南宮課長：李はアポイントメントがありまして、一〇時三〇分まで外出になっております。
経営幹部：オフィスを出て何をしてるんだ？　部課長会は毎週、いつも一〇時三〇分まであるのを李は知ってるだろう。出席しなくてもいいように言い訳をしてるだけだ。

この二つのやり取りの口調と内容から私が推察したのは、経営幹部が、まずなによりも部下全員が出席しているか、不在の理由が明らかであることを確認したがっていたこと、また部下が会議をできれば避けたがっていることを内心理解していたということだった。課長たちはこの会議を強く嫌っていることを認めており（第七章）、会議の後の彼らのふるまいはいつもの快活さを失っているように見えた。

このような会議での年配者のふるまいは「厳格だ（엄격하다）」と見られていた。ある年配の管理職は、時々部下に対して「怒りをあらわにしてしまう」自分の姿を見せたくないので、私に週次会議を見学されるのは気が進まないと率直に認めていた。[2] 同じように部課長会の司会をしていたもう一人の管理職はこう説明した。

訓練はとてもシビアです。その厳しさに、アメリカ人はショックを受けるかもしれません。耐えられないかもしれない。なぜかというと、我々韓国人は一つの民族（민족）で、同じ血を分け、（自分の手の甲の肌を示しながら）同じ黄色い肌をしているからです。我々はアメリカ

人のように多様な民族からできてはいないのです。我々は家族のようなもので、年長者は自分の部下に対して、父親が息子にするように、正しいおこないを褒めるよりも誤りを指摘して、彼を訓練することができるのです。

主宰する管理職が会議の冒頭をどのように始めるかによって、それからの口頭報告の基調が決まった。各課長が、時々少し手を震わせたり、そわそわとノートをめくりながら、プレゼンテーションをすると、経営幹部は黙って耳を傾け、あるいは誤りを指摘したりした。会議にのぞむ中級管理職は、研究者が学会で論文を読み上げる時のように、韓国語の動詞の形式張った終止形（します 합니다、できませんでした 못 되었습니다等）を使って話し、同様にフォーマルな「以上です（이상 입니다）」で報告を終えた。テスン社では、こうした表現は部課長会やほかの同じようにフォーマルな機会でのみ見られた。

スピーチだけではなく、会議参加者のほかの行動も形式張っていた。会議以外のほとんどの時間、社員はシャツ姿でオフィスを歩き回り、スーツの上着は椅子の背に掛けていたのに、会議では管理職全員が上着を着ていた。課長たちは両足を床につけ、背筋を伸ばして着席した。足を組んで座るのは気安い態度で失礼にあたるとされた。村や都市部の家庭では、若者は通常父親や年長の男系親族の前ではタバコを吸わないが［Janelli and Janelli 1982: 47］、これらの会議でもタバコを吸う者は誰もおらず、ヒエラルキーの存在が示されていた。テスンの会長自身が、上級管理職の会議に見られるこの自粛行動の象徴的意味合いに言及していわく「それは、若者たちが父親の友人たちと同席しているようなものですから、誰もタバコは吸えないのです」（「新東亜」一九八七年三月号、三二九頁）。

一つの例外を除いて、経営幹部は、毎週の部課長会の運営をしっかりと取り仕切っていた。部下に対しては常に「（なになに）しろ〔해〕」という無遠慮な口の利きかたをし、しばしば叱責口調になり、ミスをすれば厳しく咎めた。ある時一人の課長が、会議用に準備した文書の計算間違いに気づき、自分のミスをほかの参加者に知らせたことがあった。経営幹部はただちに課長に訓戒を垂れ、注意深く仕事をすることが大事だと説教した。「不正確な事実にもとづいて、どうやって正確な判断ができるのだ？」と経営幹部は問い、皆がその場で静かに聞くなかで、同じ調子でさらに数分間説教を続けた[3]。

社員や管理職の話によると、こうしたやり取りは、会社全体の部課長会ではごくふつうの慣行で、私が見聞きした話とも一致している。私は五人の管理職が招集した五つの会議をそれぞれ見学したが、一つの会議をのぞいてすべて同じ様子だった。その唯一の例外というのは、理事と本部長の二人が同時に不在となり（うち一人は突然の欠席だった）、最近昇格したばかりの若い部長が議長を務めたケースである。その部長は持ち前のスタイルに加え、この役目に不慣れなうえ、特別な事情で重責を担うことになった経緯も承知していたので、よりソフトなアプローチを採ることになった。そして、さらに上位の会議に出席したことのある管理職によると、上級の管理職も同じようなスタイルで会議を運営していたという。また、ある人は会議の模様を、ほとんどの質問は社長から発せられ、理事たちは守りの姿勢をとる、と表現していた。「もし（ある理事が）質問をあまり受けずに済めば、その理事は、会議がうまくいったと考えるのです」とは、その管理職の解説である。

経営幹部は、配下の課長たちを積極的にコントロールし、彼らが部下の社員の指導にさらなるイニシアチブを発揮するようにつとめた。私が出席したある会議では、経営幹部は、課長は部下の仕事から目を離さないことが大事だと強調していた。課長たちは、部下が準備した書類を最初にチェックし、チェックなしに自分のイニシャルを書いたり押印したりすることのないように指示されていた。書類は正確だろう、後で誰かがチェックするだろう、といった推測は禁物だった。別の会議では、課長たちは部下に会社の目標をじゅうぶんに周知せず、ミスを見逃していると指摘されていた。その日の業務がいくぶんか遅れ気味だったのでそれを片付けるという場合、経営幹部は、土曜の午前中にやるのがちょうどいいと指摘した。さらに彼はこうも付け加えた。「訓練」が部下と自分の人間関係を傷つけはしないかと心配なら、ランチをおごったり、土曜の午後にレクリエーションに連れて行ってやればいいではないか、と。数週間後、一人の一般社員が、「私の上司が、課の全員を集めてそれぞれの欠点を指摘したんですよ」と私に不満を述べたことからすると、少なくとも一人の課長は、先の経営幹部のアドバイスを心に留めていたようだ。

毎週の部課長会で行使されるコントロールの強さは、社会通念の枠に収まるもの（ドクサ的な経験）とは言い難かった。テスンの管理職たちは、資本主義的な環境下であっても、部下とかかわるには別の方法があることをよくわかっていた。たとえば、理事たちは、より参加型のマネージメント・スタイルがあることを熟知しており、ダグラス・マクレガー［McGregor 1960］の「X理論・Y理論」だけでなく、ウィリアム・オオウチ［Ouchi 1981］の「セオリーZ」も知っていた。そのうえ、テスンの研修マニュアルのなかにもまったく異なるアプローチを推奨するものがあった。新任の課長研修のなかで使われていたそのマニュアルは、はっきりアメリカ型マネジメントの人間関係論の影響を受けており、部課長会のスタイルとは明らかに折り合いのつかない説明を含んでいた(4)。

〈叱責しようと思う時〉

ときには叱責が必要になる場合がある。効果的に叱るのがベストだが、いっぽうで注意も必要だ。

1 自分が落ち着いている時にだけ（少し時間を置き、しかしあまり長く時間の経たないうちに、自分だけではなく相手もあまりに興奮していないことを確かめる）

2 まわりに人のいない時に（適切な場所を考え、自然なスタイルで）

3 叱責する価値のある時にだけ（事実をよく理解した後に、叱責が最良の方法なのかどうかを慎重に考えて）

4 率直に（遠回しに探りを入れず、嘲笑したり軽蔑することのないように）
5 事実に集中すること（事実に集中し、〔問題の〕核心を指摘し、個人攻撃にならないように）
6 信頼、勇気づけ、希望、そして適切な気づかい（相手を信頼し、進歩を望み、相手の状況と性格を気づかい、落胆させず、「やろうじゃないか」という態度が生まれるように努力する）
7 落胆させない（そして完全に支えになること）

——相手を成長させるつもりのない叱責は叱責ではない。それは怒りの表現である。

私が研修マニュアルからこの説明を書き写しているのをたまたま見かけたある課長は、「私たちは、そういうやり方に従うように言われているのですが、とにかく忙しすぎてできないのです」と言った。したがって、訓練方法を、経営幹部が父親の息子に対する教育に喩え、いかに「自然」だと主張しても、部下たちには、それを解釈する別の枠組があったのである。

2. 日常のコントロール

部下をコントロールしようとする管理職の努力がもっとも目につきやすいのは毎週の部課長会だが、一週間を通じて、彼らは部下の監督にさらに細かな目配りをしていた。その手法のいくつかは、生産目標、売上目標といったメソッド同様、ほかの多くの社会の資本主義企業でもごく一般的なものだったが、文書回覧規則とカメラによる監視はほかでは一般的とは言い難かった。ほかにも細かい仕事があって、社員たちは夜遅くまでオフィスに残された。

文書回覧規則は、部下たちがオフィス外から受けたリクエストを、システマティックに上司に知らせる仕組みであった。たとえば、私の机があった部署では、一般社員は、新しく到着したメッセージを、まず課長が見た後で受け取った。課長が直接受け取る書類もあるが、ほかのすべての部門間の連絡票などは、部長を通して渡された。発信される文書のほうはさらに徹底して管理された。それぞれの文書にはサイン欄が並び、作成した社員のほかに課長、部長、理事、場合によってはさらに上級の経営幹部のイニシャルか押印があった[5]。その結果、それぞれの社員の上司には、多くの場合さらにその上司の上司にも、社員が作成した文書をチェックする機会があり、上司には部下が発信するすべての文書を承認することが求められていた。たまたま見落としてしまうことを防ぐために、作成中の文書も含めて、発信、受信文書はすべて日誌に記録されていた。

管理職が、部下の作成した文書を右から左へ承認するなどということはなかった。じゅうぶんな精査を怠ったある管理職は、先に描かれたような叱責を上司から受けることになった。多くの場合、管理職は変更や訂正を求めた。ある社員が英文の手紙を、訂正を求められることなく上司に受け取ってもらった後、満面の笑顔で私のところにやってきた。「こんなにうまくいくなんてめったにないことです」と彼は説明したが、彼はその手紙を書いたのが私だと上司に告げること

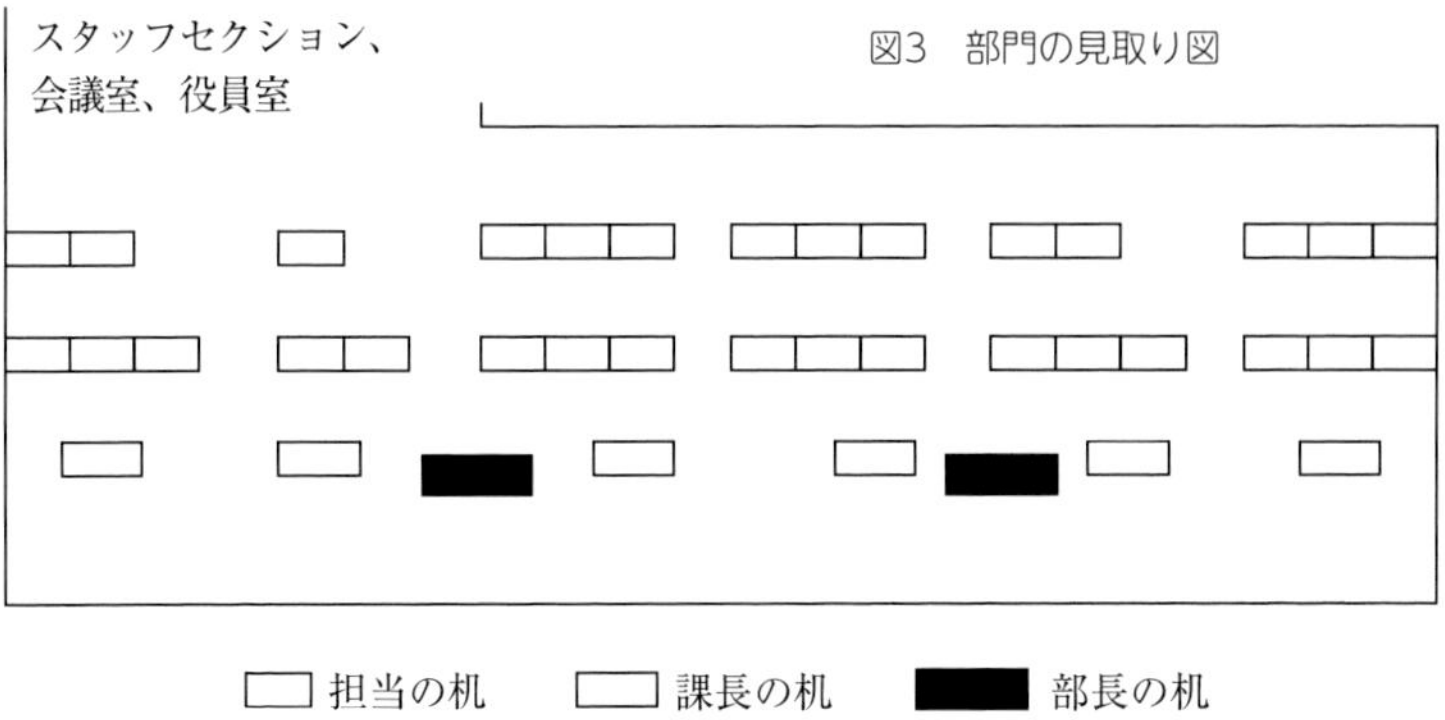

図3　部門の見取り図

スタッフセクション、
会議室、役員室

担当の机　課長の机　部長の机

でその成果を得ていたのだった。

課長や部長は、部下の文書を点検するだけではなく、机の配置によって部下を直接監視することもできた。ここで思い起こされるのは、物理的配置と支配に関するミシェル・フーコー［Foucault 1978］（とくに一七〇〜一七七頁）の観察である。テスンのオフィスは、総じて部署全体を収めるのにじゅうぶんな広さがあり、通常は、課ごとに通路で区切られ、机が並んでいる。同じ課に属し、同じ列に並べられた机は隣接していて、人の密度が高く、コミュニケーションが活発で、監視もしやすくなっていた。たとえば、およそ縦六〇フィート、横二五フィートの部屋は、四〇人を収容できた。部屋の寸法が物理的に合わない場合をのぞいて、机は組織図そっくりに配置された。図3で示したのは右から左に六つの課が並ぶ形の通常のレイアウトである。

バリエーションはいろいろあったが、いずれの場合も組織図のモデルを再現する形になった。たとえば、新入社員たちやもう一つ課を収容するにはスペースが足りない時には、図3の課の配置は トマス・ローレン［Rohlen 1974: 105-6］が示したような日本型に変更され、図4のようになる。

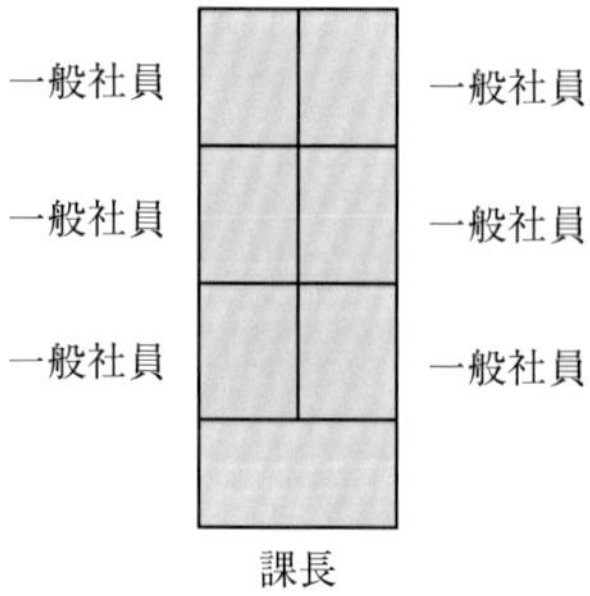

いずれの配置でも、課長と部長の席は近くにあり、ともに一日中さえぎる物のない状態で部下を見ることができた。どの課長も自分の課のメンバーのすぐ奥に座り、部長の席はさらに奥の、課長からは机一つほどの距離もない位置にあり、本部長は、通常オフィス全体に一番目が届きやすい場所に席を占めた。課長には、自分の部下が仕事をしているかどうか、またしばしば、扱っている文書が何かまでわかった。部下が電話で何を話しているかも聞こえた。さらに、社員からは、自分を観察しているる課長を簡単に観察することはできなかった。そして社員が課長に何も告げずにオフィスを離れることはまずなかった。無断で席を離れる場合は、通常はトイレに行くものと解された。

図4　課の別の配置

机の配置はルールに則って機械的に決まるものではなく、そこには管理課長その他管理職の積極的な判断が必要とされた。たとえば、私がフィールドワークを始めて数か月後、新入社員の席を設けるためにオフィス内を配置し直さなければならなくなって、管理課長は新しいレイアウトを工夫しようと頭を悩ませていた。私の机の場所はどこがいいかとたずねられたので、私は、部長とある課長のあいだを指定した。そこが二人のやり取りを一番うかがいやすいポイントだったからである。私の希望は丁重に受けとめられたが、受け入れられることはなかった。私はその後、そこなら邪魔にならないだろうと考えて、二つの部から当距離の場所をあげたが、管理課長は、その場所だとあなたが本部長になったように見えてしまいます、と穏やかな口調で説明したものだ。

管理職が部下をコントロールする方法はまだあった。仕事の範囲を狭く制限するのである。テスンの管理職は、期限のない仕事を部下に与えたりはしなかったし、何が達成できるか、自分たちの考えでやってみるような余裕も与えなかった。とりわけ一般社員には、はっきりと形の決まった仕事しか与えられなかった。文書の校閲と翻訳をたのまれた時に、私はそうした制限に気がついた。社員たちは言い回しが直訳調でないと嫌がり、課長や部長はそれよりやや寛大だったが、大幅な意訳を受け入れたのは理事だけだった。私と同じようにコンピュータに関心があった新規採用のある社員は、社内の記録をコンピュータ化するアイデアについて話してくれたが、彼の課長は与えられた仕事に注力するように言っていた。こうした管理職の行動は、財閥や系列各社が創造性とイノベーションを重視しているかどうかについての社員の認識を形成するものであった。上司が選んだ目標を達成するためには、創造性は制限されるものだと、社員は即座に学ぶのだった。

管理職は、書類を完成させたり、ほかの指示課題をやり遂げるまで、部下をオフィスに居残らせることができた。午後六時に社内放送から音楽が静かに流れ、一日の公式の勤務時間の終わりを告げ始めてからも、男性社員はウィークデーには七時まではほぼ全員が残り、八時か九時まで仕事する人も数多くあった。「少なくとも七時までは残らないと評価が低くなるぞ」と言われたことがある、とある課長は打ち明けた。社員は、ときには特別な事情があるので残業を遠慮させてくださいと申し出ることがあり、その要望は認められる場合もあったが、社員は拒否された時のことばかりを口にした（第七章）

支配の象徴的再生産

このように、業務を直接コントロールする手段はいろいろあるが、いっぽうでは、あの手この手でヒエラルキーに順応させようとする、数えきれないほどの実践があった。たとえば、管理課長が机の配置を変えることで、監督が容易になるだけでなく、初めてオフィスに入ってきた人にも、さまざまな社員の職階が一目瞭然となった。管理課長はまた、管理職の机に、部や部署の名称、課の名称または番号、職階、氏名を順番に書いたネームプレートを置いた（例：経理部 第三課課長 ホン・ギルドン）。一般社員の机にはそのようなネームプレートはなかったが、彼らの机は同じように所定の序列に従って配置されていた。年長の一般社員の机はもっとも奥の課長の近くに置かれ、男性の新入社員とすべての女性社員の机は前方に配置された。グレード5で、どの男性社員よりも下位の女性事務員たちは、課長からもっとも遠い席だった。

デスクの配置やネームプレートが表わす階層の序列は、各デスクのサイズと装備を見ただけでわかるようになった。それは総務部が財閥の本部ビル内の机を規格化しようとしたためである。

男性も女性も、一般社員にはアームレストのない椅子と片側にだけ引き出しのある机が支給され、課長にはアームレスト付きの椅子と両側に引き出しがある少し大きめの机が支給された。部長の机はさらに大きく、引き出し二段のファイルキャビネットもあり、アームレスト付きの椅子には課長の椅子よりも高い背もたれが付いていた。理事には個室があり、さらに大きな机と椅子、会議机、コンピュータ端末、ガラス扉付きの書棚、そしてコート掛けが備わっていた。

地位を表わすこうした物理的標識は、きわめて体系的に用意されていたので、それ自体が文化的知識能力の一部となり、社員はそれを身につけ、目にしたものが何を意味するかをひと目で理解することになった。たとえば、私がフィールドワークを始めた時には、私を「課長」と呼び始めた人がいたが、それは私の机のサイズと配置が課長と同等だったからで、彼らは私が誰の上司でもなく、調査をするためにオフィスにいるということはよく知っていたのである。

服従の習慣を植えつけようとする研修プログラムも、職階の違いが自然に身につくように組まれていた。たとえば、職階の低い人は、職階の高い人が机のそばに来ると起立するように教えられていたが、職階の低い人が机のそばに来ても、職階の高い方の人は座ったままだった。私がいたオフィスにテスン社の副社長が突然入って来た時には、五〇人あまりの社員の全員が起立した。座ったままでいるのは不自然なので、私も起立した。上司との人間関係やその時々の状況しだいで、起立が素早かったりぎこちなかったりした。

もう一つ、ヒエラルキーを示す標識にボディランゲージがあった。韓国ではどこであっても、上司と部下が書類やその他物品をやり取りする時には、部下は両手を、上司は片手だけを用いる。部下が上司に叱られている時には、私は、彼がどのくらい長く、どれほど直立不動で、上司の机の前に無言のまま立っているか、しばしば推測することもできないではなかった。また、最近家族に不幸があった社員への見舞いの封筒に二万ウォンを入れかけていたある管理職は、自分の見舞い金が上司の出す額よりも少ないかどうかを確認するために、いったん手を止めた。

社員がオフィスのビルに着くと、平日の朝一番から序列がはっきりと現れた。理事より下の職階の人たちが通る時には、ドアマンは通常、どうぞとも言わず挨拶もしなかった。しかし、理事たちには挨拶して少し頭を下げ、社長たちには軍隊式に敬礼し、エレベーターのドアを開けて待機した。間もなく会長が到着するという合図は、車の無線から送られるらしく、正面口にもっとも近いエレベーターは開かれたまま会長の到着を待ち、会長をスムーズにオフィスに送り届けるために、オペレーターが開いたドアの脇に待機した。ドアマンたちは全員が気をつけの姿勢をとり、会長がビルに入ってくると礼をした。

相対的な権力関係は、また、さらに多くの実践によって示された。職階が低い人たちは、目上の人に対してはまず自分から挨拶をするように教えられていた。目上の側は、その後に挨拶を返すが、部下に対してまず自分から挨拶をするということはなかった。エレベーターには、この作法が守れないほど混んでいないかぎり、職階が一番高い人が最初に乗る。出入り口は目上の人が最初に通る。自動車の座席にも相対的な序列があった。運転手付きの車の場合、職階が一番高い人はリアシートの右、二番目の人がリアシートの左、三番目の人はフロントシートの右、四番目の人は多少座り心地の悪いリアシートの中央に座る。自家用車の場合にはルールが変わり、もっとも目上の人はフロントシートの右となる。ある日の午後、社員のグループを私の車に乗せた時に、一人の一般社員が不適切な席に座ってしまうと、課長は席を代わるようにと言った。

職階の違いを再確認させるために管理職が用いる呼称は非常に重要であり、私がフィールドワークを始めた時には、オフィス内の行動に関しては、そのことだけに注意するようにと教えられたほどである。本部長は海外支店勤務の折にアメリカで数年暮らした経験があり、ファーストネームで呼びかけるアメリカ人の習慣をよく知っていた。彼は、私が韓国のエチケットの基本を知っていて、それを守ってくれることを確認したかったようである。そして彼は、オフィスの人たちが私をどう呼ぶべきかを決めなければならなかった[6]。数日後、私はある社員を呼び間違え、その間違いを彼の直属の課長にただちに指摘された。

管理職の上司たちは、部下の管理職を職階と名前で「金課長」と呼んだり、課の名称または番号と職階で「第五課長」とか「企画課長」というふうに呼んだ。それに対して一般社員は課長を、敬称の接尾辞「ニム（様）」を肩書に付けて「課長ニム（様）〔과장님〕」と呼んだが、同じように課長は部長を、敬称の接尾辞を肩書に付けて「部長ニム（様）〔부장님〕」と呼んだ。もしも上司を同等の肩書をもつほかの上司から区別しなければならないなら、若手社員は肩書の前に上司の姓を付けて呼ぶこともできた。同じ職階の管理職たちは、通常、姓に肩書を付けて呼び合ってい

た。同じ肩書の人に敬称の接尾辞を付ければ、そこにはちょっとしたお世辞の含意があり、おそらくは少々ユーモアをまじえて、これから頼み事をしますということになる。

管理職の肩書を持たない男女は、それぞれの序列を象徴的に表わす呼び方をされた。男性一般社員は誰からも通常フルネームに「シ（씨）」を付けて、たとえば「パク・キムン・シ」というふうに呼ばれたが、女性に対しては英語式に姓に「ミス」を付けて、「ミス・チョウ」と呼ぶことがひろくおこなわれていた。英語のミスターとミスが使われるのは目下の人を指す場合にかぎられていた。英会話のクラスのなかでさえ、私が「（英語では）目上の人にもミスターを姓に付けることができます」と説明しても、クラスの参加者で上司にその呼称を使う者はいなかった。彼らは、そのかわりに、たとえば「ディレクター・コウ」（コウ理事）というように上司の肩書を英語に訳していた。

けれども、言葉に関するルールにいくつか変化が起きていることも分かった。

私がフィールドワークを始めた時には、「女性社員たちは男性よりも地位の低い呼び方をされることに不満を感じている」と聞かされていた。そして私がテスンにいたあいだに、管理職が女性社員を呼ぶ時には、「ミス」を姓に付けることもあったが、フルネームに「シ（씨）」を付けることも多くなった。

ごくたまにだが、管理職ではない社員が、自分より先に英会話クラスにいた人に対して、姓に「先輩」という呼称を付けたり、さらに敬称の接尾辞「ニム」を加えて「コン先輩ニム（권 선배

님)」と呼ぶのを耳にすることがあった。「先輩（선배）」には適当な英語の訳語がない。学校で生徒に使われたり、同窓会で使われたりするが、自分より先にその制度のなかにいた人を指す言葉である。それに対して、「後輩」という言葉は、話のなかで使われることはあっても、自分より後に入ってきた人への呼称としては使われなかった。私は、「先輩」「後輩」という呼称を、新入社員の社内研修以外ではほとんど聞いたことがなかった。呼称としての「先輩ニム（様）」は、お世辞やユーモアを表現するためによく使われたが、同列の職階の男性のあいだでのみ用いられ、目上の人は必ず肩書で呼ばれていた。

毎週の部課長会のような公式な会議でなくとも、席の配置は、職階を自然なものに感じさせる役に立った。通常、目上の人が上座に座り、次の職階の人は目上の人のすぐ左右に、若手になるほど下座に座った。レストランでは、職階の高い人ほど、通常、入口や通路から離れた「奥の」席に座る。職階が同じなら年功序列が表に出ることはまずないが、職階の違いは注意深く守られた。管理職たちは、この席の並べ方を私の英会話クラスにも適用した。ある部署の一般社員と課長はそれに従わなかったのだが。

財閥が新しい本部ビルに移った折のこと、最高幹部たちは、アメリカのある会社がテスンの社長室のために用意した家具を見てとまどった。社長が上層部と打ち合わせをするためのエリアにはすべて同じ椅子が置かれていて、テーブルが正方形だったのだ。これでは社長の席がどこなのかわからない。家具はすぐに交換のはこびとなった。

ランチの約束にさえ、地位の上下が意識されていた。私がフィールドワークを始めた当初は、同じオフィスで働く人たちとのランチは、通常、食事の直前にアレンジされ、上司が若手を誘うものと聞かされていた。若手社員が上司のスケジュールに合わせるものと期待されていたからである。私は、何度もミスを経験して初めて、これら二つのルールがどう関連しているかを理解し、適切なマナーに従ってランチをアレンジできるようになった。

もし先約がなければ、理事が部長を誘って外に食べに出ることはよくあった。部長たちは、先約がなければ部長同士で食べるか自分の部の課長を誘うのが常だった。そして課長の場合、先約がなければ、同じ部署のほかの課長とランチすることもあるが、むしろ同じ課の男性社員と食べることが多かった（女性社員には、通常、いっしょに昼食をとるグループがあった）。ランチタイムのかなり前に、一緒に食べる約束をしたりされたりすると、上司からのランチの誘いを断るリスクが生じたり、悪くすると上司を一人、置き去りにしてしまう可能性があった。オフィス外との特別なアポイントは容認されたが、オフィス内では別だった。フィールドワークを始めて数日のうちに、外にランチを食べに出ようと私が誘ったある課長は、本部長からの誘いを断らねばならなかったので間の悪い思いをしたと、後に打ち明けたものだった。

こうした状況をやりくりするために独自の戦略を工夫する管理職もいた。ある部長が私のアメリカ人の友人と会いたいというので、私はランチタイム・ミーティングを手配した。すると部長はこのランチの約束を守るために一計を案じた。ランチタイムの直前には経営幹部と重要顧客の会議があり、彼は、そこに自分も出席することになっているのを知っていた。そうなると会議後はランチで二人に同行して食事代を支払うことになる。それを予想して彼は、自分の代役として部下の課長の一人をその会議に出席させたのである。

地位と職階は、一見、単純で些末な事柄にも見かけられる。理事自身のクリスマスカードは、課長や部長用のカードよりも多少高級なものが選ばれる。さらに、ある管理職が教えてくれたところによれば、友人やオフィスの同僚に持ち帰る海外出張土産の贈り物は、渡す相手の職階に応じた価格の物が期待されるということだった。

これらの慣行が重要なのは、それらが象徴的意味を有し、ひろく普及しているからである。約めていえば、これらはすべて、会社内の序列システムを自然に受け入れさせるため、あるいは序列システムという「魔法にかける（enchant）」［Bourdieu 1977: 167］ための首尾一貫した持続的企てを示しており、韓国の農村や学会でしばしば目にする、ヒエラルキーに対する是々非々の対応や対抗戦略、あるいは交渉努力といったものを跡形もなく消し去ってしまうのである。

これらの、また多くのさらに象徴的な表現は、「序列は自然なものであり、その権威は頂点から底辺へと下る」という理解をつくり上げ、再認識させることを目的としていた。たとえ象徴的にであれ上司の権威に反抗する機会が抑えられれば、支配に挑戦する潜在的可能性は制約される。それに加えて、いたるところで使われる職階と内部昇進の戦略が、同僚に比べて昇進が遅れることを一層辛いものにする。つまり、遅れをとった者は、かつて対等だった者たちのあいだで自らの劣位を常に思い知らされるのだ。大きな社会的行事を欠席したりすると、出世で先を越されたのが辛いからだろうと同僚に思われるのだった。

管理職たちが、社内のヒエラルキー構造を維持するために数々のテクニックを動員し、かなり意識的にそれらを用い、新人研修で服従の精神を刻み込むために大きな努力を払ったという事実は、職場のヒエラルキーというものが、社員のテスン入社時における労働者としての文化的知識の単なる成果ではないことを示していた。韓国には階級関係を扱った研究書がすでに数多くあるが、私は、会社の慣行と、私がきわめてよく知る地方農村や学術機関というほかの環境における慣行とのあいだの、もっとも突出した相違点を明らかにしようと思う。私の論述は、入社以前の慣行とテスン入社後の慣行とのあいだには大きな断絶があると見ているが、それは、第七章で述べるように、とりわけこうした問題についての社員自身の見解にもとづいている。

たしかに、オフィス内の序列づけはしばしば年齢順であったが、これは会社を離れてもよく見られたことなので、それほど恣意的なものではなかったかもしれない。私が第一章で示そうとしたのは、韓国の農村では、ほかの地域同様、地位（ステイタス）は年齢で決まっていたということだった［Flanagan 1989: 246］。テスンでは、年齢は実際の権力あるいは権威といつも完全に一致していたわけではなかったが、本部のヒエラルキーの低位にある一般社員のあいだでは、年齢の差がじゅうぶんに機能しており、そこでのヒエラルキーの正当化に役立っていた。しかしながら、私が同じ第一章で示そうとしたように、農村では、非親族のあいだや遠い親族のあいだでは、年齢の差は丁重な敬意には値しても権威には値しなかったのであり、その敬意には会社でのそれとは違って柔軟性があった。リネージの成員たちには敬意が払われるべきさまざまな判断基準があり、その多様性は、リネージの成員たちそれぞれの地位に関して調整の余地を生み出していたのである。そのうえ、その判断基準自体が個人の能力や業績とは無関係な偶然の生まれ合わせ（血統）によるものと考えられていた。したがって、特定の状況下で、どの基準が重視されるべきか、複数の基準をどのように考慮すべきかについて議論する際には、率直に不一致を認め、しばしばユーモアをもって議論されていた［R. Janelli 1975: 137-39］。

それに対して、オフィスでは、年齢と職階の不整合は、きまり悪さの源泉であり、オープンに議論されるより、裏でこっそりささやかれる性質のものだった。同じ部署の先輩を追い越してある課長が部長に昇進した時、同じ部署の社歴のより長い課長の上位に新任の部長を置くことを避けるために、調整がおこなわれた話は第四章で述べた。私との雑談のなかでも、仲間の誰かよりも多少昇進が遅かった人たちは、自分たちの年齢や卒業年度や入社年度を明らかにしたがらなかった。

フィールドワークを始めた最初の数週間に、私のミスでうっかり年齢と職階の不釣り合いが表に出てしまうことがあった。社内では、私にはどんな公式の役職もなかったので、ヒエラルキーのどこかに私を当てはめようとする気持ちが働いたのだろうか、初対面の男性たちの多くが私の年齢をたずね、それに対して私も相手の年齢をきいてしまった。その結果ある課長は、自分より一年早くテスンに入社していたので年上だと思っていた顔見知りが、じつは自分より年下であることを知って驚くことになった。しかし、多くの場合、年齢と職階の不釣り合いは既知の事実でありながら口外されなかった。たとえば、管理課長の手元には、全員の生年月日、昇格年度、入社日時の部署別リストがあったのである。

韓国の研究者たちの場合、彼らはアメリカの研究者よりは年齢を気にかけるが、テスンのオフィスでのような堅苦しいルールはない。学会の会長職や会議の席次は、通常、年功序列の文化的観念に従うが、研究者たちがいつも権威を年齢に関連づけているということはない。たとえば、私は（村の選挙同様）学会の役職選挙も目にしたが、やはり各自の無記名投票によるものだった。年長の研究者が奥の席やテーブルの上座を若手に譲ることがあったが、若手の研究者は年長者がそれを強く求める場合にかぎって受け入れていた。私は、研究者の気の置けない集まりで、年長の研究者が若手に酒を注ぐのを見たが、会社の集まりではそのような象徴的な序列の逆転を目にしたことはまったくなかった。テスンの階級システムによく似ているのは軍隊だと思われるが、この点についてはテスンの社員もほかの多くの関係者も同感であった（第七章）。

3. 退勤後の過ごし方

韓国企業のオーナー経営者たちは、社員の娯楽のための予算措置を講じていて、出費がとくにかさむものでなければ、いつどのように経費を使うかについては職階の低い（課長レベルの）管理職が決裁していた。それぞれのレベルの管理職が、部下たちの興味や能力に応じて、さまざまなレクリエーション行事を準備した。場所は多くの社員が住むソウルのどこかで、季節やさまざまな事情が考慮された。たとえば、自分たちの部署が頻繁に利用し、ほかの部署には知られていないレストランや居酒屋が利用されることもあった。飲んだり食べたりのほかに、人気があった会社負担の行楽には、バーベキューつきの山歩き、サウナ、カードゲーム（花札）、ボウリング、それにディスコクラブのダンスなどがあった。

会社負担のレクリエーションへの参加の呼びかけは、たいてい会社の組織図の部署ごとにおこなわれ、その頻度は部署の大きさに反比例した。財閥あるいは会社全体でおこなうレクリエーションは見られなかったが、それは組織の大きさや地理的な分散を考えれば驚くにはあたらない。しかし、テスンの本部社員は、私のフィールドワーク中に全員参加のレクリエーション行事を二回開催した。一つは年末のオフィスパーティーで、社長がそれぞれの部署に公式に顔を見せ、多くの管理職がほかの部署に行き来して挨拶を交わした。もう一つは、スポーツイベントの屋外観戦で、一九八八年のオリンピックに向けて会社が後援している競技の観戦だった。それぞれの部署の長は、年間を通じて部署ごとのピクニックをさらに数回催し、それには春の運動会と秋の野外レクリエーションが含まれていた。私がデスクを置いた部署の情報であるが、各部ごとの集まりはさらに頻繁だという。

私がいた部署を例にとると、月初めに部署の懇親会が一回あって、前月に多忙な業務をやりとげたことを祝った。ほかにも機会があるたびにピクニックのような野外行事を企画したり、年末のオフィスパーティーの二次会を催したりした。それぞれの部署を担当する理事や本部長たちは、中級管理職をランチや退勤後の息抜きに連れて行き、部長たちも課長を食事や酒に誘ったりした。課長たちは、勤務時間外によく部下の社員を食事と酒やその他の娯楽に誘っていた。私の観察や社員たちの証言によれば、それは週に一度ほどの頻度だった(7)。

勤務時間外の懇親会は、一般に、個人間の親密度によるのではなく、組織単位で催されていたため、その部署の全員がすべての行事に参加するものとされていた。たとえば、ある部がボウリングの夕べを催すのは、ボウリング愛好者のためではなかった。課長や部長は、常日頃からお互いに話し合い、それぞれのメリットと魅力に配慮しつつ、互いに違った内容の行事を企画するように心がけた。ほとんどの社員はこうした人づきあいを肯定的に語り、わずらわしい義務だと不満を口にする者もおらず、参加率は高かった。しかし、全員がすべての行事に参加するわけでは

なく、別の欠かせない社会的義務をあげて、特定の夜の懇親会を避ける者もいた。ある晩には、一人の男性が父親の祖先祭祀に参列しなければならないとして欠席の許可を願い出た。別の一人は、日曜は行事に参加するよりは、一日ゆっくり子どもと過ごしたいと言った。さらに、管理職も社員も、行事に顔を出してから早めに引き上げることを「エスケイプする（逃亡する 도망하다）」と表現して、参加が純粋に自発的なものではないことを匂わせた。行事への参加は、部署内の結束を示すものと思われていたので、欠席する場合は、完璧な欠席理由を提出しなければならなかった。管理職が、自分の部下は全員参加したとか、断り切れない義理があって部下の一人が欠席したと語る時には、明らかに自慢げだった。ときには欠席が、たとえば昇進を逃した場合のように、欠席した人の反感の表われだと説明されることもあった。

個人が費用を負担する多くの勤務後の懇親会も、組織ごとに催された。結婚や葬儀、あるいは子どもの一歳の誕生日祝いのような特別な場合には、部署全体が個人の家に招待されることも多かった。そして、同じ課の一般社員たち、とりわけ独身社員たちは、ときには課長抜きで飲みに出かけた。

個人的な懇親会がすべて配属組織内でおこなわれるわけではなかったが、そうでない懇親会は、こそこそ集まっているように思われがちだった。配属部署の同僚の前で個人的な食事や飲み会の話が語られることもなかった。私が招待された課や部の懇親会では、ほかの参加者も私も、隣の課や部の人には知られないようにと言われたことがあった。もし伝わると、妬まれたり、招待してほしいと言われたりするというのだった。ある課が計画していた山登りとピクニックは、ほかの課に知られてしまったので中止になり、結局部署全体で行くことになったという。私の知らない行事もいくつか企画されていただろう。

テスンの社員は、ほぼ例外なく、退勤後の懇親会はオフィスでのストレスや緊張感の解毒剤だという考えをはっきり述べていた。ほとんどの人がオフィスのやり取りで生ずるストレスを「癒やす（풀다）」のだと言い、財閥や会社のカンパニーマガジンに載っていた意見を繰り返した。ある年配の管理職は、オフィスでは望めない、積極的にコミュニケーションをとる重要な機会だ、と述べ、あるいはまた、そこでは日ごろ心のなかに秘められている人間関係の葛藤が語られることがある、という声もあった。実際、そうした機会に目にするくだけたふるまいは、オフィスの雰囲気とは正反対のものではあった。

こうした伝統的な解釈に対しては、これら行事のストレス癒し機能に疑問を持つ新入社員から異議が出ないではなかったが、勤務外の息抜きは、ほとんどの場合、オフィスの日常的なヒエラルキーを意図的に棚上げする「反構造的」な祝祭［Turner 1969］と受け止められていた。若手管理職や、ときには一般社員でさえもが、上司の目の前で計画の主導権を握り、組織を統率することを許された。たとえば、私が参加した山登りハイキングでは、英語を習っているある部長が、ハイカーとしては自分よりも経験のある部下の課長にこう言った。「今日はミスター・トが王様（リーダーの意）だ」。ある本部長は、一般社員が司会を務めたある退勤後のパーティーを話題にしながら、「こういうときは、オ・ソンギ・シ（さん）が本部長だな」と述べた。

オフィスワーカーたちが、こうした機会を称してオフィス生活の解毒剤と言ったのは、そこにいわゆる立場の逆転があり、人間関係がドラマチックに変化したからである。上司はよく部下に笑顔を見せ、冗談も言い、二、三人は女性社員と思わせぶりに踊りさえした。私がフィールドワークに入る数か月前に催されたパーティーでは、年配の管理職がテーブルの上で部下の女性と踊り、おかげでテーブルが壊れてしまったという。勤務中の堅苦しく形式張った人間関係と気晴らしの時間のそれとの落差に、私も心底驚いたものだ。これに比べると、アメリカのオフィス生活とカクテルパーティーのコントラストが色あせて見える。たとえば、ある部署が催したサッカー試合では、公式のスポーツ試合の応援で観客がお気に入りの選手の名前を連続コールするように、女性社員たちが笑いながら自分たちの部署の担当理事のフルネームを呼び続け、オフィスでは目にしたことのない自由なふるまいを楽しんでいた。理事の名前を呼ぶたびに笑いが巻き起こることから、彼女たちがどこまでやってもよいか理解していることが見てとれたが、それはとくにその理事がゲームの審判を務めていたからだった。

フィールドワークの初期の頃、ある課長が、別のパーティーの機会を利用して、私を打ち解けさせるために、彼をフィールドワーカーに、私をインフォーマントにと、二人の立場を逆転させようとしたことがあった。彼いわく、自分は教師を常に畏れ憚ってきたので、教師がトイレに行くのを見たことがないし、ましてや酒を飲むところなど知るはずもない。大学教授がどのくらい酒が飲めるのかを知りたいので、あなたを観察したいのです。何かもう一杯いかがですか。その課長はすぐに、テスン社で私が好意を抱いた一人になった。

しかしながら、(行事の癒やし機能に)異論を述べた社員の解釈を裏付けるように、こうした行事の持つ、より微妙な側面があらわになることもあった。立場の逆転を謳っているにもかかわらず、若手が上司に命令したり、上司の希望を無視したりして、一時的に与えられた権力の範囲を越えようとするのを、私は一度も見たことはなかった。アルコールがもとで、「失敗(실수)」したり、人を攻撃したりしてしまうおそれは誰もがよくわかっていた。上司の地位の高さは座席の配置からも、料理が給仕される順番からも、あるいは非対称な敬語の使われ方によっても明らかだった。たとえば、ある部署がカードゲームを企画した時には、理事とその部下の部長が同じグループになるというように、職階に従った四、五人のグループがいくつか作られた。

これらの行事の費用負担もまた、職階を再確認する微妙な手段となっていた。たとえば、ある一般社員の家で開催された行事では、もっとも職階が高い人物はほかの部下よりもずっと高価なギフトを持参するものとされていた。さらに、部や課の慰労会がレストランやほかの公共の場所で開催された場合には、常に年長者が支払いをした。その費用の一部は会社持ちだが、残りは自分のポケットマネーだと課長の一人は言っていたが、一般社員たちはどちらかといえば全額が会社から出ていると考えがちだった。私のための歓迎会の後、私は、それが課長の個人負担でないにしても、課の接待費を使わせたことに恐縮したので、翌月の行事は私に支払わせて欲しいと申し出た。すると、課長は私に、その代わりに部下にランチをおごってやってほしいと頼み、定例行事の費用を私が負担してしまうと、彼にとっては「難しいことになる」、とだけ説明した。別の課長が認めたように、こういう機会の費用負担には暗黙のルールがあったのだ。その目的には、課長が部下におごったという印象を与えることも含まれているのだろうと推測される。

　村での気晴らしや社交の行事が、オフィスパーティーを解釈するための枠組みを与えてくれる。オフィスパーティーは、村の慣行を一部分延長したものだと考えることができるからである。ある一般社員は、前日の晩の宴会をサルプリ（살풀이　厄払い）と呼んだ。不吉な力が及ぶのを取り除く、シャーマニズムの祭祀のことである［Han’guk minsok sajon p’yonch’an wiwonhoe 1991: 760］。ある課長の父親が亡くなった時には、彼の課が所属する部署の社員、とくに課長の部下の社員は、通夜の席に夜通し付き添うなど、村の隣人たちならそうしたであろうような、さまざまな役割をはたすことになった。ある状況下では形式へのこだわり、ヒエラルキー、自己抑制が目立ち、別の状況下ではインフォーマルで平等主義的な騒々しさが支配する。この鋭い対比は、ちょうどヴィンセント・ブラント［Brandt 1971］が韓国の農村に見出した二重性（duality）に合致する。村民たちにとって、娯楽はまた象徴資本を獲得するための手段でもあった。こうした類似点はおそらく、労働者の実践的意識と共鳴し合っていただろう。

　しかしながら、行動のなかに伝統に由来する性格を立証しようとするすべての試みがそうであるように、現在と過去の連続性には別の解釈が異論をぶつけてくる。会社で見られるのは、村の慣行の反復であるよりも、むしろその変容であるという議論も成り立つのである。たとえば、ティソンディでは、もっともヒエラルキーが厳しい人間関係（父と子の関係）は、コミュニティの祝祭の場でも解除されることはなく、そこでは息子が父親を避けていた。インフォーマルで平等主義的なコミュニティの人間関係がひろく共有されてはいても、父子ともに相互関係のモードに拘束されているので、祝祭は親族関係の形式主義への解毒剤だとは考えられなかったのである。そしてまた、会社の勤務時間外のレクリエーションでは、村のコミュニティの祝祭なみの平等な人間関係が得られることはけっしてなかった。部下たちは上司の前では常に一定の遠慮を保っており、ティソンディの祝祭で任敦姫と私がしばしば記録したような、たわいない悪ふざけやオープンな議論を目にすることはなかった。

このような差異を考慮すれば、勤務時間外のリクリエーション活動は、村の慣行の単純な延長ではなく、オフィスでの厳格なコントロールを社員が受け入れやすくしようとする意図的な戦略の一環だと考えることもできる。毎週の部課長会にふれた箇所で、私は、ある経営幹部が土曜の午後の娯楽をそのように利用するよう課長を指導していたことにふれている（二六九頁参照）。組織図に従って種々の活動の参加者を募る。そこにはまた、個々人の忠誠心をその所属組織に向かわせ、ほかの関係先からは遠ざける意図があるのかもしれないし、自己管理研修におけるチームワークと同じ原理を表わしているようにも見える。ほかの会合がしばしば仲間内だけで秘密裏におこなわれるのはそのためではないだろうか。さらに言うなら、そのような集まりの排他性は、参加資格のある者すべてをひろく集めるおおやけの村の慣行とは正反対である［Brandt 1971: 147］。娯楽に多くの時間が使われるという事実には、おそらく、社外で家族や友人と過ごす自由時間を最小にするという油断のならない意図が含まれていて、それによって企業は、会社との一体感を強化し、会社業務への高いレベルでの関与を強いていたのではないだろうか。テスン社にはこういう解釈をした人は誰もいなかったが、管理職のなかにはブルーカラー社員への対応にこれと似た戦略を採用していた人がいたのだから、新中流階級にも、一部で同様のテクニックが適用されることはありうる。韓国でのビジネスに関心を寄せるアメリカ人に向けたハウツー本には、次のようなアドバイスが示されていた

労働争議の可能性を排除するための予防的戦術は、ピクニックやスポーツイベントのような、会社が費用を負担する活動を通じて、コミュニティや家族的な雰囲気をつくることである……会社での活動を個人的利益として追求することで満足する社員には、おそらく、労働問題に関心を持つ時間も動機もないだろうからである……そのような気晴らしは、ストライキやサボタージュのために時間を費やすよりもはるかに生産的で経済的である。ある地方の明敏な労使関係担当者は、組合活動を工場構内の美化活動に転換することに成功した。「やりがいのあることで、忙しくさせなさい！」［Jang 1988: 127］。

注

（1）管理課長はいつも末席に座っていたが、それは彼が議題の一覧を作成し、それにそって会議を進める責任があったからだろう。

（2）彼は以前、たとえば「お見せしなければならないものは何もないですよ」というふうに別の理由をあげていたのである。私も、「このような会議に出席することは、私の調査には特段重要ではありません」と、自分の希望をうまく表現し、「私は会社の秘密には関わりたくありません」と言って、彼が断りやすいようにしていたつもりであった。しかし、ふり返ってみれば、断られてもなお、何度も会議への参加を求めた私は、図々しいと思われていたことだろう。この会議を見たほうがいいと提案してくれた課長がいなければ、私はこうした会議を完全に見落としていたかもしれない。課長の提案はフィールドワークの初めの頃にあり、当時私は自分が経営慣行を擁護していることに気づいていたが、彼の提案が私の認識を組み替えることを狙ったものだったかどうか、私にはいまだによくわからない。

（3）私が会議の場にいたことが影響を与えたかどうかを、その後会議の参加者にたずねたところ、三人の課長の見方は三つに分かれた。一人は、私がいたことで経営幹部は抑制されていたと述べ、二人目は、経営幹部はいつもより厳しかったと述べ、三人目は、経営幹部の厳しさはいつもと変わらなかったが、自分の発言の論点を私にもよくわかるように工夫していたように思えたと言った。

（4）オリジナルは見つけられなかったが、英語から韓国語に翻訳されたものだろう。そのマニュアルでは、ノーマン・ビンセント・ピールの『ポジティヴ・シンキングの力』［Peale 1952］などの英語の出版物が推奨されており、韓国語の一節のなかにはとてもうまく英語の慣用表現に訳すことができるものがある。

（5）副会長や会長の押印欄は見たことがなかったが、財閥全体にかかわる文書にはそれがあったと思う。

（6）何と呼べばよいのですか、と彼にたずねられた時、私は「ジャネリ教授」か「ジャネリ・シ（ジャネリさん）」がいいですねと答えたが、その時はまだ「シ」の意味するところを知らなかった（訳注：姓＋シの呼び方は失礼にあたる）。私より若い人はすべて、私のことを「教授」に「ニム（様）」という研究者に対してよく使われる敬称の接尾辞を付けて「教授ニム」と呼ぶようになった。一人の課長だけは別だった。その課長はさまざまな機会に職階の制度が好きではないと述べており、すてきなユーモアのセンスがあった。彼は、私の特別扱いにチャレンジしては楽しんでいた。彼は、個人的にではなく、時折、皆の前で私のことを「ジャネリ・シ」と呼んだ。

(7) このような機会は飲み会と呼ばれていたが、食事も含まれていた。一次会は通常、食事しながらのおだやかな飲み会で、二次会は娯楽(たとえばダンス)を含む飲み会で、三次会はもっぱら飲み会となり、そして四次会は(もしそれがあればだが)酒に強い人たちだけの会になった。四次会はラスト(最終ラウンド)と呼ばれていて、ある管理職が指摘したように、漢字の「四사(サ)」は「死사(サ)」の同音異義語だった。四次会は全員にとどめを刺すといわれていたのである。

第六章　下からの反応（1）——国際政治経済と韓国の政治経済

私の頭は行ったり来たりしています。
テスンのある管理職

経営者としてのブルジョアジーは、権力と経済的特権の非対称的な関係を維持し、また再生産するために、新中流階級の部下にはあらゆるイデオロギーと威圧をもって対した。また、その目的を達するために少なからぬ経営資源を駆使した。ブルジョアジーと新中流階級とのあいだには多くの共通利益がないではなかった。にもかかわらず、部下であるテスンの一般社員たちの見解の多くは、ブルジョワジーの唱える見解とは一致しなかった。部下たちはまた、上司に抵抗し、自分たちに不利益をもたらすヒエラルキーの構造を一部つくり変えようとさえした。ある時は自ら行動することで、ある時は国内外の政治経済に対する自らの理解を固持することによって、その目的を達しようとしたのだった。

私の当初の調査計画には、こうした問題は含まれていなかった。調査がこの方向に向かうことになったのは、ひとえにテスンで働く人たちとの交流経験の結果であった。フィールドワークのほんの初期から、多くの若手管理職や一般社員が、国内外の政治経済に対する私の見方を知ろうとした。アメリカが全斗煥体制を援助することに私が不満を持っていることを知ると、彼らは私に、アメリカの政治や資本主義の流儀、文化的慣行に対する広範な批判を開陳してくれたものである。彼らのアメリカ合衆国に対するコメントからは、アメリカの思惑に対する彼らの疑念とアメリカの政策への厳しい批判が伝わってきた。

全斗煥政権への不満はひろく共有されているように見えた。それは主として、彼が国民の要求に耳を貸そうとしないこと、彼の強権的な支配の手法、そして彼の経済への介入によるものだった。好意的な意見を述べた人は一人もいなかった。しかしいっぽう、財閥への批判も、韓国のブルーカラー社員への同情も、語られることはまれであり、それも一貫したものではなかった。

1. 国際政治経済

国際的な政治経済について語るブルジョアジーの表現と若手管理職や一般社員のそれとのもっとも大きな違いは、アメリカという国について、またアメリカと韓国との関係について述べる、その語り口にあった。新中流階級の人たちは、ブルジョアジーとは異なり、必ずしも自由主義経済を支持していたわけではなかった。彼らの発言はむしろ、アメリカの貿易圧力に反対して街頭デモを行っていた学生やその他多くの中流階級の意見に与しがちであった。彼ら新中流階級は、世界の国家間のシステムをゼロサムゲームのように表現することが多く、そこではアメリカの対外・通商政策によって韓国の利益が恒常的に妨げられていた。ブルジョアジーは韓国と「先進工業国」との競争に公然と言及していたが、テスンの社員がアメリカ以外の国について口にすることはまずなかった。さらに、ブルジョアジーはアメリカの貿易圧力を単に「ごく自然なこと」(第三章)としていたが、テスンの社員に言わせると、アメリカの要求は、理不尽で道義的にもいかがわしいものだった。彼らは国際市場を国際政治と切り離してとらえることはせず、市場取引への参加者が対等ではないことも率直に認めていた。彼らは文化的、政治的、経済的格差のあいだにつながりがあることを認めたうえで、それらすべての不釣り合いを是正しようとしていたのである。

オフィスワーカーの多くは学部学生の時代に、経済学や経営学や国際貿易のコースを専攻するか、履修していた。ほとんどの一般社員はウォルター・ロストウ[Rostow 1960]の経済発展の五段階説と比較優位の概念、そしてプロダクトサイクル論を学んでいたが、おそらくそれらが入社試験によく出題されたからだろう。一九八〇年代初頭には、マルキシズムと従属論[Kim Kyong-Dong 1987]に対する韓国の研究者や学生の関心が高まったが、大学のカリキュラムには含まれておらず、多くの学生は自分たちの研究会を通じてそれらに親しんでいた[Roberts and Chun 1984: 80]。

社員たちはまた、メディアを通じて国際政治経済の知識を得ていた。男性の多くは毎朝、新聞を持って出勤したり、ランチタイムには夕刊の早版を読んだりしていた。一般社員にはいなかっ

たが、たまに仕事中にデスクで新聞に目を通す管理職もいた。私たちはしばしば新聞の報道を、また、気に入ったコラムニストの論じた記事を話題にした。私が関心を持ちそうな記事、私がぜひ読むべきだと思われた記事について、折にふれ知らせてくれたり、その切り抜きを持ってきてくれたりする人もいた。ある課長は、テレビと違って新聞は「事実をなんでも公表しますからね（すべて出てきます〔다 나와요〕）」と、ラジオ、テレビに対する政府のコントロールが新聞に比べてはるかに厳しいという共通認識にそれとなくふれながらコメントした。これらすべてのメディアは、とくに韓国側の貿易収支が上向いていたことから、アメリカ産のタバコと農産物に対する韓国市場の開放、そのほかの輸入規制の緩和、ウォン相場の是正などを求めるアメリカの要求が高まっていることを報じ、アメリカの圧力が引き起こした広範な抵抗と憤りを、オフィスワーカーたちに伝えていた。

彼らの国際的な政治経済に関する現実の時宜を得た知識は、中流階級なら誰でもアクセスできた公教育とメディアからだけでなく、テスンでの仕事を通しても得ることができた。財閥も会社も広範囲に国際貿易に関わっており、業務を通じてそれら外部の情報源が追加され、実体をもつようになっていった。近年の円高ウォン安を背景に韓国製品が日本で割安となり、一九八七年の春、日本の顧客への販売増進のため、経営上層部は一部の社員に向けて日本語研修を導入した。一九八六年の秋には韓国の対中国貿易に関する数字が公表されたが（「エイジアン・ウォール・ストリート・ジャーナル」一九八八年一月一七日付け、一七頁）[1]、これよりかなり前にテスンのオフィスワーカーたちが貿易の実態を質、量ともに細部まで把握できていたのは、彼ら自身が必要な書類の多くを作成していたからだった。韓国西岸、牙山（アサン）港での大規模な建設プロジェクトは、何よりも拡大する対中国貿易を促進するために決断された、とある管理職が教えてくれた。あるオフィスの壁に貼られた地図は、すぐに中国製とわかった。コリア（朝鮮）の首都がソウルではなくピョンヤン（平壌）になっていたからである。[2]

韓国と中国の友好関係の進展を考えれば、社員たちが「世界的な共産主義の脅威」といった冷戦時代のレトリックを用いなくなったことは驚くにあたらない。そうした思想は大学など公教育で長らく必須とされてきたわけだが［Mason et al. 1980: 359］、私がフィールドワークを始める前には、すでに放棄されていたように思われる。そして、ほかの一部の人びとが口にした反日的感情表現も、私はテスンではほとんど耳にすることがなかった。

業務上の経験とメディアの報道から、中国と日本への輸出の増加は期待できたが、アメリカとの貿易については、そうした楽観論は影をひそめていた。テスンの社員の観測では、円高によって、アメリカ市場で韓国製品が日本製品よりも安くなることは期待されたものの、アメリカ当局が対韓輸出増と輸入削減によって貿易赤字を削減しようとしているため、アメリカでは保護主義が台頭し、二国間の貿易紛争は激化するものと見られていた。一九八六年のアメリカの議会選挙後まもなく、民主党がアメリカ議会両院の実権を握ったので、保護主義的な法案が増えることが予想されると、テスンのあるレポートと新聞報道の双方が警告を発した。メディアでは、アメリカの貿易政策が日々報道され、批判されていた。アメリカが起こしたダンピング訴訟に対して、会社を擁護する書類を作成している社員もいた。私が知る別の社員たちは、あるアメリカ製品に対して関税引き下げを求めている圧力に屈しないようにと、政府当局に陳情していた。そして、ほかの一部の製品に対する輸入割当制を回避するために、財閥がすでにアメリカ国内に組み立て工場を建設したことは誰もが知っていた。

新入社員から年配の管理職まで、テスンの社員は例外なしに、アメリカの貿易圧力はきわめて公正さを欠いている、という言い方をした。何人かは、これは対等な者同士の紛争と考えるべきではないと主張した。「地上でもっとも豊かな国」として、アメリカには韓国のような恵まれない国を支援する義務があるのだという。また何人かはこうも指摘した。天然資源に乏しい「我が国（ウリナラ 우리 나라）」は、人口密度の高さというハンディキャップもあり、生き残るためには輸出をしなければならないが、いまだに多額の対外債務を抱え、一九八六年になってようやく貿易黒字を達成したばかりなのだ、と。

テスンの人びとはまた、アメリカは韓国の最大の海外市場であり（韓国の輸出の三分の一を占め、その額は韓国の国民総生産の九分の一に相当していた）、しかし、いっぽう、アメリカからの韓国への輸出は全輸出額のわずかな部分を占めるにすぎず、韓国はアメリカの貿易政策の変化にきわめて脆弱なままだということをよく承知していた。市場開放を求めるアメリカ人は、韓国の苦境を理解できていない、なぜなら韓国企業がアメリカ企業と競争できるほど強くなるまでは韓国市場には保護が必要なのだ――彼らはそう主張した。アメリカは、韓国が獲得した経済的利益の背景にある激務や長時間労働にもっと目を向けるべきだという指摘もあった。アメリカの経済的困難の責任はアメリカ人自身にあるのに、韓国やそのほかの国を非難しようとしていると付け加える声もあった。

ブルジョアジーと一般社員や管理職の主張の大きな違いとしては、一般社員や管理職の側の主張に見られる表現の強さ、国力の不均衡に対する認識、アメリカの行動に対する道義的な非難などがあげられる。ソウルのアメリカ大使館でビザを取得するのに苦労したある若手管理職は、とくに遠慮がなく、「アメリカ人は怠けているから、経済問題を抱えることになったのですよ」と言った。日頃の彼らの会話のたねは、購読している新聞や、会社の印刷物で、いずれも韓国に、ではなくアメリカに対して、否定的な含みのある「保護主義（보호주의）」という言葉を使っていた。韓国の産業は保護（보호）を必要としているのに、アメリカは保護主義的だというのである。ある理事は、韓国農業市場に対するアメリカの開放要求について、「彼らは貧しい韓国農民のことを（自分たちが経済的にダメージを与えているとは）考えていないんですよ」と怒りもあらわに語った。彼らの主張の内にある道義的な怒りは、（まったく正反対ではあるが）アメリカでもっともよく耳にした怒りの言葉に似ていた［Koo Hagen 1991］。多くのアメリカ人が「公平な競争の場」（第二章）を道義的に強く要求していたのに対して、テスンの社員たちは、競争するプレイヤーの背丈の違いにもとづいて彼らの主張を展開していたのである。

最後に、国際政治経済の産物ともいうべきテスン社員の外国人体験が、彼らのアメリカ批判にさらなる厳しさを加えることになったことを記しておこう。そうした出会い体験は、オーナー経営者の公的な、あるいは内輪の弁舌のなかには表われることのない、経済支配と文化支配のあいだの特別な関係を社員たちの前に明らかにした。地方で暮らす農民の場合は、国際経済とのやりとりは、ほかの韓国人を介しておこなわれるが、テスンの社員はアメリカ人と直接に接触するため、世界システムのなかでの自分たちの不利な立場とアメリカ人の特権をそれだけ強く意識することになった。日本に対しては貿易赤字が、アメリカに対しては貿易黒字があったので、テスンの社員は日本人ビジネスマンとは主に買い手として会い、アメリカ人とは売り手として会った[3]。売り手は、東アジアではおそらくどこよりも、取引先（買い手）の気まぐれに付き合わされるため[Graham et al. 1989: 281-82]、売り手である日本人と会うほうが明らかにずっと楽しいものだった。ある管理職は、日本人の心地よいもてなしと、それと対照的なアメリカ人の冷たい扱いを、あざやかに比較してみせた。

労働力と市場アクセスへの見返りとして、アメリカのテクノロジーを手に入れるべく設立した合弁事業も、英語を話すことやアメリカのビジネス慣行に従うことが求められたため、韓国人を不利な立場に置くことになった（アメリカのテクノロジーの優位を認めるにつけ、自らの地位の低さを思い知らされた、とも彼らは暗に伝えていた）。こうして、アメリカ人とのごくふつうの出会いも、テスン社員とってはあまり愉快な場面ではなかったのだった。

テスンの社員は皆、外国語でビジネスをおこなうことの戦略的な弱点をよく理解していた。自分は日本語を習いたくないと私に語った人はきわめて率直に、「私が日本語を話すと、子どものような話し方になってしまうのです」とぼやくのだった。新たな合弁事業で、アメリカ人の同僚が回覧してきたオフィス間メモの意味が理解できなかった時、そのアメリカ人がどんなに腹を立てたかを話してくれた社員もいた。

ある管理職が私に、韓国語の能力を謙遜しすぎないほうがいいとアドバイスしてくれたことがあった。私が「韓国語が下手で」と言うたびに、彼や同僚は自分の英語はよほどひどいにちがいないと思ってしまう、というのがその理由だった。私の韓国語の能力よりも彼らの英語の能力の方がはるかに上だと思われる人たちでさえ、母国語で話したがるのは同じ気持からだろうと思われた。対米貿易やアメリカとの合弁事業の共通語として英語をアメリカ人と話すときはとくに消耗するけれども、日本人と英語で話す時には、テスン社員は不利だとは感じていないようだった。むしろ、彼らは日本人と英語でなんとかコミュニケーションをとる、その難しさをユーモアをまじえて語っていた。私がフィールドワークを終えて数か月後のことだが、アメリカとの合弁事業で働く韓国人たちの多くが、業務で英語を使用しなければならないストレスの補償として、賃上げを要求しているという記事が韓国の新聞各紙に報道された。

テスンの社員たちは、世界システムが自分たちに課している不平等は、言語の問題にとどまらないことをよく理解していた。たとえば、ある管理職などは、一九七九年の朴正熙の葬儀に派遣されたアメリカ代表に対する憤りを一度ならず口にしたものだ。アメリカ代表は金浦空港にスーツではなくカジュアルな服装で到着し、深刻な表情を示すことなく笑顔を浮かべていたが、それは単なる無作法などではなく、韓国に対するアメリカの姿勢を象徴的に表わしたものと管理職は受けとめていた。同じく、一九八七年の夏、多くの新聞が、ビザを得るためにアメリカ大使館の外で人びとが長蛇の列に耐えねばならなかったことを伝えたが、一部の人びとは、これもまたアメリカ人の無神経さの一例だと語っていた。

彼らの政治経済の見方がそうであったように、こうしたほかのさまざまな不公平感は、アメリカ人との個人的な付き合いによってさらに強められた。アメリカ人の仕事仲間は、一緒に韓国のカードゲーム（花札）をしたがらず、懇親会のためにわずかな金額を拠出することも拒み、一般に韓国方式の価値を認めない、と彼らは不満を口にした。社員のなかには、韓国マーケティングチームのアメリカでの活動に対する妨害政策としか思えない（私にもそうとしか思われない）理由で、ビザ申請を何度も却下され、大使館の外で何度も長い行列を強いられた人もいた。ビザを申請したある人は、自分はセールスマン（売り手）ではなくバイヤー（買い手）だということを、いかにプライドをもってアピールしたのかを、おもしろおかしく再演してみせたが、そうすればより好意的な反応を大使館から引き出せることを、彼は知っていたのである。

テスンの管理職は、アメリカの文化的な、また政治経済的な特権にさまざまな方法で抵抗しようとしたが、オーナー経営者が許したのはほんの一部だけだった。彼らは、アメリカ流の生活様

式やアメリカ製日用品の圧倒的な攻勢に対して、ある種の韓国の慣行や韓国製品の優れた点を力説した。なかでも、ブリーフケースに対するポジャギの便利さを本部スタッフに提唱したあの大学教授は、彼の勧めは非現実的であったにせよ、とくに高く評価されていた。講演の後、数週間にわたり、教授の話はさまざまな日常会話のなかに登場した。それは国粋主義（국수주의）的だと語った一般社員は一人だけだった。私がよく知っているある人物が、私が笑っているのに気づかずに、こういう話は嫌いですか、とたずねてきたので、韓国特有のものに対する私の好意を示すために、その話になるたびに私は、自分の好きな物を付け加えたのだった。

古代高麗王国には山東半島の一部も含まれていたという説を唱える歴史家がいたが、この人の講演もまた、ランチタイムの話題になった。ある管理職が「高麗の肩を持ちすぎていないだろうか（良く見すぎているのではないか（너무 좋게 보는 게 아닌가））」と同僚に尋ねると、「そうだとは思うが、それを聞いたときは誇らしかった」と一人が言いながら、背筋を伸ばして座り直し、胸を張って彼の誇りを表現した。

ポシンタン（보신탕 補身湯）、つまり犬肉の鍋のような、これこそ韓国料理と思わせる食べ物も、同じようなコメントで肯定的に評価されていた。多くの男性の話では、犬の肉は栄養豊富で消化がよろしいのだそうである。そして、年配の管理職二、三人に連れられてポシンタンに挑戦したレストランの帰り道、私は、あれを食べたんだからもう韓国人ですよ、と彼らに言われたのだ。ポテスンのオーナー一族は、ポシンタン好きだといわれていた。ポシンタンには、アイデンティティの

象徴として特別な力があった。というのは、この料理は古風で民俗的な含みがあり、ごく一部をのぞいてアメリカ人は皆それを嫌い、動物保護を訴える海外の活動家たちが、これを理由に一九八八年のオリンピックをボイコットすると脅していたからである。政府は、活動家たちの要求に応える形で、ソウルのレストランでこの料理を出すことを公式に禁じ、多くの市民の不評をかった。テスンの友人のなかにはポシンタンは食べないという人が若干いたが、人前ではっきりそれを言う人はいなかった。このような食べ物の好みについての会話は声をひそめて交わされた[4]。

ブルジョワジーもホワイトカラー社員も、アメリカ的なものをすべて拒絶したわけではなく、多くの学生たちのようにアメリカ文化を足蹴にして、その代替物を古い韓国の農村の慣行のなかに求めたというわけでもない。そのような立場は、すでに新中流階級の文化に組み込まれているきわめて多くのもの（服装、食品、専門用語など）を、必然的に拒絶することにつながるからだった。アメリカについては、アメリカ政治の高度な開放性のように、好きなところもあると認める社員もなかにはいた。いずれにせよ、ブルジョワジーは、アメリカとの通商関係を推進することによって、多くのアメリカ式ビジネスの手法と実践を部下に命じていた。私がとくに親しくなった数人の管理職は、韓国はアメリカの影響を受け入れすぎだと断言した。私が試しに、そのような文化的多様性はさらに多様なリソースを韓国人に提供するのではないかと助言してみると、一人の管理職は、ちょっと混乱してしまう、と答え、もう一人は、おかげで頭が行ったり来たりしている（머리가 왔다 갔다 한다）、と言った。彼らは、韓国のナショナル・シンボルの数々をまず

選択し、アメリカ的慣行に対しては、受け入れの余地を多様化させながら、ある種の慣行を選択的に拒絶していたのである。

彼らが声をそろえてアメリカを批判する最大のポイントは、商取引におけるアメリカ式人関関係であり、それはとくに二つの点で重要だと思われる。

第一に、それは主として彼ら自身の経験と内省の産物であり、私が知るオーナー経営者や中流階級の韓国人が押しつけたものではなかった。それはアメリカ文化に関する教科書的知識や、イデオロギー的啓発、大衆的メディア表現に影響されたものではなく、彼ら自身のアメリカ人ビジネスマンとの直接の出会いから生まれたものだった。

第二に、そこには、道義的であると同時に自己の利益本位の、またそのことに自意識過剰気味な文化理解という側面があった。このきわめて突出したアメリカ批判は、「(韓国の)古い文化的知識を無反省に受容することから生じる、異質な文化体系に対する自国文化中心主義的な反応」というよりも、韓国の、また彼ら自身の個人的利益の増進に関する合理的理解にもとづくものであり、異質な文化体系に押し付けられたある種の不利益に打ち勝とうとするものでもあった。

アメリカ人の独立(독립)性が好きであることを認める人はごく少数いたものの、「アメリカ人は利己的なまでに個人主義(개인주의)的であり、人情(他者の苦境に対する同情)に欠ける」という見方に異論を唱える人はいなかった。ある社員は、アメリカ人と韓国人の違いは食器の違いに象徴されるという話を、どこかで読んだことがあると言っていた(どこで読んだか、彼は思い出せな

かったが)。フォークは「攻撃的」であるのに対して、箸は「協調」に重きを置くというわけである。飲食代の割り勘や、懇親会費用の出し渋りや、韓国式カードゲーム(花札)嫌いを批判する声は、「アメリカ人はあまりに個人主義的で自己中心的だ」というこの共通の理解を表わしていた。

アメリカ的な人間関係に対する批判は、まさに西欧資本主義の核心に行きつくものだった。何人かの管理職は、①市場関係の契約中心主義的で一時的な性質、②西欧資本主義の貪欲な性質、③その対決的姿勢という三点に異議を唱えていた。批判者の一人は、とくにアメリカの契約にあるおびただしい細目が大嫌いだと語った。ビジネスのあるべき姿は、良好な人間関係をつくり上げたうえで、どのような問題が起きようと共にやり遂げることにあると彼は繰り返した。言い換えれば、契約がつくり出すものは人間関係であり、堅苦しい合意ではなかった。このような心情はテスンや韓国という枠を越えて表明されていた[Steers, Shin, and Ungson 1989: 103; Nakagawa and Yang 1989: 10-11]。いっぽう、韓国在住のアメリカ人ビジネスマンは、契約による合意が順守されないことに、しばしば不満を述べていた(『ニューヨーク・タイムズ』一九八六年三月二八日号、三一頁)。

契約はまた、別の衝突を引き起こした。口頭であろうと文書であろうと、契約は西欧資本主義の基本であるが、テスン社員の考え方を知るまでは、私はこの点を失念していた。テスンのある管理職が、アメリカ人のほうが自分や同僚よりも洗練された契約書作成のスキルを持っている、と述べたのを受けて、私は、①西欧の裁判所が契約書の作成を義務づける充実したシステムを開発し、それをさらに更新し続けていること、②アメリカの経営学大学院の商法のコースがもっぱら契約について教えていること、③そして西欧のビジネスマンや法律家が関連文書の様式を定める精緻な方法を身につけていること、などを称賛することになった。しばしば契約が結ばれる背景にある不平等と制約された環境を度外視することによって、契約上の合意事項や付随する約束ごとの順守は、ビジネスの世界、のみならずそれを越える世界の倫理的価値を獲得してきた。誰かを約束を守らない人間だと呼ぶことは、商業界に限らず、いずれの世界でもその人を断罪することを意味する。

韓国の人びとのあいだでも、物質的利益を追求したり護ったりするためには、契約による義務の遵守が不可欠であることは、ひろく認められていた。家やアパートを購入したり賃貸する際の書面による契約は、「契」に参加する際の口頭の契約［Janelli and Yim 1988-89］と同じく、ソウルでは長い間、ひろくおこなわれてきた。しかしながら、契約によって生ずる義務（obligations）は、それとは別の道義的要請と抵触する。とりわけ契約を結ぶ者同士が平等でない場合、一時的あるいは長期的な窮状に鑑み、弱い立場の参加者を容赦する義務（duty）が、しばしば発生した。尹興吉（ユンフンギル）（윤흥길）のよく知られた短編小説には［Yun Heung-gil 1989 (orig. 1977) : 100-101］、自宅の一室を賃貸に出した中産階級の高校教師夫妻が、あるジレンマに直面する姿が描かれている。家主の自分たちよりずっと貧しい一家が、頭金を半分だけ払って、賃借した一室に住み着こうと、荷物を抱えて予定より四日も早くやってきてしまったのである。

契約にまつわるある特定の紛争が、一度ならず私の関心をひいた。テスンと某アメリカ企業との合弁事業（ジョイントベンチャー）で、アメリカ側の管理職が、新会社と複数の韓国企業とのあいだに合意書を作成することを求めた。その韓国企業の多くはテスン・コングロマリット傘下の企業で、合弁事業の最初の顧客となるはずだった。合意事項は、合弁事業がこれら各社に提供するサービスの詳細を示すものだったが、そのサービスは、これまでは非公式な暗黙の了解のもとに提供されていたものだった。

新会社で合意書を起案する仕事を与えられた韓国人の若手管理職たちにとって、任務は威圧的なうえわかりにくいものだった。その合意書が韓国人の同僚の気持を遠ざけてしまうのではないかという点も気になるところだった。彼らは、合意文書にさまざまなサービスに対する対価が特定されていない点（対価は後日決定とされていた）を指摘し、そのためにテスンのグループ各社が、後々の強制を恐れて合意に参加しないだろうと考えた。アメリカ人管理職が、アメリカの親会社が顧客と交わした合意文書の雛型を提示したが、テスンの管理職は、その雛型では多くの点が曖昧だと考え、このような文書は韓国流のビジネスというものを理解していないと述べた。アメリカ人管理職たちは、国際経験豊かな知的な人たちで、文化の違いにも鈍感ではなかったので、合意文書を「韓国化」すべきだと言った。

この問題をどう解決すればよいのか、私は双方から質問を受けることになったが、ほとんど役に立てなかった。当時、双方に、そして私にもよくわからなかったのは、合意事項の文言や、その個々の詳細、あるいは韓国の管理職の英語力が問題なのではなかったという点だった。問題は、弱い立場にある他者に配慮しながら、物質的利益を追求することに対する、韓国とアメリカの文化理解の違いにあったのである。

私はもっとよく知っておくべきだったのだ。数か月前に、ほかの管理職たちがアメリカ式の契約書に対して、はっきりと反対の意を表明していた。くだんの管理職が契約書の細目にわたって不満を述べたのを聞いて、もう一人の管理職は、アメリカ人のビジネスマンは融通がきかず、「私たちの事情をわかってください」と言い訳しながらいつも約束を破ってばかりいる顧客を、それでもつなぎ止めておこうとする努力をしない、と言った。アメリカ人ビジネスマンは、冷酷で、薄情で（刻薄だ 각박하다）自己中心的で、おおらかに笑い、他人には礼儀正しく挨拶をするが、真の友情をひろげようとはしないのだと。

すると、もう一人の管理職が、次のような例をあげて自説を述べた。

こういう諺があるのです。「下着を九十九枚持っていて、それを百枚にしようとする人は、たった一枚しか持っていない人にもう一枚よこせという」けれども、私たちはけっしてそんなことはしません。もし九十九枚持っていれば、その人にもう一枚あげます。アメリカ人たちはというと、最後の一枚まで追い求めるでしょう。

この考え方は、商売や対人関係において、アメリカ人は「人情」に欠けると指摘する時に持ち出されることがもっとも多い。たとえば、韓国で人気のある花札（화투）ゲームの「ゴーストップ」（「こいこい」の一変種）を私に教える時に、ある課長からは「誰かが勝って相手の金をすべて巻き上げてしまったような時には、少し相手に返すものです」との説明があった。たまたま最近見たアメリカ映画で、ヒーローが負けた相手を破産させないように、少し金を返してやるシーンがあったので、私は、アメリカでもときにはそういうことがあると話した。するとその課長は驚きつつも楽しそうにこう言った。「それじゃ、アメリカ人にも『人情』があるのですね！」

アメリカ人には「人情」がないか、あってもほんの少しだという説に、ほかの人たちも躊躇なく同意した。私が、アメリカでは、ドライバーには車線の厳守が厳しく求められるが、ソウルでは、車線を変更する必要が生じて割り込み運転をしても（突然でなければ）手を少し振って「すみません」と合図すれば許される、と両国の違いを述べると、いつも私は熱狂的な賛意を得た。アメリカでの運転経験がある人はきわめてまれだったが、この比較は、アメリカ人と対比した場合の韓国人一般の自己理解とぴたりと一致していた。[5]

ところで、ビジネス上の取引の場合、「人情」の表出には、道義的なスタンスと周到な戦略という二つの側面があった。規範と利害が裏腹であることは紛れもない事実だった。たとえば、ある部長は自分のマーケティング戦略と相手に対する同情の得失を比較してみせた。彼は、アメリカ人は売り手に圧力をかけてより安い価格を提供させることに熱心だが、市況が売り手市場になった時には（私のフィールドワーク中にも、いくつかのテスン商品が売り手市場になった）、その戦略は往々にして不利益に転じると指摘した。アメリカと東南アジアの購入方式を比較して、彼は次のような例をあげて仮説を述べた。

たとえば、わが社が、ある商品を東南アジアの顧客には一一〇ウォンで売れても、アメリカのバイヤーには一〇〇ウォンでしか売れないとしましょう。しかし、もしその価格が五〇ウォン高騰した場合、アメリカ人には直ちに価格転嫁して一五〇ウォンを要求できますが、もし東南アジアの顧客が、そのような価格の高騰には一度に対応しきれないと言うのなら、価格上昇分を全額転嫁できるまで、しばらくのあいだは一三〇ウォンで販売するでしょう。あるいは、需要が急増して、わが社が顧客全員を満足させることができない場合には、アメリカの顧客よりも東南アジアの顧客の満足を優先するでしょう。

さらにこの管理職は、なぜアメリカ人が交渉に熱を上げるのかを鋭敏に理解していた。「アメリカ人の管理職は、最低価格を得ることで四半期ごとの業務成績を向上させ、上司の印象をよくするわけです。これに対して、小規模で個人所有のアメリカ企業の社長は、長期的な見方ができます」

長期にわたる関係を維持するには、最高に有利とまではいえない取引で我慢するだけではなく、接待や贈答がしばしば必要となり出費がかさむが、このような商慣行が利潤の追求とどのように両立するのか、私は知りたいと思った。すると、その管理職はためらうことなく、それについてもじゅうぶん考えていますよと言いたげだった。彼の答えはこうである。

韓国人は数千ウォンのランチと賄賂のちがいは完全に区別できます。そのうえ、贈り物や接待を受けることに、アメリカ人ほど抵抗を感じません。それは長いビジネスの付き合いの一部だからです。もちろん、贈り物などが高価すぎて釣り合いが取れなければ受け取れませんし、契約には最終的に上司の承認が必要となりますから、贈り物を受け取っても会社の不利益にはなりません。

また別の管理職も、贈答や個人的関係の維持が物質的利益を増進することを、道徳的な問題として、というよりむしろシニカルに、はっきりと認識していた。社交というものは、ほぼ常に相互理解を深め取引を円滑におこなうための手段とされてきたが、ときには好意を引き出す戦略として使われることもあることを、管理職たちは一度ならず明らかにしてくれた。あるまれなケースでは、テスン社員たちの接待がとても楽しかったので、二軒目はゲストたちが社員に奢ることになった。私たちが一軒目から二軒目に移る際に、あるテスンの管理職がそっと私をそばに呼んで、もう三軒目にぴったりの店を考えてあると言った。ゲストには、負担した以上のものを確実に受け取ってもらうことが大事なのです、と彼は説明したものだ。

明確な経済上の選択をおこなう場合、物質的な利益と「人情」は関連づけて理解されていた。ある部署の部長と課長が、たとえば、ある取引先企業からの注文にどう対応するかを話しあっていた。当時、テスンには、顧客からの注文で予想される需要に対してじゅうぶんな商品がなく、その取引先は最低価格で契約したなかの一つだったため、課長は、発送する商品コンテナは一つだけにしようとした。しかし、部長は三つ送るように命じた。部長の説明では、数か月以内に増産が見込まれ、部署としては追加で商品を提供する責任が生じるだろうから、誰であれ、顧客を遠ざけてはいけない。今は一般の市場で販売した場合に得られる利益を下回る利益しか得られない価格で商品を売るが、顧客との関係と長期的な利益のために目先の利益は捨てるのだという。

アメリカ人の管理職も、ビジネス上の人間関係を維持することで得られる物質的利益はじゅうぶん承知していた。そのような利益は、長い間、会計上の暖簾代の一部とされ、さまざまな意味でブルデューの「象徴資本」に近い概念だが、アメリカ人の管理職がそうした考え方に頼ることは、テスンの新中流階級よりも明らかに少なかった。ジューン・ナッシュ［Nash 1979: 191］が、ニューヨーク市の会社の管理職に、在庫が少ない時にはどの顧客を切るのかをたずねた時、その管理職の答えは、商取引上の人間関係にまつわる文化的知識能力の大きな違いを物語っていた。偶然だが、その管理職の会社とテスンは同じ業界に属していた。

どのようにして顧客から手を引くか、つまりどのようにして相手方のビジネス能力を根扱ぎにしてしまうかについては、私の個人的な意見を述べるのが適切だと思います。もちろん、第一段階は簡単です。不払い履歴のある連中、旺盛に買いすぎた輩を切ることから始めるのです。包み隠さず申し上げるなら、こうした事柄にはある程度報復という面があって、私はいくらかそれをやってのけました。私には、鬱憤を晴らすことがたくさんあるのです。

2. 韓国の政治経済と財閥

一般に、テスン社員は、国に対してもコングロマリットに対してもブルジョアジー以上に批判的である。しかし、私が知るほかの中流階級の韓国人と比較すると、全斗煥体制に対する彼らのコメントはさほど批判的ではなく、財閥に対する見方は、さらに曖昧だった。その見方も、事案によって、また管理職の職階によってさまざまだった。私はそのバリエーションを「韓国の政治経済に関する認識が争われ、変容するプロセス」の一部ととらえ、以下に記録しようと思う。

国家（政府）

ブルジョアジーと配下の社員の意見を比べてみると、違いがもっとも明確なのは政府に関する意見である。ブルジョアジーは、通貨収縮や輸出借款の削減、そして政府の経済への介入全般に公然と不満の意を口にするが、彼らは全斗煥の政権運営を支持していた。第三章では、会長が政治的な「安定」を求める意見を表明したことにふれた。「安定」は、当時なら誰にでもわかる、全斗煥体制の抑圧的な実践を遠回しに表現する言葉だった。財閥本部ビルにある大会議室の一つには、全斗煥の大きな写真が壁にかかげられていた。さらに、一九八七年に編纂されて一〇月に出版された光沢紙を使った社史には、すでに全斗煥が大統領職を離れることに同意し、民主的改革は一部すでに緒についていたのに、彼の写真が六枚掲載されており、そこには、全斗煥が会社の施設を視察し、社の役員たちに褒章を授与する姿があった。また、社内オフィスを撮った写真のなかには、壁にかかげられた彼の写真が写りこんでいるものもあった。

いっぽう、専任の管理職と一般社員のなかで、全斗煥への支持表明にもっとも近かったのは、反体制デモをおこなう学生への批判を折にふれ表明していた二人の理事だった。一人は、ソウル市庁舎を占拠した学生たちが、警察に殺されたデモ参加学生の葬儀のあいだ、半旗を掲げたことに困惑を隠せなかった。もう一人は、韓国の経済発展に言及して、「学生たちは、いったい何が不満だと言うんですか」と言い放った。

理事、若手管理職、そして一般社員は、政府による経済介入は度が過ぎ、とくにテスンの企業活動を妨げている、というオーナー経営者の見方を口をそろえて繰り返した。私は、第四章で、一人のオーナー経営者が取るにたりない不動産を所有しているとして、当局の担当者がテスンへの貸付中止を銀行に命じた事例を挙げたが、ほかにも何人かの管理職が政府による干渉の例を示した。私がとくにこうした情報を求めたわけではないのに、「財閥や会社の活動を、国がコントロールしている」と訴える彼らの不満が私のフィールドノートには数多く記録されている。そのいくつかには別の章でふれている（たとえば採用試験の日程調整問題のように）。

二人の管理職が、上司の彼らに対する専制的な支配は政府による経済統制のせいだと言って非難していた。つまり、政府が最上位の管理職に圧力を加えたために、今度は彼らが部下の管理職に裁量権を与えることを渋ったというのである。(6) 別の一人の管理職は、経済に対する国のコントロールは主に金融システムを通じておこなわれるという一般常識にそれとなくふれながら、銀行の役員を接待する会社の慣行についてこう述べた。「アメリカでは、しばしば銀行の担当者が顧客を接待するのですが、こちらでは我々が彼らを接待するのです。これは、双方の力の差を示しています」。

こうした政府の介入に対する一般の否定的な見方を説明すべく、ある部長は「政府は会社に次から次へと要求を突きつけるので、支援者というより障害物と思われています」と自らの所見を述べたが、私はむしろ、「会社に対する政府の強力な支援が、ごく自然なものとして制度化されている分だけ、国が少しでも手を引くと、それがひどい仕打ちに映る」のだろうと推測する。そのいっぽうで、特別な支援は明らかに財閥のトップと政府のあいだで、若手管理職の手の届かぬところで合意されていた。政府と企業活動の全体的な関係を説明するために、ある理事は「綱引き

（줄 당기기）」という言葉を使った。そして、政府はビジネスに規制をかけながら、企業にビジネスの成功を求めるので、双方の関係は実際には非常にデリケートなのだとも付け加えた。

しかしながら、政府についての若手管理職と一般社員のコメントは、経済への政府の干渉や会社関連の問題をはるかに越えて、抑圧的な体制の性格にまでおよんでいた。少なくともこの点において、彼らの意見はブルジョワジーと鋭く対立した。政治的な「安定」を求める会長の声とは対照的に、一般社員や若手管理職の声は、国家の安定が全斗煥の抑圧によって脅かされていることを示唆していた。ある管理職は、政府は学生の要求に対してあまりに頑迷であり、政府と学生の双方が「共倒れ」になるかもしれないという考えを述べた。別の管理職は、「強く押しすぎると、物は壊れるのです」と言った。

激しさを増す政治デモは、海外メディアの関心を呼び、一九八七年の春のあいだ、世界中にテレビ放映された。テスン社員のなかには、これを海外の顧客がどう見ているのか、その点をとくに心配する人もいた。テスンの生産が中断して自社の生産スケジュールに必要な納品が間に合わなくなるのを案じた顧客が注文を控える――彼らは明らかにそうした事態を恐れていた。デモが毎日拡大してゆくにつれ、何人かの管理職が政治状況の判断を私に求め、このような出来事を外国人はどのようにとらえるのかと質問してきた。革命が起きるとは思わない、と私が言うと、それでは海外の顧客を安心させるような手紙を書いてほしいと、ある管理職が依頼してきた。しかし、彼の上司は、それはあまりに楽観的で、私の予想を超えてはるかに状況が悪化した場合には、会社の信用が失墜しかねないという判断から手紙の件は沙汰止みとなった。

若手管理職の全斗煥体制への批判は、彼ら自身が現在抱えているフラストレーションを超えて、韓国中流階級の多くの人びとの苛立ちでもあった。大規模なデモが始まる以前にも、ある管理職は、韓国の政治の歩みは経済など他分野の進展に及ばなかったので外国人と韓国の政治の話をするのは恥ずかしい、と打ち明けたものだったが、そうした気持ちは、私が知るほかの韓国人中流階級のあいだにもひろがっていた。とりわけ、一九八六年にソウルで開催されたアジア大会の後、私が耳にしたのは、韓国は経済やスポーツ競技などの分野では大きな成功をおさめたのに、政治には進歩が見られないという声だった。ある若手管理職に、朴正熙体制に対しても同じく否定的な評価を抱いているのですかと尋ねると、彼は、「朴正熙は尊敬していますよ。（暗に維新体制期を指して）体制の終わりに近づくにつれて悪くなりましたが、あの人はこの国のためにたくさんのことをしてくれました」と答えて、その全斗煥嫌いを暗に再確認させた。

花札の「ゴーストップ」をジョークのタネにした政治批判もあった。「ゴーストップ」では、決められた「でき役」（たとえば「三光」）の札がそろえば、対戦相手に手持ちの勝ち札のうちの一枚を引かせ、それを捨てさせることができる。ゲームにはいろいろな名前のついたバージョンがあったが、もっともよく話題にのぼったのは、架空の全斗煥ゴーストップだった。そのゲームでは満月（全斗煥の禿げ頭のシンボル）の絵のついた札を引いた人は、ほかの人の札をどれでも取ることができた。このジョークは韓国中で人気があり、少なくともソウルの中流階級のあいだにはひろく流布していた。

その説明はイ・ホグァン（이호광）の花札のルールブック［Yi Hogwang 1988: 40 - 43, 45-46］にも載っている。

大規模なデモのあった一九八七年の春頃、テスン社員たちはデモ参加者への共感を口にし、全斗煥が窮地に陥ると自業自得だと溜飲をさげる人もいた。全斗煥は在任中、一貫して一九八八年のオリンピック主催を第一に掲げていたのに、彼の抑圧がデモを拡大させ、それが多くの外国人の競技への参加をためらわせている、と彼らは解説した。

3. 財閥

テスン社員は財閥というものをどのように見ているか。これは彼らの政府に対する見方に比べてひと言で言うのがとても難しい。彼らのコメントの多くは、はるかに曖昧でほのめかしが多く、言及される問題は多岐にわたり、経営に関与する度合いによっても大きく異なった。廊下の自動販売機でコーヒーを買うのに一五〇ウォンもいるのですと不満を述べた社員のように、明確で率直な言い方で財閥を批判する人は、きわめて少数だった。ちなみにその社員によれば、自分たちの湯沸かし器を使うことが禁止されているので、自動販売機を使わねばならなかったが、その機械はテスングループの別の系列会社が所有・管理していたばかりでなく、大学の自動販売機よりも三〇ウォンも高かったのだそうだ。すると、もう一人の社員が、金浦空港の自動販売機はもっと高いことを指摘して、その値段の高さを弁護した。

それが肯定的であれ否定的であれ、意見（コメント）の多くは、部署や会社、あるいは財閥全体に関してのものであるはずだった。「我々」、「この場所」、「ここ」、そして「上司」という言葉は相対的な表現で、それらはちょうど複数の親族集団（kin groups）を一括して韓国人（朝鮮人）という言葉で表わすのに似ている［Brandt 1971: 110］。それらの言葉が指す対象（referents）は推測するしかない。テスンという会社名でさえテスン財閥の省略形で、会社と財閥のどちらを指すのか、いつも迷ってしまいそうになる。ときにはテスンという言葉がコングロマリット全体を指しているると明瞭にわかることもあったが、それは、四大財閥内の主要ライバルと比べられるような場合にかぎられた。若手社員たちは、しかし、財閥トップの経営が全体的に保守的であるとする以外は、テスン財閥が彼らの日常生活に何か影響を与えると考えているようには見えなかった。彼らは、コングロマリットの採用手順に則って採用され、社内研修に参加して財閥の一員となり、毎月のカンパニーマガジンとともに財閥そのものを毎月提供されていたのである。しかし、財閥本部のビルのなかにおいても、各会社の社員たちは、多くの場合自社の社員と交流し、系列各社の社員との交流ははるかに少なかった。毎月の会議やリクリエーションは会社（あるいはより小さな部署単位）でおこなわれ、コングロマリットの襟章よりも自社の襟社章を付けていることが多かった。

社員は、個人的には財閥は会社よりも重要でないと考えているように思われた。テスン社員はしばしば「会社」という言葉を使うなどして、めいめいが所属する事業所との一体感を表明していた。[7] 私は、テスンの若手管理職が年次株主総会での自分の仕事を、「部外者」から会社を守ることだと考えて行動している姿をすでに報告している。そればかりか若手管理職と一般社員は、ともにいくぶんか誇らしげに「自分たちの会社はコングロマリットの〈母体〉(모체) だ」としばしば口にするのだった。それは株式を保有している親会社という意味ではなく、むしろ、彼らの会社がグループでもっとも古い会社であり、ほとんどの関連会社はそこからスピンオフ(分離独立)して作られたという意味である。彼らの会社の突出した地位は、その名がコングロマリット各社の筆頭に挙げられることにも表われている。たとえば、財閥のグループマガジンでは、新製品を紹介するページでは常にテスン社の製品を最初に掲載しており、理事会名簿を載せたページではテスン社の理事の名が一番上にある。

テスンの社員と数か月をともに過ごしてみると、私には会社の卓越した地位が自然に思われ、社員の会社との一体感は、会社の名声がひろく知れ渡っている結果だと見るようになった。ほとんど接触機会がなかったが、グループ内のほかの大企業の社員が「自分の会社のほうがテスンより売上が大きい」と何度も繰り返し、コングロマリット内のより規模の小さい会社の社員が、その会社の急速な成長率のことを強調したのを見て、私は会社への帰属意識のあり方を知ることとなった。

一般の中流階級とは異なり、社員たちはテスングループを批判的には見ていないように思われた。たとえば、プライベートな会話においても、彼らが「財閥」という言葉を使うことはきわめてまれだった[8]。同じように「不正蓄財」や「特恵」、「タコ足」などのコングロマリットを批判する用語も使われなかった。大規模ビジネスグループと中小企業との利害の対立を話題にすることもまたまれだった。彼らは日頃、自分たちの会社や財閥を、とくに輸出部門で韓国の最大の利益をめざして行動する存在、と説明していた。事実、コングロマリットに対する表立った批判があまりに少なかったので、私はフィールドワークを終えた後で、韓国社会のほかのセクター（新聞報道などの世論）に見られる否定的な見方を、私は過大評価していたのではないかとすら考えるようになった。私は過去数年間の新聞の社説をチェックし始め、方向を見失っていないことを確かめるために、ほかのさまざまな方法を試そうとした。私は、この問題をタクシードライバーとさえ話し始めていた（訳注：韓国では、乗客と会話する機会の多いタクシードライバーは雄弁で、いわゆる「街場の」事情に通じているので、インフォーマントとして貴重な存在である）。

オフィスワーカーの財閥観は、第二章でざっと見たように、しばしばコングロマリットにむけられた批判的な新聞報道とも比較することができる。もし主要新聞各紙のビジネスグループのとらえ方を、ひとつながりの連続体のいっぽうの極とみなし、ブルジョアジーのイデオロギーを他方の極とみなすならば、次に示す主要トピックスに関するテスン社員と管理職の見方は、凹凸の激しいものになるだろう。

経済集中

新規採用された男性社員は、財閥や政治経済のほかの側面とともに、経済集中に関してもっとも明確かつ息の長い批判の声をあげていた。彼らは、韓国における民主主義の不在と政治経済的特権（「特別なコネクション」）を発展への大きな阻害要因として批判し、さらに経済的独占への失望を隠さなかった。高い経済成長率がテーマになった彼らの社内研修のすぐ後で、私は、彼らのグループと話し合ったが、彼らはひたすら韓国における資本と富の集中を嘆いていた。ある一人は、台湾が中小企業を重視する政策をとっていることに言及し、台湾の輸出が韓国の二倍で、一人あたりの所得も韓国より高いことを指摘した。これからの輸出は研究開発を必要とするし、研究施設のほうも大きな資本集中が必要だろうという私の考えを認めながらも、彼らは富の分配の不公平さを強調し、「貧益貧 富益富（빈익빈 부익부）」というよく知られた言い回しで、富める者はますます豊かになり、貧しい者はますます貧しくなるのだと所見を述べた。私は私で、韓国への批判を避けようとしながら、自分が財閥を擁護する居心地の悪い立場にいることに気がついていた。

これらの新入社員たちが少人数の集まりで、このように率直に批判的な意見をのべていたこと、それぞれが自分自身の賛意を示し、また他人の意見に驚くそぶりを見せなかったこと、さらに自信をもって話していたことなどは、すでに彼らがお互いの意見を知っていたことを物語っていた。彼らが社内研修を始める数か月前には、まだ大学生だったことを考えれば、これはほとんど驚くにはあたらなかった。

このような批判的見方は新入社員だけのものではなかった。彼ら新入社員が政治経済への不満を口にしていた時、たまたま部屋に入ってきた一人の年長の社員がためらうことなく話に賛同し、この新人たちは、まだ学生の眼でものを見ている、それゆえ韓国社会についていちばん明確なビジョンを持っているのです、とその主張を述べていた。

採用面接で課外活動に関して質問することで、大企業は急進的な学生活動家だった人物の採用を避けようとしているという根強い噂があって、翌年には新聞にも報じられた（一九八八年一一月一八日付け「東亜日報」、一五面）。しかし、政府や財閥に対する批判的な見方はごくふつうのことで、批判的な見解を持つ人をすべて除いてしまえば、採用可能な人はほとんど残らなかっただろう。若手管理職のなかには、大学生時代に学生デモに参加していたと述べた人もいた。ある年配の管理職によれば、入社時には学生らしい批判的態度を持った新人たちは過去にもいたが、年とともに考えを変えるか、会社を去っていったという。

おそらく学生の批判的な意見を話題にする場合は別だったろうが、管理職と同様に社員たちも、会社に言及するときは「財閥」と呼ぶよりは「大企業」と呼んだ。このこともまた、入社して時間が経つにつれて政治経済への見方が鋭さのようなものを失っていくことを示している。政治経済に関する声高な批判は雲散霧消して、社員の不満の種はオフィスにおける自分自身の今現在の状況に集中していった。このもう一つの不満に関しては次の章で検討する。

同族所有と経営

経済集中への批判とは違って、同族経営に対する不満は長く勤務するほど強まるように思われた。若いテスン社員は、彼ら自身のコングロマリットのオーナー経営者について、そのいわゆる保守性を指摘するか、そうした指摘に同意するほかは、肯定的にせよ否定的にせよ、発言することはまれだった。彼らの沈黙は、おそらく報復を恐れてのことだろうが、次の章で検討するように、自分の現在の上司に対する自発的な批判もまた、同じ結果を招く恐れがあった。

そうした若手よりも、中流階級とブルジョアジーの利害の対立への自覚は、年配の管理職のコメントのほうににじみ出ていた。若手管理職は、オーナー経営者とかかわることはほとんどなく、オーナー経営者の特権的地位が自分たちの将来の深刻な障害になっているとは考えなかった。所有し経営する親族集団のメンバーには、昇進するために働く者はわずかだったが、下位の社員には、多くの昇進の機会が開かれていた。

政府と企業活動との癒着

テスンの管理職は、「政府による経済への介入は行き過ぎだ」というブルジョワジーの見解を共有していたが、政府と企業活動との癒着を懸念する人はほとんどいなかった。実際、自分たちの財閥は、ほかの財閥と違って、政府によるインセンティブに迅速に対応できていないと述べた人もいた。彼らの多くは、その対応の遅さはコングロマリットの保守的な経営スタイルによると考えていた。

不公平な分配

富の分配に関するテスンの若手管理職の見方は、ブルジョワジーの見方よりも、明らかにメディアの立場に近かかった。ブルジョワジーは、自分たちは雇用機会を創出したと述べることで、すべての問題を回避しようとしていた。テスンの新中流階級社員は、たとえば、反政府デモの参加者への支援を表明することで、暗黙のうちにブルーカラー労働者を支持していた。労働運動の弾圧と所得配分の不公平は、デモに参加した学生たちが長いあいだ是正しようとしてきた問題だった。とりわけここ数年のあいだに、多くの学生たちが、「労働者の社会的意識を高め」、彼らを組織するか、少なくとも彼らの労働条件を直接知るべく、工場労働者のなかに職を得ていた。

ブルーカラー労働者への同情の声は、コングロマリットの本部オフィスでもはっきりと聞かれ、テスン自体の労働者に対しても同情がよせられていた。ある日たまたま私はある管理職に、「私の知っている多くのアメリカのホワイトカラー社員とちがって、テスンのオフィスでは誰も自分の給料に文句を言わないですね」と話してみた。彼の答えはといえば、「テスンのホワイトカラー社員は皆じゅうぶんにもらっていますから、文句などありません。文句を言う理由があるのはブルーカラー社員のほうです」というものだった。それから彼は、「テスンのイデオロギーは広報の手段として技術力を強調していますが、それはおそらくはブルーカラー社員への〈搾取〈착취〉〉

によって利益を得ているという批判をかわすためでしょう」と付け加えた。

この労働者階級に対する支持を、道義の勝利とか経済的利害への感情的な関与などと言って片付けることはできない。ブルーカラー社員の要求に対して、少なくとも言葉の上で支援を与えることを選んでいる以上、これは合理的で自己の利益に関わる選択でもあるように思われる。「公平な競争の場」か「競争するプレイヤーの背丈の違い」かという選択、そして契約か人情かという選択と同様に、この選択は物質的な利益と密接な関係にある。すでに見てきたように、テスンの若い男性社員は、労働者に対してある種の譲歩がなされないかぎり、誰にとっても有害な大きな社会的混乱が起きるのではないかと懸念していた。そのうえ、一般社員や若手管理職は、労働者の賃金を上げることが自分たちの利益への深刻な脅威になるとは考えていないように見えた。ある社員は、テスンの競争力の強さの基礎は低賃金ではなく技術力にあるのだから、ブルーカラー労働者の賃上げが企業活動に大きな打撃を与えることはない、と説明した。オーナー経営者を自らの仕掛けたイデオロギーの罠に陥らせたかっこうである。このように、若手の社員や管理職は、ブルーカラー労働者の賃金を抑えることで彼らに与えられる小さな恩恵（言い換えれば、おそらくそれは、より早い会社の成長や個人の昇進）を放棄して、テスンと政治経済の持続可能性を確保し、そこで特権的地位を享受することを選択したのである。

しかしながら、一九八七年六月二九日の盧泰愚による民主化宣言の直後からは、私はもう、プロレタリアートに対するそれ以上の共感の表現を見ることはなかった。誰もテスン社員の高給を妬みはしなかったが、街頭デモの成功は予想を越えた結果を迎えた。ブルーカラー労働者が賃上げだけではなく、国や会社の支配から自由に労働組合を結成する権利を要求すると、すぐに、テスンやほかの多くの会社でストライキが矢継ぎばやに起こった〔Kim Seung-kyung 1992: 232〕。これらの労働紛争の結果として、生産は止まり、出荷は遅れ、生産計画は立て直しとなり、そして顧客との合意事項は再交渉のはこびとなった。下方修正された一九八七年の輸出見込額が大きく報道され、長引くストライキによって多くのホワイトカラー社員の夏季休暇が取り消されたのだった。

注

（1）この新聞記事に注意を喚起してくれたキース・ファーガソン Keith Ferguson に感謝する。

（2）旧ソビエト連邦あるいは東欧諸国との貿易がはるかに少ないことに、テスンの社員たちはどうやら気づいていないようだったが、それはおそらく、それらの国への輸出がテスンの製品ではなかったからだと思われる〔Yoon Suk Bum 1984〕。一九八一年のソビエト連邦との貿易は中国との貿易の六分の一だと言われていた〔Yoon Suk Bum 198 4: 37〕。「ファー・イースタン・エコノミック・レビュー」（一九九〇年九月二〇日号、八六頁）によれば、旧ソビエト連邦との貿易額は一九八六年にはおよそ一億ドル、一九八七年には二億ドルで、うち半分以上を輸入が占めていた。中国との一九八七年の貿易額は一五億ドルと報じられていた（「エイジアン・ウォール・ストリート・ジャーナル」一九八年一月一七日付け、一七頁）。国ごとの集計を韓国政府の関係機関がまとめた貿易データの統計表には〔e.g., Taehan muyok chinhŭng kongsa 1988; Bank of Korea 1989:

220-21]、ソビエト連邦のみならず中国の名もなかった。
(3) 私が翻訳と編集を頼まれた書類では、日本との、またアメリカとの貿易収支は見た目にも明らかだったが、それらの収支に対するテスンの寄与の度合いは、私には計りかねた。テスンのスタッフは政府機関のために輸入統計をまとめていたのかもしれないが、そうした情報をおおやけにすることはなかった。政府機関が公表した輸出・輸入額の数値によれば、一九八六年の韓国の対日貿易赤字は五・四億ドルであり、対米貿易黒字は七・三億ドルだった [National Bureau of Statistics 1990: 216-21]。
(4) 伝統的な食品に対するティソンディの村人とテスン社員の態度が対照的だったことには驚かされた。村人にとって、ポシンタンは食品の一つではあっても国の象徴（ナショナル・シンボル）ではなかった。ポシンタンは一九七八年の夏のピクニックで供されたが、村人たちは、他の食品と同様に、これを好まない人もいるという事実を認めていた。ピクニックでは、私を含む一部の男性たちには別の食べ物が用意された。
(5) おそらく彼らがこの例を好むのは、それが韓国でよく知られた自動車運転に対する批判を扱ってはいるが、実は（割り込みという）やってはいけないはずのことが、（事故さえ起こさなければいいじゃないか、というように）けっこう肯定的に見られているからである。
(6) 彼らは条件適合理論（コンティンジェンシー理論）のアストン学派には不案内だったが、中央集権的な意思決定の原因に関するアストン学派的主張のひとつを彼らなりに測り当てたのだった [Pugh and Hickson 1976: 10-11]。アストン学派の研究に導いてくれたフィリップ・バーンバウム Philip Birnbaum に感謝する。
(7) 私は、テスンを「われわれの会社」と呼んだり、あるいは「われわれのテスン」というフレーズを繰り返す慣行をさして重要とは思わない。そのような表現はスピーチをする上での慣習のように思われる。私自身、「私が教えている大学」を簡略化した表現として「われわれの大学」というフレーズをよく使う。とはいえ、こうした表現は企業との一体感を示唆していることから、その多用にはイデオロギー的効果がまったくないとはいえない。
(8) 社史においては、企業の成功を表現するために、次のような文章のなかで「財閥」という言葉が使われている。「そのように質素な始まりが巨大な財閥を形作ることにつながるとは、いったい誰が考えただろう」。四大財閥のある会長が、この言葉を使った部下を厳しく叱ったという逸話を私にシェアしてくれたユン・ソクポムに感謝する。私はテスンではそのような出来事に出会ったことがなかったが、社員たちは、その言葉がオーナーや上層部の多くの人にとっては攻撃的なものであることを承知していて、ふだんは使うことを避けていた。私のフィールドワークをふり返れば、私も同様にその言葉を避けていたことに思い当たる。

第七章　下からの反応（2）――労働条件

曖昧さのかけらもないほどその反抗が公然と認められているのでないかぎり、さまざまな支配のパターンによって、実際のかなり高度な反抗にも対処できる。

ジェームズ・C・スコット［Scott 1990: 57］

一般社員や若手管理職の表情や日常の行為にさりげなく表われる文化理解もまた、彼らの（もっとも身近な政治経済のアリーナである）職場との関わりが深い。彼らの文化理解は、報道や学術機関の展開する主張よりも、テスンのオフィス内の日常的な相互交流によって形成され、再形成されていた。その文化理解は、海外や国内の政治経済に関するさまざまな見解に比べると、はるかに一般の人びと共有されることが少なかった。そして、ブルジョワジーが表明する見解とは驚くほど相容れなかった。

ここで私は、主として労働時間と対人関係に関する一般社員や若手管理職の文化理解を示すことにする。それらは労働条件に関する論議に繰り返し登場しており、私自身の観察のなかでも突出していたからである。コメントの多くは批判的なものである。意図して求めたわけでもないのに、とくにフィールドワークの最初の数週間は、それらの批判に頻繁に出会った。それらの批判は、私の解釈に対する訂正あるいは反論として提示されることが多かった。私は、自分の文化相対主義のおかげで、一般社員や若手管理職が異議を唱える慣行を、知らず知らずのうちに擁護していたことに、一度ならず気づかされることになった。

この批判は、私がそれを得た条件を、さらにそれをここで明らかにする方法をも左右するものであった。その多くは彼ら社員たちが私と二人きりの時に提供されたものである。彼らは、それを明かす時には声をひそめたり、覗かれないように紙片に書いたりした。そのほとんどは短い暗示的な言葉で書かれていた。したがって、素材のほとんどは断片を集めたものであり、個人の特定を避けるために、私はそれをさらに断片化した。それによって私は、私自身の、時に素朴な意見と問いかけが、意図せずにいかに多くの批判を誘発したかを指摘し、私のフィールドワークの対話的な（そして弁証法的な）プロセスを示そうとしたのである。

私の解釈は、社員の修正をもとめるコメントの影響を受けていたが、彼らの話のなかには、あまりに屈折していて、いまだに完全には理解できていないものもある。

たとえば、フィールドワークの初期に、ある若手の管理職は、私が壁のスローガンを書き写したり、会社の研修マニュアルを読んでいるのを目にとめて、「書かれたものを見るだけではなく、人びとと話をして彼らの意見を得なくてはなりません」と言った。このアドバイスもやはり、ホワイトカラー社員の見方が会社の文書の内容とは異なることを示していたのかどうか、私はいまだによくわからない。後に彼は、自分はテスンの労働条件に関してもっとも批判的な一人だと自ら認め、韓国で反体制側の人物を指す英語由来の「アンチ」というレッテルを自分自身に貼ってみせた。

そのうえ、社員たちが上司をはっきり批判しようとしなかったので、私は、彼らと上司との関係を、部下たちの望み通りに、完全に読み違えることになった。

たまたまある日の午後、私は、初対面のアメリカ人二人と過ごした二、三時間前のランチタイムの体験を、ある課長に話したことがある。その二人のアメリカ人は、同じ会社の別のセクションで働いていて、とくに仲がよさそうには見えなかったが、一人の共通の上司の批判にランチタイムのほとんどを費やしていた。二人のふるまいは、私がテスンのオフィスで経験してきたこととあまりに対照的だったので、課長にそれを話してみたのだった。課長の反応は、「その人たちはクビになるのが怖くないんでしょうか」というものだった。このように、この章の素材とそれを私が手に入れたプロセスは、社員たちの私的な行動とおおやけの行動とのあいだに大きな差のあることを証言するものとなっている（彼らの同僚とのやりとりにはそれほどドラマチックな違いは認められなかった）。ときには、上司に対する批判が社員たちの会話に登場することもあったが、それは親しく信頼のおける友人たちの会話にかぎられていた。

1. 労働時間

テスンの本部では、新中流階級の社員について「搾取」されているなどという言い方は無縁であったし、彼、彼女自身の給与への不満の声もなかった。けれども、労働時間については、理不尽で過大だとされていた。ある面でこの種の不満はメディアに支援されていて、韓国人の週当たり労働時間はほかのすべての、もしくは大多数の国より長いといった主張がしばしば報じられていた。数か月前の新聞報道によれば（一九八六年二月九日付け「コリア・ヘラルド」、四面）、製造業の週当たり平均実働時間は五四・四時間にのぼった。このデータはブルーカラーとホワイトカラーのカテゴリー分けはしていなかったが、韓国労働部の統計によれば、製造業における生産現場の労働者の労働時間は、管理部門や営業部門の社員よりも二〇パーセント長かった(1)[Ministry of Labor 1985: 222-23]。

テスンのホワイトカラー社員たちは、実際、長時間働いていた。勤務時間は公式には、平日の月曜から金曜は午前九時から午後六時まで、土曜は九時から正午までで、一日の終わりには社内放送で穏やかな音楽が流れた。しかし、実際の労働時間は長く、とくに夕方以降の残業が多かった。少数の社員にかぎって早出の超過勤務があった。たとえば、毎週の部課長会がある部署では、金曜は八時三〇分に始まった。ある人たちは、会社のバスで出社するので、毎日九時前に到着した。始業前に日本語を習ったり、私の英会話クラスに参加したりする人もいたが、それ以外は、定時に勤務が始まるまでは、多くは雑談したり新聞を読んだり、あるいは、注文しておくと販売業者が毎日机まで届けてくれるミルクやヨーグルトを飲んで過ごした。しかし、この気楽な時間は国歌が流れるまでだった。国歌が終わると誰もが腰を据えて仕事にかかり、オフィスはずっと真剣な雰囲気になる。たまたま国歌が流れた後に遅れて到着した社員は、急いで自分の机に向かい、同僚や課長、部長とだけ短い朝の挨拶を交わしてから仕事にとりかかった。

とくに締切りが迫っている場合には、ランチの時間になっても仕事を続ける人がいたが、超過勤務はほとんど夕刻に回された。午後五時に国歌が流れても、公式の勤務時間はその一時間後まででなので、オフィスライフのリズムはそのまま変わらなかった。しかし、六時に公式の就業時間が終わっても、さらに一時間は全員が残った[2]。どのくらい残業するかは、その人が抱えている仕事の量に左右された。いつもほかの部署より長く働いているように見える部署もあったが、おそらくそれはその部署が担当する生産や企業活動が急成長の結果増大したためだったろうし、いくつかの部署の特定の職務では、月末や一年のある時期に、さらに長時間の勤務が必要になることがあった。どの部署でも、少なくとも二、三人は八時半かそれ以降まで残業をしていたし、繁忙期には零時過ぎまで働く人もいた。ほとんどすべての人が土曜日も一時間か二時間は残業をしていた。二つの部署を代表する二つのグループの男性社員が、彼らの平日の平均的な退勤時刻は七時三〇分で、さらに土曜と日曜に合計六時間働く、と概算してくれた。[3] 彼らの推定では、この約五四時間の勤務に加えて、毎週三時間から八時間が退勤後の付き合いに使われていて、その回数は独身者のほうが既婚者よりも多かった。通勤に一日一時間またはそれ以上かかることを考慮すると、土曜の夜と日曜を除くと、家庭では眠る以外の時間はほとんどなかった。当然ながら、家に仕事を持ち帰る人はまずおらず、ブリーフケースを携行する人も見かけなかった。

オフィスの社員を見ていると、彼らは夕方以降の勤務時間の長さを気にしていない、あるいはほかに何もすることがない、といった印象を受けるかもしれない［Christie 1972: 142］。[4] 週末を待ち望んでいることは認めてはいても、彼らは、早く仕事が終わらないかと腕時計や壁の時計をにらむこともなければ、退勤時刻にドアに向かって走ることもない。そして、経済成長はハードワークのおかげだという話になると、ときには自分たちの長い労働時間を誇ることすらあった。[5]

けれども、仲間同士になると、勤務時間についての痛切な不満の声があちこちで上がっていた。ある男性は、まだ幼い息子といっしょにいる時間が少なすぎて、息子には自分が誰だかわからないのだと嘆いた。週末を一緒に過ごしても、息子は「この人は誰だろう」と思っているらしく、しばらくいっしょに遊んだ後になって、やっと「ああ、この人は父さんだ」と気づくのだという。また別の一人は、妻は、晩に父親に会えるように幼い子どもを昼間に寝かせておくのです、と私に語った。ある人は、仕事の後にせっかく会いに来た友人たちに、本部地下のコーヒーショップで何時間も待ちぼうけを食わせてしまったという話を披露した。友人たちは彼に何度も電話をくれ、待ちに待ったが、結局彼は、会うのは無理なので自分抜きで行ってほしいと言わねばならなかった。またある人は、自分と同じようにソウルで働く同郷の友だちに会えなくてがっかりした話を、さらに別の一人は、ある晩夫人との約束にあまりに遅れてしまい、その夜をだいなしにしてしまった男の話をしてくれた。フィールドワークを始めた時には、ご趣味は何ですかとよくたずねられたものだが[6]、私が同じ質問を返すと、趣味に費やす時間がないことを認めた人が何人もいた。ある課長は、長時間労働の制度は植民地時代の名残りであって、「会社に滅私奉公する」日本人が当時制定したものだと説明した。実際、韓国人の多くは、自分たちの会社志向、集団志向の強さと個人主義の弱さを日本人に起因するものと考えてきた［e.g. Yi Kiŭl 1988: 255, 425; cf. Hayashi 1988: 36］。もっとも、別の課長は、みんなが働いているのに自分だけが帰るのは難しいのだと打ち明け、仕事という場が生み出す強制力を指摘していたが。

労働時間が長すぎ、いささか強制的でさえあるという認識は、サマータイムの導入を嫌うコメントにもはっきりと表われていた。翌年のオリンピックに向けてこの新しいシステムが全国に導入される予定だった一九八七年の春、そうした見解をよく耳にした（サマータイムの目的は、競技の生中継をアメリカのテレビのプライムタイムに合わせてアメリカの視聴者を増やすことだった）。私が知るソウル在住のテスンの若手管理職や、その他中流階級の社員たちは、時計の針を進めることに反対だった。一時間早く出勤しなければならないからというのである。私は、彼らが新しい時間システムのことをよく理解していないのだと勘違いして、サマータイムになれば一時間早く帰れるのだと、二、三の社員に説明を試みた。しかし彼らの反対をなだめることはできなかった。時計が何時を指そうと、誰も余った時間を返してもらえるとは信じていなかったからである。[7]「あなたは、自分の仕事を終えても家に帰れないのですか」と、私はサマータイムに反対した最初のグループの人たちにたずねた。すると、そのなかの一人はこう答えた。「私たちは気を遣わなければならない（つまり、上司の顔色をうかがわなければならない）のです」。彼らの超過勤務は、まぎれもなく膨大な仕事量と管理者の監視によって強いられたものだった。

長時間労働もそれに対する不満も、テスンに特有のものではなかった。ある社員は、別の大財閥の社員はいつも一〇時まで残業するが、「ばかげている」と思うと言っていた。そして一九八八年の夏には、鉄道労働者の妻たちがデモを行って夫の労働時間の短縮を要求し、「少しは夫の顔を見て暮らしたい（남편 얼굴 좀 보고 살자）」と訴えた（一九八八年七月二四日付け「朝鮮日報」、一五面）。ある巨大コングロマリットの新入社員の母親宛ての手紙が公開され、彼はそこで「家族の顔を見ることのできない日が多いのです」と嘆いていた［Kang Sŭnghan 1987: 148］。

ほとんどの課長や部長、そして（全員ではないが）理事たちも、部下の長時間労働に対しては同情を示していた。部下が遅くまで働いているのを見るたびに申し訳なく思う、と、ある若手管理職は告白したが、別の管理職は、超過勤務は多くの場合、効率が悪いせいだと言った。ある理事は六時には帰るようにと社員に強く勧めさえしたが、彼の部下の一人は、そんなことは私たちの仕事量が許しませんよ、と辛辣だった。長時間労働にさほど同情を示さない理事たちもいた。ある理事は、他社とちがってテスンでは、社員は仕事が終わればいつでも帰ることができると、誇らしげに私に告げた。別の理事は、長時間働くことを厭うのは、会社への献身が足りないか、勤労意欲が足りないからだ、と言った。

しかし、なぜ賃金ではなく労働時間が一番の不満の種になるのだろう。ほかの社会での話だが、労働時間に関する抗議についてのもっともよく知られた解説の一つに、農業から資本主義産業化へのシフトが引き起こす文化的な葛藤を原因とする説がある。社会史学者のE・P・トンプソン［Thompson 1967］は、イギリスにおける時間概念をめぐる有名な研究のなかで、商品としての時間という観念とその概念に対する労働者の抵抗は、イギリスにおいては資本主義的産業化の結果として起きたと主張した。韓国の農村での時間認識はまだ完全には研究されてはいないが、トンプソンによる産業革命以前の時代の叙述は、一九七〇年代初頭に私が韓国の農村で経験したいくつかの事項と照応している。一年のうちのいくつかの期間、とりわけ田植えと収穫の時期には、村人たちはたいへん長時間働いたが、冬の厳寒時期にはすることがほとんどなくなった。そして村人には、時計に縛られない社会的、儀礼的活動があった。ティソンディでのフィールドワークの初期には、私も妻も、祭祀は何時にとりおこなわれますか、とよくたずねたものだったが、約束の時刻に到着してみれば、きまって早すぎるか遅すぎるかのどちらかだった。コミュニティのリズムに合わせる私たちの能力のなさを思い知らされたわけだが、数人の親切な村人が、祭祀が始まる直前に私たちのところに誰かを迎えに寄こすというアイデアを思いついたのだった。同様に、農業労働は商品だったが、時間単位の労働はそうではなかった。労働者は季節ごとに（「モスム」）、あるいはさらに一般的には日単位で雇われた（「プムパリ」）のである。

しかし、テスン社員の失望が、産業化以前の時間の概念がオフィスで求められる彼らの時間へと変化した結果起きたというわけではなかった。それは二つの理由から明らかである。第一に、テスン社員はすでに産業社会の時間にじゅうぶん慣れている。私たちがフィールドワークをおこなった農村においてさえ、時計や腕時計はありふれたものだった。ほとんどの人は時計の見方を知っていたし、忌祭祀を始めたり、地元のタウンホールで開かれる結婚式に参列したり、その他さまざまな活動の予定を立てたりするのに時計を使っていた。農村の住民たちはしばしば忌祭祀は鶏の鳴き声で始めると言っていたが、それはおそらく古い慣行であり、実際には彼らは時計を使ってとりおこなっていた［Cho Oakla 1979: 103; Janelli and Janelli 1982: 93］。

そのうえ、テスンの社員たちは、より長期にわたる公教育と都会生活の経験によって、村人よりも産業社会的な時間を多く経験していた。実際、オフィスワーカーたちは、自分たちと村人とでは時間概念が異なっていることに気づいていた。ある部長は、時祭（시제：季節の祖先祭祀）のために故郷の村に帰った時のことをユーモラスに話した。彼が祭祀は何時に始まるのかとたずねたら、「お日様が出たら（해가 뜨면 하지）」とだけ告げられたという。この話にはほかの人たちも加わって、韓国の農村に共通のアバウトな時間感覚（と距離感覚）について、自分たちの経験を披露したのだった。

社員が産業社会の時間に悩まされているとは思われない第二の理由は、彼らが正規の勤務時間そのものに対しては抗議をせず、社外で果たすべき社会的義務のための時間をほとんど残してくれない残業時間に抗議していた点である。私は当初、不覚にも、彼らの抗議を、本や新聞を読んだりフィールドノートを書き上げたり、学会の会議に出席したりする時間がもっとほしいという私自身の欲求と同列にとらえてしまっていた。しかし、私が個人的な、また専門家としての欲求からさらなる時間を欲していたのに対して、彼らの異議ありの声は、長い勤務時間のおかげで社外での社会的な付き合いが妨げられているという現実に焦点を当てていた。彼らは、超過勤務が個人の趣味や読書にあてる時間を奪っていることに不満を述べていたのではなく、家族や友だちと過ごす時間をほとんど残してくれないのは不当だ、と会社に抗議していたのである。テスンの社員は、どうしてもいま書類を用意しなければならないとわかってなお、残業に異を唱えているわけではなさそうだった。デッドラインが迫るなかで長時間働くことに、むしろ彼らはしばしばある種の誇りを持っていた。仕事に朝までかかってしまったと、どこか嬉しそうに話す人も数多くいた。

家族やほかの社会的義務を引き合いに出しているために、彼らの労働時間の短縮要求は、さほど利己的には見えなかったし、またおそらく家族や友人への本物の道義的義務感の表われでもあっただろう。じつに彼らの動機の両義性は、「モラル規範に適合することが、物質的利益を追求するもっとも効果的な戦略だ」［Bourdieu 1977: 22］ということを示す一例ではある。しかしながら、彼らの信念がどのようなものであれ、個人的な欲求や権利でなく社会的義務を引き合いに出すということは、「家族その他への社会的義務が会社の求めるものと両立しない」という共有された理解にもとづいている。母親に宛てた手紙を公開した若い社員はこう述べていた。「（組織の）グループ内では家族的雰囲気が強調されますが、まさにその理由によって、個人は家族の殻から締め出されるのです。この矛盾はどのように解決されるのでしょう」〔Kang Sŭnghan 1987: 148〕。私がここで追求したいのは、会社と家族のあいだの矛盾を文化の問題としてどのようにとらえるかである。

資本主義的な労働規律に対して日本の農民が当初どのように反応したのかを調査して、社会史家のトマス・C・スミス〔Smith 1988〕は、トンプソン理論の一般化に異議を唱えた。スミスの論ずるところでは、産業化前の日本の労働者は、長い労働時間を嫌うことはまれであって、それは、彼らにすでに、時間による規律という観念と、時間は個々人の権利ではなく、社会的要求、主に家族と村の要求したがうものだという文化理解があったためだという。日本の労働者の不満はむしろ、スミス〔Smith 1988: 222〕とアンドリュー・ゴードン〔Gordon 1985〕の二人が最近示したように、長時間労働より労働条件の別の側面に集中した。スミスの議論は、日本人はとくに疑問を抱くことなく、義務を家族と村から会社へと移行させたと推定している。同様に、ドリンヌ・コンドー〔Kondo 1990: 199-219〕によれば、近代の東京における家族のメタファーを詳細に調査した結果、日本の労働者がこのメタファーを用いて、上司のふるまいが両親のようでないのを批判していたことがわかったという。

それに対して、テスンの一般社員と若手管理職から聞かれる労働時間に対する不満は、彼らが「家族に対する義務と会社に対する義務を等しいものとして受け入れてはいないこと」を示していた。会社やコングロマリットのイデオロギー装置のなかで、この（会社は家族であるという）テーマが常に繰り返されていたにもかかわらず、である。したがって、彼らが抱いた大きな違和感は、彼らの現在の労働条件と産業化以前の韓国の時間観念との落差からではなく、彼らに要求される労働と社外の社会的絆との競合から生じていたのである。テスンでは、日本におけると同様に、他人に自分の時間を提供しなければならないことに異議を唱える人はいない。問題は（会社とプライベートな生活とのあいだの）競合するコミットメントのバランスをどうとるか、であった。どうやら、会社を家族として描くことは自然なものとして受け入れられずに、抵抗を受けていたようだ。

2. 経営のコントロール

労働時間に対する不満と同様に、頻繁に耳にしたのは、社内全体に行き渡っているトップダウン式の意思決定への不満だった。一般社員は、世界のほかの多くの人びとと同じように［Scott

1990: 111-12］、[8]部下であることで体験させられる個人的制約や侮蔑的扱い、屈辱感などに不満を述べていた。しかしながら、彼らの批判は往々にしてさらに先へと進み、部下と上司とのあいだの利害の対立を暗に含みながら、あるいは上司の行動と会社の利益のあいだの矛盾にまで行き着くのだった。

上司とやり取りする部下の姿を観察したり、彼らの話に耳を傾けただけでは、上司の支配に対する彼らの鬱積した憤りが即座にわかるものではなかった。しかし、私は、労働時間に対する不満の場合と同じように、上司への批判も彼らとの雑談のあいだに耳にすることが多かった。ある一般社員は、課長が自分の言うことをまったく聞いてくれないと不満を述べた。「課長が、理路整然とした自分自身の考えを持っているならわかりますが」と彼は言い、「しっかりした自分の考えもないのに、課長は他人の話を聞こうとしないのです」と続けた。別の一人は、課長が必要もないのに部下の欠点をあげつらうと批判し、さらに一人は、課長が彼の仕事を何から何までチェックして、彼を信用しようとしないことが不満だった。さらにもう一人、自分は会社のためにコンピュータ化したシステムを作ろうとしたのに、与えられた仕事に専念しろと課長に言われた、と嘆く社員もいた。自分は課長に対応する戦略を考えついたと打ち明ける人もいた。それは、課長の承認が必要な書類を溜めておき、課長の手が空くのを待って、その書類の束を一挙に持っていくという作戦だった。忙しい時に持ちこめば、課長は書類を調べる時間が足りないからずっと有利なはず――彼の話を聞いた私はそう思うだろうと予想したらしく、課長が仕事で手一杯の時に書類を持ちこむのは、じつは「危険なのですよ」と彼は付け加えたものだ。

課長や若手の部長の多くは、上司や上司の意思決定のスタイルに対して同じような見方を示していたが、とくに意思決定に参加できないことに不満を述べることが多い課長たちは、一般に、部下の評判が悪くはなかった[9]。自分が英語で書いたビジネスレターを私が書いたと言って、ボスに突き返されないようにしたと楽しそうに話してくれた社員のことはすでにふれた。別の一人は、「あなたの上司は話し上手だ」という私の意見にはすぐさま同意しつつ、こう付け加えた。「あの人は自分がしゃべるほどには人の話を聞かないので、ときにはた迷惑なことになるのですよ」

すべてのケースで、批判は管理職のテクニカルな能力よりも、人間関係を円滑に保つ能力に向けられていた。

若手管理職の不満は、いかに自分の能力が退けられ、イニシアチブが拒まれ、また行動が規制されたかについてであったが、一部の人は、会社にとっての利益という観点から不満を述べようとしていた。ある時、私は意見を求められた。社外に人脈をつくつて契約を結ぶように言われたのに、いざ契約書ができてくると上司が承認してくれなかったという。会社にとって何がベストと思うか、という観点からの問いであった。一部の若手管理職たちは、部下の意見がどのレベルにおいても拒否されると、と嘆いていた。自分たちのアイデアは会社の問題解決に役立つかもしれないのに、というのである、毎週の部課長会の「上から目線の説教スタイルでは、やる気がでませんと彼らは付け加えた。

自分たちのアイデアがいつも拒否されてきた結果、部下たちは、与えられた範囲を越える恐れのある仕事のイニシアチブを取ることに慎重になっていた。したがって、彼らは、ブルジョアジーのイデオロギーが奨励し、自分たちのキャリアを上昇させるはずの「独自性や創造性や知性を発揮すること」を制限されていたのである。

たとえば、一般社員が翻訳を助けてほしいと言って文書を私のところに持ってくる場合、彼らはたいてい、私が提示した修正を受け入れることを渋り、できるだけ原文にそった直訳を維持したがった。ある人が、韓国語で「我が国で初めて……」という宣伝コピーを持ってきて、翻訳してほしいと言う。彼は「韓国で初めて……」(“First in Korea…”)という翻訳文を期待していて、「そのフレーズはおそらく外国人には説得力がないから、省いた方がいい」という私のアドバイスを聞き入れなかった。同様に、社員も秘書たちも、「英文書類ではコロンの前にスペースを入れるという韓国式のタイピングの慣習はやめたほうがいい」という私の提案には応じなかった。いっぽうで、理事以上の人たちのために翻訳や作文をした時には、私は自分の思い通りに訳すことができたし、提案も楽に受け入れてもらえた。このような日々の出会いを通じて、私は、深く考えることもないままに校閲や翻訳の実用的な知識を身に着けていったのである。

私は低い職階の人のためにはできるだけ逐語的な訳に徹し、高い職階の人にはより自由に、語調や文体、そして言葉のニュアンスに最大限注意を払いながら翻訳した。どうやら、それはうまくいったらしい。というのは、後にほかの部署に移っていった人たちからも、私は何度も翻訳と校閲の依頼を受け続けられたからだ。

部下たちは、常日頃、自主性と創造力を拒まれ続けていたのに、遂行するには準備不足の課題を与えられることが多かった。ある一般社員は、情報が足りないまま計画を立案するように求められたと不満を述べた。実際、私が翻訳を依頼された文書の多くには、最良の韓国語辞書の完全版にも載っていない技術用語が含まれていた[10]［e.g. Yi Hŭisŭng 1982］。翻訳を頼んできた社員自身、その韓国語の技術用語の意味を知らないと認めたことが一再ならずあった（オフィスワーカーたちは、テスンの入社一年目に広範で専門的な技術用語をマスターすることが求められていた）。技術用語は、当該社員の所属している専門部署だけで通用していることが多く、ほかの一般社員には、ほとんど手が届かなかった。しまいには私は、用語の意味を知るために、管理職にたずねるしかなく、そのほうが私にとっては楽だったが、一般社員は気楽に管理職にたずねるわけにはいかなかったのである。

私が、数人の社員たちに「理解できない指示を受けた時にはどうするか」とたずねた時、ある人は「とりあえずそれを机に持ち帰って理解しようとする」と答えた。別の一人は「上司に説明を求める」と言ったが、その答えを口にした時の彼の決然とした態度からすると、彼がそれを型破りで勇気のいる行動だと考えていることがわかった。ある管理職は「なぜ最高幹部が優秀な学校を出ているのか」を説明する際に、「知的能力が高い人ほど、いろいろ説明を重ねなくても指示を実行できるし、その結果、昇進する可能性も高くなるのだ」と言って、部下にプレッシャーをかけていた。結局のところ、自己管理の研修は「解決策が見えない指示に対して疑問を呈するよりも上司の指示に従うべく全力を尽したくなる欲求」を植えつけるのがねらいだった。このように、トップダウン型の意思決定は、準備の整わないうちに課題を与え、説明を求めればペナルティを課し、部下のイニシアチブをはねつけることで、彼らが進歩するチャンスを妨げていたのである。

第五章で取り上げた毎週の部課長会は、おそらくそれが直接的な支配と監視をもっとも露骨に現出しているがゆえに、もっとも厳しい批判をいくつか呼び起こしていた。会議それ自体の席で、不満の兆しを見かけたことはほとんどなかった。若手管理職たちは無表情で座ったまま、まったく一言もしゃべらず、不同意を示すわずかなそぶりさえ見せなかった。しかしその場を離れれば、彼らの言葉には根強い反感がうかがえた。週次会議を主宰する理事や年配の管理職たちが、この会議を「トレーニング（教育）の場」だと説明したのに対して、部下たちがそれを「叱責の場」と表現したことはすでに述べたが、若手管理職たちは、こうした会議が自分たちのためにあるとする考えを暗に拒絶した。ある課長は、意見の交換がまったくないのだから、「ミーティング」（会(ホエ)회）」と呼ぶのは不適切だと所感を述べた。さらに一人が、ボスはあれこれと口うるさい（言葉が多い 말이 많다）と不満を述べると、ほかの人たちは、コミュニケーションがいっぽう通行の「ワンウェイ」（英語からの借用語）だと応じた。そして、ある人は、抑圧的体制を表現するのに朴正熙時代の後期に政府が打ち出した「韓国式民主主義」なる用語を引き合いに出して、部課長会は

それとよく似ていると述べ、最後に、ある課長が、自分やほかの部下たちは子ども扱いされているのだ、と締めくくった。

週次会議に関するこれらのコメントはすべて、会議を招集する管理職の耳に入らないような形で提供された。部課長会での部下たちの態度はきわめて控えめだったので、彼らのふるまいを見ていた私は完全にミスリードされた。参加した最初の頃の会議で、それぞれの課長が順番に席を立って部屋を出て行き、しばらく中座した後で戻ってきたことがあった。会議の冒頭に出されたコーヒーのせいでトイレに立ったのだろうと思ったが、後で二人の課長が、会議の進め方にあまり腹が立ったので、タバコを吸いに出たのだと教えてくれた。それは密かな抵抗であり、廊下で出会った二人はお互いに同じ行動にでたことがわかり、苦笑を交わしたのである。意外な事実を知らされた私は感謝したが、同時に、心乱れるものがあった。私の民族誌研究者としての能力が試されていたからである。村会や学会などのさまざまな会合に参加した後、私は、反対の意思はアメリカとは違って、公然と対立的な形ではめったに表されないということを学んだ。むしろ、見解の対立点は、代案を示したり、声の調子を変えたり、唇をすぼめたり、姿勢をこわばらせたり、あるいは気乗りのしない返事をしたり、あるいは過剰に熱意を示すことで間接的に表明されたのである。合図(キュー)の文化についての基礎的な知識があれば、こうしたシグナルは誰にでもわかる。

二人の課長の行動とは対照的に、毎週の部課長会で見せる部下たちのふるまいの巧妙さは、他で見かける標準的な礼儀正しさをはるかに超えていて、私は、わざと自分を表に出さない彼らの態度をうまく解釈できず、自分の能力不足に苛立ちを感じた。しかし、数か月後、別の週次部課長会では、私の苛立ちが参加者に共有されていることを知って安心することになる。ある理事が、自分の考えをもっと表に出すように部下たちを諭して、もっとざっくばらんになれと要求したのだが、効果がなかった。そこで理事は私の方を向いて、課長たちに自分の考えを適切に伝える際のポイントと、それを実行するためのヒントを与えてほしいと言った。私は、その意味もよくわからぬまま争いごとに巻き込まれてゆくように感じ、また課長たちが不愉快に感じているマネジメントのスタイルにお墨付きを与えてしまうこともためらわれたので、私は明確な返答を避けた。そして、自分自身をじゅうぶんに表現することの重要性は認めつつ、私は正直に、私にはみなさんが言いたいことを明確に伝えているように見える、と付け加えた。

後になって、私がやり取りのツボを外したと思ったある若手管理職が、私をそばに呼び、部下たちは反対意見を表明すると上司の怒りを買うのではないかと恐れたのだと、個人的に説明してくれた。話は私がフィールドワークをおこなう以前にある会議で起きた出来事に及んだ。その時も今回と同じように、部下は自分の考えを述べるように求められたのだが、誘いに乗った部下の意見を聞いて経営幹部は怒りを爆発させたという[11]。

民族誌的な現代韓国の組織研究はあまり見かけないが、現存するかぎられた証言は、管理職のあからさまな支配と部下の偽装した抵抗が、ひろく長きにわたって続いたことを跡づけている。今から約二〇年も前に、全国経済人連合会（ＦＫＩ）を対象にした民族誌的研究のなかで、ドナルド・アール・クリスティーは、ホワイトカラー社員のあいだには経営管理への少なからぬ反感があり、彼ら社員がその反感を隠していることを見抜いていた。

オフィスに戻ると、彼らは会長への不満を口にしながら席についた。(……)会長は彼らをひどく叱責し、反論させなかった。「あの人に話をするのは無理だよ」と一人が大きな声を出した。実際、彼ら「トロイカ」(三人の上級管理職に部下たちがつけたあだ名)が、なかでも会長が、すべての意思決定を行っていた。(……)私が(アメリカで)知っていたクリエイティブな人たちなら、彼ら部下たちのように拱手傍観をきめこみはしなかっただろうし、抗議はしないまでも、いささかの抗弁もなしに自分たちの書類を書き直しはしなかっただろう。全国経済人連合会(FKI)では、職員たちは、不満はプライベートの場でしか口にせず、人前では何も言わずに微笑んでいたのである[Christie 1972: 147-49]。

より最近では、カール・モスコウィッツが、韓国企業で見られる慣行をひろく知られている日本の慣行と比較して、同じような所見を述べている(一九八七年三月二日付け「エイジアン・ウォール・ストリート・ジャーナル」、六面)。

韓国の会社は「平等主義的」あるいは「合意形成志向」の経営スタイルはとらない。韓国企業（そしてすべての韓国の組織）はトップダウンの権威主義的スタイルをとり、そこでの「合意」とはボスの言葉そのものであって、それ以外にはない。経営に責任のある韓国の意思決定者は、自分の部下を完全には信頼しておらず、部下が企画や立案をしても、それを受け入れたり、それに従ったりはおろか、耳を傾ける義務さえ負っていない。（……）新しい世代にあたる韓国の管理職や企業人は、（……）そうした韓国式経営文化を、いらだたしく、やる気を失わせるものだと思っている。

第一章で述べたように、韓国の組織がすべてトップダウンの権威主義スタイルで特徴づけられているわけではない。学会や同窓会、村、そしてリネージでさえ、まったく違った流儀で運営されている場合がある。さらにここでモスコウィッツが言うような韓国の管理職や社員の「新しい世代」を、とくにとりあげて論ずる理由はほとんどないように思われる。すでに二〇年前、クリスティーが全国経済人連合会（ＦＫＩ）で同じ現象を確認しているのだから。しかし、そのほかの点では、現代の韓国企業に関するモスコウィッツの観察はクリスティーや私自身の観察と一致している。

支配に対する共通の認識とそれにいかに対処するかという知識能力は、いくつかの点で村の慣行と似かよっている。部下たちは、上司と対決するよりも、人目を気にしながらうわべを取り繕うことで、上司をうまく出し抜こうとした。ある管理職はこれを「私たちの見かけと頭のなかの考えとのあいだには大きな違いがあるのです」と説明し、さらに別の一人は「私たちが人に敬意を表わすのは表向きだけです」と言った。私は、ある年配の管理職とともに、彼の視点から人間関係を見ることで、この解釈を先に進めようとした。考えていることとかけ離れたふるまいをする部下たちをコントロールするのは困難であるにちがいない。どうすれば管理職は部下が自分の指示に従うと信じることができるのだろう。その人は、彼自身の息子をコントロールする場合にたとえて答えてくれた。「私は息子に、大学入学資格をとるためにしっかり勉強しろと言います」と彼は言った。「そうすると息子はわかりましたと答えます。けれども、息子が本当はどう考えているのか私にはわかりません」しかし、管理職と父親の類似性は、ある面の部分的な比較から導かれた結果にすぎない。両者の違いについては、本章の最後に検討することになるだろう。

テスンの管理職たちは、部下のあいだにひろがっている不満にまったく気づいていなかったわけではない。ジェームズ・C・スコットが、政治支配が引き起こす反抗について、近年の研究で述べている［Scott 1990: 44］。

「支配する側のエリートとしては、うわべの敬意にすっかりだまされたりはしない。目に映る（あるいは耳に入る）以上のものがそこには数多くあって、パフォーマンスの一部あるいはすべてに不誠実な意図があると考えるものである」

テスンにおいては、理事自身もかつては一般社員だっただけに、この指摘はいっそう的を射ている。退勤後の飲み会はしばしば、そうした不満が表出する機会だと言われるが、その告白の

しやすさは、どれほど酒を飲んだかよりも、その場に何名参加していたかによるように思われた。しかしいっぽう、酒を飲み上司への不満を語ることは、ある年配の管理職が私に教えてくれた、文字通り「上司は酒の肴代わり（상사는 술 안주감）」という民俗表現で表現されていた。この諺は、酒を飲む時によく出る食品（一般的なのはスルメだが、ピーナッツ、果物などほかにもいろいろある）を、社員は酒を飲めば上司の不満を口にするものだという共通理解にひっかけている。スナック（酒肴）はボスに対する上手なメタファーであり、それは、スナックが「噛む（씹다）」ものであり、「噛む」が誰かの悪口を言うという意味のスラングであることからきている[12][Yi Hŭisŭng 1982: 2265]。

年配の管理職たちの多くは、「部下たちが毎週の部課長会をことのほか嫌っており、もっとも一般的な不満は意思決定に参加できないことだ」ということを認識していた。部下の全般的な不平不満に気づいていた人もいたが、誰と誰がもっとも不満を持っているのか、部下の不満がどこまでひろがっているのかまでは、おそらく知らなかっただろう。ある理事は、ごくわずかの部下と私とのランチタイムの雑談のなかで、独裁的な自分のスタイルを弁護した。しかし、その日の彼のパフォーマンスはリハーサルだったようで、彼は次の部課長会で同じ抗弁を展開した。彼は、部下たちの未熟さを引き合いに出しつつ、つぎのように自分のやり方を正当化したのだった。

未熟な者には何から何まで指示しなければなりません。「ドアを出たらまっすぐ五〇メー

トル歩きなさい。それから右に折れてさらに五〇メートル行きなさい。そうすると小さなビルが見える。そのビルにタバコ屋がある。(彼は手に持ったタバコを高くあげて銘柄がよくわかるように示し)タバコの種類は「ソル(솔 松)」で、値段は五〇〇ウォンだ、とまで言わなければわからない。いっぽう、円熟した大人であれば、ただ「ソルを買ってきてくれ」と言うだけでいいのです。

同じように、クリスティーは、韓国の全国経済人連合会(FKI)と、彼がアメリカで勤務していた組織との主たる違いに気がついた。それは「韓国の経営トップが、社員は自分の仕事に興味がなく、仕事をするための経歴もじゅうぶんでない、つまり『彼らはXYZ(最先端のこと)をやりたがるが、ABC(基礎)も知らないのだ』ということを確信し、その事実を受け入れていることだ」[Christie 1972: 148]。

ある日の週次部課長会に参加した後に、年配と若手の管理職双方が私の感想をぜひ聞きたいと言ってきたが、それが物議をかもす前兆だった。その時、私が述べた解釈に対する彼らの反応のおかげで、私は自分の示した解釈を修正することになった。

私は文化相対主義から出発していたので(そしておそらく私自身の利益のためでもあったが)、批判的な物言いをするのは気が進まず、むしろ会議を前向きに解釈しようとした。

私は、「社員は会社と生涯をともにすることを期待されるのですから、会社には社員を教育する必要性があるに違いありません」と指摘した。そして、ある非常勤の大学の同僚から一度ならず聞いた「私が何をしたらよいのか誰も教えてくれない」という不満を例にあげて、「外部から人材を登用して、スタッフを入れ替えるのがはるかに容易なアメリカの会社組織には、〈泳ぐ者は浮く、沈む者は沈む〉式のアプローチ（sink-or-swim approach）を取る余裕があります」と言った（その意味を説明するために、私は英語のフレーズを使った）。それから私は、最近アメリカのビジネス雑誌で読んだ、企業の再建と買収の話をした。そこでは社員たちは解雇されるその日まで、自身の業績がふじゅうぶんだと指摘されることはなかったのだ。

私のこの解釈は、理事や年配の部長には歓迎された。ある人は、わが社で見聞したことをとてもよく理解していますねと、言って私をほめた。もう一人は「泳ぐ者は浮き、沈む者は沈む」というフレーズを自分の英語のボキャブラリーに加えるべくメモしていた。それに対して、若手管理職は私の解釈を積極的には受けとめなかった。彼らは、アメリカの企業では意思決定は共同でなされていると信じるようになってきており、私がアメリカの大学にもそのような専制的な学部長がいると言うのを聞いて失望した様子だった。一人の若手管理職は、他人の持ち物は自分の物よりもよく見えるという時に使う韓国の諺を暗に引き合いに出して、「それは他人の餅（남의 떡）と同じ話ではないですか」と凝りに凝った質問をした。ここでもう一度私は、「批判的にならないように気を遣うと、結局一つの政治的立場を擁護することになる」ことにあらためて気づいたのである。

社員の認識と管理職の前でとる行動との乖離は、彼らの抵抗の実践においてもまた顕著で、ドラマチックというよりじつに巧妙なものだった（会社＝家族というメタファーに対抗する戦略については、本章の最終節で検討する）。部署の会議では、いくつかのＱＣサークル（quality control circle：品質管理活動を自主的におこなうサークル）の討論グループをつくつて、指名された社員が一人ずつ自分のグループ内の討論内容を発表することになっていた。ある社員の発表がとてもユーモラスで、まるで会議全体を茶化しているようにも見えた。発表を終えると、ある課長が、大切な活動を軽んじていると彼を叱責したが、ほかの人は、会議を「楽しく」しようとした彼の試みがいっぺんに押しつぶされてしまったことを残念がった。その社員の行動に対する私自身の見解は、最初の課長の立場に近かったが、その社員の意図はよくわからなかった。

また、別の例では、締切りが差し迫ったやっかいなプロジェクトに取り組んでいる社員が、彼のチームが使っている部屋を、私の一時間の英語クラスのために一時的に空けてくれるよう上司に要請され、これに抵抗したことがある。彼の抗議は一、二分続き、双方がかわるがわる相手を説得しようとした（私は、ほかの部屋を使いましょうと言ったのだが、受け入れられなかった）。その部下の抵抗は無礼なものではけっしてなく、彼は会社の利益を最大限伸ばすという観点から持論を述べたのだった。最終的に、彼は、少なくとも外から見るかぎりでは、たいへん礼儀正しく部屋を譲った。

ある晩、私が理事と部長、そして部下の課長たちを酒席に誘った時のことだが、課長の一人が今日は父親の祖先祭祀の日にあたるので、失礼したいと言って辞退を申し出た。彼の上司が不参加は認めないと言ってあったのだが、彼がやってきて同じ理由を私に告げたので、すぐに私は祭祀のほうが大事な義務だと認め、帰るよう勧めた。彼に参加するように命じた上司は、自分の部下が帰宅して参加していなくても、それに気づいたそぶりを見せなかった。また別の折に、私はある管理職グループの山歩きに誘われた。一人の課長が到着するまで、我々は約束の時間から一時間も待たねばならなかった。彼に電話をかけると、今日は家にいて子どもと遊ばせてほしいと答えたが、彼の上司の部長は必ず来るようにと命令した。

さて、抵抗のもう一つの形態として退職があるが、そうした場合にも対立的な雰囲気はなかった。会社に残った人たちは、ふつう、退職者の辞職の理由を上司との意見の不一致によるものと解釈するが、一般に退職者は、大学で研究を続けるとか、ビジネス以外の職につくことを理由に挙げる。退職によって勤務が自分の意にそわなかったことを示す社員もいたが、彼らが嫌ったのが、上司の管理なのか、長時間労働なのか、仕事の単調さなのか、あるいは会社での生活に何かほかの原因があったか、私にはわからなかった。

しかしながら、トップダウン式管理に関するコメントがすべて否定的なものだったわけではない。ある若手管理職は、上司に提案を受け入れてもらえないことにはそれなりの利点もあるという、一般とは異なる意見を述べた。仕事がうまくいかなくなった場合にも、「あなたにその危険を知らせようとした（あるいは、知らせたかった）のです」と言うことで、失敗の責任を負わずにすむというのである。[13] しかし、彼もまた、先に述べたような批判を口にしていたのだから、彼のこの意見には、トップダウンの正当化というよりも、自分の意見のバランスをとろうとする意図がうかがえた。

もう一つ、同じような逆の見方が、今度は合弁事業でアメリカ式の経営を直接経験した管理職たちから示された。彼らは、アメリカ式の頻繁な社内文書、打ち合わせや会議は、わずらわしく非効率だということに気がついた。彼らには、アメリカ式の経営手法は、意思決定の責任を引き受けることを躊躇しているように見えたのだ。もっとも、彼らのコメントは、テスンのトップダウンの慣行を正当化するというより、むしろアメリカの管理職の経営方式を批判するほうにねらいがあるように思われた。

一般に、テスン社員は、職場の意思決定に関する認識を共有しており、黙従と抵抗のための戦略をあれこれ工夫してきた。本書で以前紹介した監視や管理の多くの慣行は、いまや経営側の対抗戦略と見てさしつかえない。上司から距離を置こうとする部下たちの行動は、さらなるイデオロギー的教化や監視そのほかの統制を誘発した。社員の戦略は、善悪の判断によるものであり、また同時に自己の利益をめざすものでもあった。というのも、彼らは、自分たちが不合理だとみなすようになったものから自分自身を守ることは正当だと感じたからである。彼らの戦術は、会社のイデオロギーが内包する〈上司と部下〉という関係性のイメージに対抗するものでもあった。

3. 戦略としての人の和――文化刷新

争いが公然化することを抑えて人の和を得ようという努力は、上司と部下との関係を越えて、同僚との関係にも及んでいた。テスンでのフィールドワークの最初の週に印象深かったことの一つは、言い争いどころか、同僚に対する苦情すら耳にしないことだった。アメリカのオフィスや韓国の村、また韓国の（あるいはアメリカの）学会によくある類の争いの兆しを目にすることはまったくなかった。むしろ、皆、労をいとわず互いに助け合い、私にも力を貸してくれたので、本当にありがたかった。私が管理職の机に行って、今はお時間ありますかときくと、彼はいつも大丈夫ですよと答え、私のどのような頼みでもきいてくれた。

韓国の他社のオフィスでのことだが、同じような慣行がロジェ・ルヴェリエ Roger Leverrier の心を打った。このフランス人は、韓国で経験を積み、呂東贊（ヨドンチャン）（여동찬）という筆名で有力メディアに寄稿していた。ある年配の管理職が、彼の作品集を私にプレゼントしてくれたが、そこでルヴェリエは、フランスと韓国のオフィスを比較しての次のように書いていた。

率直に言うと、（フランスに限らず一般に西欧のオフィスでは）、ひと目見ただけで人びとには

余裕（여유）がないのがわかる。社員が何人かで雑談しているのを見ることはないし、男性が若い女性の同僚（아가씨들：お嬢さん方）に冗談を言うことも、若い女性職員たちが小説や週刊誌を読んでいることも、あるいは社員が一服したりコーヒーを飲んだりして訪問客と雑談に興じたりすることもない。

西欧のオフィスワーカーたちは、まるで世界史の流れを変えるほど重大な意思決定に直面しているかのようだ。深刻な表情を装い、各自に割り振られた仕事に全力を傾けているような印象を与える。出勤してから終業時刻まで、自分の仕事以外のことは完全に忘却しているように見える。

一般に、韓国の状況はそれとは完全に異なっている。たとえ彼ら（韓国のオフィスワーカーたち）が、忙しすぎてまともに考えることもできないと言っている時でさえ、彼らには冗談を言う余裕があるし、雰囲気もそれほど切迫してはいないように見える［Yŏ 1987: 20］。

私は、テスンで女性社員が週刊誌を読んでいるのを見たことは一度もないし、コーヒーを飲みながらのんびり来客とおしゃべりするのは、一般職員ではなく管理職だけだった。しかし、そのほかのルヴェリエの観察は私自身のそれと一致する。

最初の数日のオフィスの印象はいかがでしたかと、ある若手管理職に尋ねられたとき、私が抱いた最初の思いは、人間関係（인간관계）がきわめて良好に見えるということだった。とくにテ

スンのイデオロギーが人和団結を力説していることから、この私の反応は適切であるように思われた。ところが驚いたことに、私のこの一見当たり障りのない所感は、強固な反論に見舞われた。その課長は、テスンの人間関係にも非常に難しいものがあって、オフィスワーカーたちはお互いによく腹を立てていますが、そういう気持をなんとか表に出さないように苦労しているのです、と強い口調で語った。

当初私は、彼の反応を解釈しかねた。というのは、彼はその前に韓国人とアメリカ人の違いを話題にした折には、身構えるような態度をとって、その違いを否定しないまでも、きわめて小さく考え、そのような比較は韓国の慣行を暗に批判するものだと受けとめていたからである。ところが数日後、韓国とアメリカの対比をすっかりおもしろがっていたもう一人の若手管理職が、オフィス内の人間関係についていてくだんの課長と同じような評価を述べた。

何日も何週間も過ぎ、こうした見方を表明する発言が何度も繰り返され、積み重なると、若手管理職のあいだにそれがどれほどひろがっているかを、私はようやく理解するようになった。人和団結の精神を育もうとする実践のひろがりを私が理解するまでには、さらに数か月が必要だった。互いにうまくつき合ってゆくために新中流階級の人びとが練り上げた知恵が、ただ単に怒りを表さないというレベルをはるかに越えていたためである。彼らは、上司との諍いを抑え込むことを学んだように、同僚との非友好的な人間関係を隠し、お互いを攻撃し合うことを避け、意図せずに相手に与えてしまった傷を修復することを学んだのである。

この目的を遂げるためのテクニックの数々に、これまで私は、韓国のほかのいかなる場所でも出会ったことがなかった。たとえば、同じ課の社員は、ふつう毎日いっしょにランチを食べ、同一部署の同僚の結婚祝い金を一つの封筒に集めて手渡し、朝夕の挨拶を欠かすことはなかった。メンバーの誰かが結婚するたびに同一部署の同僚は全員、贈り物をし、自分の妻が男の子を産めばコーヒーをご馳走し、葬式をはじめ、お互いの家庭の大切な行事には参列した。それとは対照的に、同郷、同窓、同一親族（オーナー経営者の一族は別として）の人びとに向けた、彼らの特別な努力を目にすることはなかった。この三つのタイプの所属集団が社会に亀裂を生んでいる、とは韓国の中流階級がしばしば指摘するところでもある。

そしてまた私は、テスンの各部署のあいだの社会的距離の大きさに驚いた。ある部署の課長の父親が亡くなった時、本部ビルの同一フロアにいても他部署の課長たちは、数日後までその出来事を知らなかったのである。

対立はそれが表に出ることのないようみごとに隠されていたので、フィールドワークの初期には、私はグループの連帯がきわめて高いという誤った推測をしていた。しかし、オフィスワーカーたちにじつはそうではないと熱心に説き聞かされ、また、社員が人事異動でほかの仕事につくなり急いで人間関係を組み替えていたことを知って、ついに私も、彼らの交流が計算づくであることを思い知るにいたったのだった。彼らは、仕事の後の付き合いが部署ごとに持たれたときは、前夜の深酒をしばしば話題にしたものだが、部署仲間以外の集まりについてはかなり口が重かった。所属課、所属部署の同僚以外の人物との親密な交友関係は、とりあえず仕事上の関係のない少数の相手同士以外はおおっぴらに話題になることはなかった。実際、私が親しく付き合うことのできたごくわずかの人たちを除けば、私にはそうした人間関係は目にとまらなかったと思う。人の和についてのブルジョアジーのイデオロギーは、「一つの社会的絆を増強するには、そのほかの絆を犠牲にしなくてはならない」という事実を認識できていなかったのである。

私が質問を発した相手は誰もが率直に、たいていは一定の誇りをもって、良好に見える自分たちの人間関係は不断の努力（노력）の成果だということを認めた。村人たちの場合、社会的な関係を、徳性（moral character）［Janelli and Janelli 1982: 26］や、心の優しさのような個人の性格［Brandt 1971: 147-8; Janelli and Janelli 1982: 23］、族譜上の関係の近さ、確立した交友関係［Chun 1984: 119-20］、さらに年齢やその他構造的特徴によって解釈する傾向があった。しかしテスン社員は、仕事仲間との関係に関してはより行為主体中心的な見方をとっており、相互の関係に道徳的判断を下すことには消極的だった。すでに述べたように、村では、争いごとははるかに公然と表沙汰にされた。テスンにおいては、隠された争いや競争や他者への攻撃は、偶発的なものをふくめて絶えず存在するリスクであり、それは克服されなければならなかった。協調は望ましいが、物事の自然な姿ではない。しかし、このような克服の努力を偽善だと言う人はいなかった。人間関係の維持にすべてのエネルギーを傾けてしまうと、それ以外の会社の目標を達成するエネルギーが失せてしまうのではないか、と心配した人もごくわずかだった。

管理職は、社会的絆（人間関係）を育むことを重視し、ほかの者が自分の代わりにしてくれた行為に対しては返礼する義務があると論じるいっぽうで、そのような努力には実利的な価値もあることを率直に認めていた。社員に対する評価の一部が、ほかの社員と仲よくやっていく能力にかかっていると口にする者は誰もいなかったが、個人的な人間関係を育てることが現実的な目標の達成のために有益だということは、公然と語られていた。[14] ある管理職によれば、海外勤務で数年を過ごして帰国した時はそれがきわめて難しいという。しばらく会社を留守にしたために、同僚たちのようには人間関係が築けないからで、人間関係は育てるものなのです、と彼は言い添えた。そして「ビジネスにおける決定のほとんどは、一〇〇パーセントの客観性にもとづいてなされているわけではありません。主観的な判断の余地もあるので、もし誰かと良好な関係を持っていれば、その人が要望をかなえてくれる可能性はそれだけ大きくなります」と言った。自分たちが与えられた課題を円滑に達成できたのは、社内における非公式な関係のおかげだったと述べた人もいた。したがって、他者との協調は、助けを受けたら返礼するという道徳的義務の産物であると同時に、現実的な目標を達成するためのひろく認められた戦略でもあった。

4．メタファーを争う

私は、ブルジョワジーの公式イデオロギーや年配の管理職のコメントが、テスンにおけるトップダウン型の、権威主義的であからさまに強権的な経営スタイルを正当化するために、家族のメタファーを利用していることを示そうとした。ブルジョワジーの支配の堅固な姿勢については、正反対の見解を示した一人の年配管理職をのぞいて、特権を持つ人ほど、彼らの硬直した支配について若手管理職や一般社員との合意を求めようとした。しかし、それは、主として会社を家族に見立て、管理職の部下に対する支配を息子に対する父親の支配に喩えることで、その支配を正当化しようとするものでもあった。一人の管理職が対立する見解を示したのは、支配そのものに対してではなく、その正当化についてだった。ブルジョワジーは、会社を家族に見立て、厳格な管理とはげしい叱責は部下自身の幸せのための教育の形だという結論をそこから導いたが、これに対して、部下たちが前面に出した見解は、会社はまるで軍隊だ、というものだった。労働時間に関する部下たちの不満は、家族というメタファーに対する拒否を表わし、彼らのそのほかの行動や表現もまた家族のメタファーに抵抗した。

多くのテスンの職員は、家族のメタファーに表立って異議を申し立てることはなかったが、ごくまれにそれを持ち出すことがあった。家族のメタファーはカンパニーマガジンや研修会を通じて喧伝されていたが、実際に会社と家族のアナロジーを用いたのは、年配管理職である。彼らは自分たちの役割が部下の称賛より叱責にあり、部下に対して厳格に振る舞うことだと考えていた。年配の管理職と最若年層の部下との年齢差が、家族のメタファーに部下に向けたより強い訴求力を持たせ、よりふさわしい支配の正当化を可能にしたのかもしれない。しかし、彼らもまた、部下の制御への関心をオーナー経営者たちと共有していた。年配の管理職は給与がはるかに高いだけではなく、彼の指揮する部門の業績（と彼自身のキャリア）が、部下をコントロールし、部下から最大の努力を引き出す管理者としての彼の能力いかんにかかっていた。

しかし、若手管理職からは別の意見が出た。わずか一人だけだが、明確に家族メタファーの受け入れを拒否した人がいた。彼は、上司と部下のあいだの利害の違いが、部下への叱責の性質にいかに影響しているかにまで言及し、「父親からの叱責は、息子の幸せへの配慮や息子への愛情にもとづいているが、上司の場合はそうではない」と指摘するのだった。ほかの多くの若手管理職も、上司と彼らのあいだの利害の対立には気づいていたと述べていた。上司がいかに自分たちに長時間労働を要求しているかについて共通の不満があっただけでなく、部下たちには、上司を自分たちの昇進の邪魔になる存在ととらえている面もあった。ある管理職を名指して、あの人は部下が自分に取って代わることを恐れている、と言う声があったかと思えば、別の人たちは、ある同僚の昇進が遅いのは自分たちの管理職のせいだと非難した。管理職が部下を短期間で昇進させてくれたり、部下の利益をサポートしてくれるなどと信じる人は皆無であった。ある若手管理職が私にたずねたことがあった。「大教室の学部の授業を担当する場合、あなたも、助手に仕事を丸投げしますか」と。

コメントのなかには、人の呼称に関するこんな屈折した見方もあった。ある課長グループの指摘だが、日本のオフィスワーカーは、人前で自分の課の課長に言及する時には敬称を付けないという。日本人と韓国人の慣行が異なるのは、日本人は課長を自分たちのメンバーの一人だと考えるからだ、というのが彼らの解説で、つまりは暗に韓国人の社員はそうではないと言いたかったのである。[15]

若手管理職のなかには、家族のメタファーと、支配と位階のシステム全体を逆手にとって抵抗した者もいた。一人前扱いされずに意思決定からも疎外され、失望した若手管理職たちが、親族間で使用される敬称を自分の部下に付け、その敬称に両者の地位を象徴的に逆転させる意味合いを担わせたのである。[16] 韓国語で「ヒョン（형）」は「兄」を意味するから、それを年長者が若い男性に対して使うことは、一般的には不適切なのだが、部下を呼ぶ際に、時折その言葉を使う課長は多かった（たとえば、マ・キホさん〔マ・キホ・シ〕の代わりにマ兄さん〔マ・ヒョン〕と呼ぶように）。二、三の課長たちの説明では、その実践は一般（男性）社員の意見も検討に値することを認めるためだという。「ヒョン」は、頻繁には使われなかったが、機に応じて援用され、会社の強固なヒエラルキーの土台を掘り崩し、物事にはほかのやり方もあることを示すことによって、位階シ

ステムが当然視されてゆく歯止めとなったのである。その呼称は、（年齢差を重視する）家族のメタファーを用いながら、オーナー経営者が意図したものとはまったく違うヒネリをそれに与えた。そして、部下のアイデアも会社に利益をもたらすと認めることで、ブルジョワジーはまたしても自分が仕掛けたイデオロギーの罠の一つにはまってしまったのだ。

抵抗のもう一つの形に、テスンの経営が儒教的だということを進んで認めながら、そこからまったく別の意味合いを引き出してくるという手法があった。儒教は韓国のナショナル・アイデンティティ（国民統合）の徽章（エムブレム）とされるかわりに、国民の恥部の象徴として、つまり時代遅れで保守的な権威主義的なルールを遠回しに指す言葉としても使われた。実際、儒教は多義的な象徴であり、ときには嫌悪を込めて口にされることもあった。儒教に対するこうした別の解釈は、すでに数十年前から韓国の中流階級のあいだに定着していた考え方にもとづいている［Robinson 1991］。

家族のメタファーに異議をとなえるもっとも一般的な手法は、カウンター・メタファーを提示することだった。社員や中間管理職が家族のメタファーを避けたように、経営幹部やオーナー経営者は軍隊の喩えを避けていたので、会社と軍隊の比較が社内のオフィシャルな会話に入り込んでくることはまずないものと思われた。しかし、会社と軍隊の類似点は、韓国社会ではひろく認識されていた［Jung 1987: 63 など］。たとえば、すでに見たように、新聞は財閥トップを最高司令官と呼び、「軍事文化」という用語がまた新たに、国家やその他機関の慣行を形容するためにつくり出されていた。

軍隊と会社がいくつかの点で似ているのは明らかだった。これまでに述べてきたこと以外にも、さらにいくつか付け加えることができる。各部署の掲示板には、オフィスのドアに鍵をかけて翌朝に再び開ける担当の当番表が掲示されていた。廊下の掲示板には、男性の適切な髪の長さを描いた絵が貼られていた。その日の天気にかかわらず、決まった日から夏の服装規定が適用された。テスンの本部スタッフの月例会議では、社長の話の直前に全員が起立して礼をし、それから歯切れのよい号令に従って一斉に着席した。国旗への敬礼では、全員が同じ姿勢で背筋を伸ばして座り、胸に手を置いた後に一斉にその手を下ろすように命令されていた。コンピュータシステムを使ったプレゼンテーションでは、係の人は、長い指示棒を、使わない時には捧げ銃の姿勢で右側に持ち、気をつけの姿勢で立っていた。社歌は四分の四拍子だった。各部署の各課は、その職務や製品ではなく番号で呼ばれた(たとえば第二分隊、第三小隊のように)。オフィス間のメモは(同じビルにいる人のあいだで交換されることはまずないので、より正確には「事業所間」メモなのだが)、常に正式にオフィスの長から別のオフィスの長に送られ、送付元と送付先は双方ともに、そのコピーを受け取る人を含めて、氏名ではなく役職名で指定された。いろいろな意味で、私の軍隊経験は、アメリカの官僚組織や韓国の村、大学についての私の理解にも増して、オフィスでの人間行動への良き指針となったのだった。

一般社員もまた、こうした会社と軍の類似点をはじめ、多くのことを鋭く意識していた。ある社員が、新入社員グループと私の前で、数分間、演説をぶって、社内の意思決定が軍国主義的すぎると批判し、その矛先を韓国全体に対する批判にまで拡大したことがあった。「兵役を経験していない人たちはたいていテスンを退職してしまうが、それは兵役経験者でないと耐えられないからだ」とその社員は主張した。そして彼は、企業全体にひろがる軍隊式生活スタイルの典型的な例として毎週の部課長会をあげ、その他テスンと軍隊の対応例を多数思いつくままに列挙していった。

会社の慣行は、たびたび社員や管理職に軍隊経験を思い出させた。ある管理職は、新入社員向けにおこなわれる自己管理研修の効果には懐疑的で、彼らは軍隊でそうした訓練をすでに受けているし、軍隊の訓練はもっと過酷で厳しいものだと述べた。財閥の社員食堂では、社員が一列に並んで、仕切りのある金属製のトレイに盛られた定食を受け取る。ある社員は、食堂に入って軍隊での食事を思い出し、兵士がわずか三〇秒でランチを食べ終わる訓練の場面をユーモラスに再現してみせた。また、ある社員の机にあるマニュアルの表紙にはわかりにくい手書き文字で、部署名が「ハナ課〔하나과〕」と書かれていた。「ハナ〔하나〕」は韓国語の「一」なのだが、テスンでは課の名前には一般に漢字の数詞が使われていたので〔たとえば課名は「ハナ課」ではなく「一課〔일과〕」というように〕、私にはその「ハナ課」という手書き文字がわかりにくく感じられたのだった。社員の説明によれば、軍隊では、数字は、電話やラジオで〔音声だけでは〕判別しにくい漢数字の代わりに、聞いてわかりやすい韓国固有数詞が使われるのだという。実際は、同様の置き換えは軍事とは関係のない電話の会話でもよく聞かれるものだったのだが、社員は軍隊のアナ

ロジーを使った。あの手書き文字は、とくに意識せず軍事用語を使ったのか、それとも皮肉たっぷりの社会批評だったのか、私には今でもよくわからない。

職階の低い社員からは、ほかにも軍隊との比較が示された。テスンと自分のなじみの非商業組織を比較して、ある社員はこう言った。「あそこの人たちは、（一般社員、課長、部長などのように）職階が違っても皆が友だちのように接していますが、ここは（あごで床を指しながら）、まるで軍隊のようです」そして年末の忘年会では、社長が順番に各部署に顔を出して挨拶をかわすのだが、社長の訪問の準備や編成がまるで軍隊のようだと話している人たちがいた。食べ物の配置を決めるために綿密な計画が立てられ、コカコーラの瓶と瓶のあいだの距離まで決められていた。決められたタイムテーブルでは、D時マイナス一〇分にすべての準備が完了するとされ、キャンドルはD時マイナス五分に灯され、シャンパンはD時マイナス二分から注ぎ始めるなどなど。「D時」とは社長の到着時刻のことだった（訳注：「D時」はDesignated Time〈指定された時刻〉か、あるいは作戦行動開始日を意味するアメリカの軍事用語、第二次世界大戦のノルマンディー上陸作戦などで知られる〈D-Day〉から来ているのかもしれない）。

いくつかのコメントは、テスンのオフィスにひろく見られる軍隊式の序列に対して、軍隊に直接言及することなく、批判の矛先を向けていた。ある社員に私は「管理職には〈うん（응）〉としか返事を返さない人がいますが、あなたはいつも挨拶を返してくれますね」と言われた。別の社員からは「アメリカ人の部下は上司の前で足を組んでも許されるのですか」とたずねられたが、

あながちただの興味本位の質問というわけでもなさそうだった。彼は、「私たちの管理職は足を組ませないのですが、私が管理職になったら、部下には足を組ませてやろうと思っています」と付け加えた。

またある時、私は、会社主催のレクリエーションで男女の一般社員のグループと海辺を旅行していた。目的地に近づくにつれ、一組の観覧席が見えてきたので、私は勘違いして（あとで間違いだとわかったのだが）目的地だと言ってしまった。その観覧席は、イベントに参加する社員全員が座れるほど大きくはなかったので、ある人が「社長と課長たちが席に座って、一般社員は地面に座るんでしょう」と言った。声の調子にはそうした扱いへの憤りが表われていた。すると一緒にいた女性社員が「それじゃ、私たち女性は水のなかね」と、自分たちが受けるもっとひどい扱いを口にした。[17] 他者との人間関係を築こうとがんばっている人たちは、おそらく、自分たちを軽く見るような扱いには、いっそう敏感だったのだろう。

もちろん、軍隊のメタファーにも家族のメタファーにも一面の真実はある。どちらの場合も、その類比がテスンの男女社員に支持されていることがその証拠だろう。「会社は軍隊に似ているのか、あるいは家族に似ているのか」という彼らの議論に立ち入ることは党派的立場をとることになる。どちらの表現も、物質的な優位を押し進めたり、それに挑んだりする言葉でオフィスライフを描こうとしている。どちらの立場を支持する者も、各自の利益にもっとも調和する解釈を前面に出そうとして、しばしば道徳的な主張を込める。これらは、ブルジョワジーと新中流階級の人たちが物質的争いを展開するための主要な戦略なのである。

注

(1) 労働部(韓国労働省)は会社の職員へのアンケートやインタビューによってデータを取っていた。しかしながら、そのような情報源の信頼性には問題があった。日曜日の超過勤務をのぞいて、テスンではホワイトカラー社員のタイムカードは保管されていなかった。さらに、会社負担の社交イベント(たとえば忘年会)への強制的な参加は総労働時間に含められるのか、それとも労働時間からは省かれるのか、いずれにせよ議論のあるところだろう。

(2) ほとんどの女性社員は、机の上を片付けて引き出しに鍵をかけ、六時から七時にかけて一人ひとり静かに退勤した。七時以降も居残りする女性社員はごくわずかにいたが、それは彼女たちが締切りの迫っているプロジェクトで働いているか、長時間勤務が必要になる特別な職務についていたためだった。たとえば、ある理事の秘書は、理事が退勤するまでは職場にいなければならなかった。

(3) 日曜日に出勤する一般社員には追加給与が支払われた。未婚の一般社員は、家族に対する義務はほとんどないし、追加手当も出るので、むしろ日曜出勤を楽しんでいると言われていた。課長は交代で日曜出勤しなければならなかった。課長たちのうち誰か一人は一般社員の手当の申請に立ち会ってサインする必要があったためである。一般社員の水増し時間(padded hours)を認めたり拒んだりする権力が与えられるので、この仕事をする時は偉くなった気がすると、課長の一人がユーモラスに話してくれた。

(4) クリスティーの研究に注意を向けてくれたローレル・ケンドールに感謝する。

(5) 一九八六年と一九八七年に私が観察した長時間勤務は、ちょうど私のフィールドワークの期間中続いた好景気による一時的な現象だとは言えなかった。ある若手管理職の解説によれば、社員は忙しくない時に

も同じように長時間働いて、自分の状況を改善するための「対策(대책)」を立てているのだという。
(6)私は、社員たちが利用している研修マニュアルのひとつに、趣味が皆が話したがる話題として推奨されていることに、後になって気づいた。
(7)少なくともテスンでは、夏時間のおかげで労働時間が延びたという証拠に私が出会うことはなかったし、夏季に時計を合わせ直す慣行は一九八八年をもっておしまいになった。韓国は(日本と同じく)タイムゾーンを西欧標準時間に合わせている。
(8)ジェイムズ・スコットの研究[Scott 1990]を届けてくれたロバート・ウォールズ Robert Walls に感謝する。
(9)ここはとくに勘違いするおそれのあるところだ。自分たちの不満を私にもっとも積極的に語った管理職たちは、おそらく周囲から私に近いとみなされたはずで、彼ら自身の部下は、私に胸襟を開いて上司への不満を打ち明けるわけにはいかなかっただろう。
(10)海外産のコンセプトや学術的発見を、アカデミックな、また商業的な領域に大量に輸入することで、この問題はさらに悪化する。たとえば、文化人類学(cultural anthropology)という英語に対応する韓国語の用語はあるが、実際に文化人類学とは何かを理解しているのはごくかぎられた人たちだけである。何人かの韓国人類学者が、会議の告知を読み違えたラジオアナウンサーの例をあげていた。彼らの文化人類学会(문화인류학회)が主催した会議の通知を、アナウンサーは「文化人・類学会」(문화인・류학회)と読みあげたのだった。
(11)上司は「ボスが聞きたいと思うことしか言わない」という批判もあった。
(12)韓国語の「噛むこと(chewing)」のこの口語的意味を指摘してくれた任敦姫に感謝する。
(13)ここで課長が使った韓国語は、うまくいかなかった自分の行動(「私はしようとした」)、あるいは状況のせいで挫折した自分の意図(「私はしたかった」)を伝える微妙な感情を表す表現である。
(14)私は実際に人事考課表を調べたわけではないので、これは単なる推測である。しかし、韓国の他の情報筋から入手した人事考課表によれば、このような項目はすべて含まれていた［e.g. Samsong ch'ulp'ansa p'yŏnjipkuk 1987; Han'guk insa kwalli hyŏ-phoe 1988］。

（15）この違いに関する人類学上の議論に関してはキム・ジュヒ（김주희）Kim Joo-Hee を参照のこと［Kim Joo-Hee1978: 72-73］。クラーク・ソレンセンは親切にもこのキムの研究に私の注意を向けてくれた。

（16）韓国の大学のキャンパスでも同様に、学生たちは呼び名に対する文化理解を変えはじめていた（フレデリック・ロバーツ Frederic Roberts の個人的な情報提供による）。

（17）女性社員たちは職階のシステムにはしばしば批判的だったが、おそらくそれは彼女たちがその底辺に位置し、軍役に服することもなく（軍役に服した男性たちは、一年から三年のキャリアのブランクがある）、あるいは自分たちを序列の外に追いやっている一部の男性たちよりもビジネスの知識や経験に勝っていたからで、彼女たちの敏感な批判は男性の同僚に向けられた。ある女性社員は、部署の別の課に異動させられたが、彼女の同僚の男性によると、彼女よりも若い男性社員が無神経に彼女を酷使することに我慢できなくなったからだった。女性は、高校を卒業するとまもなく入社するため、男性よりもおよそ六歳若い頃から勤務することになるが、年齢を重ねて経験を積むまで会社に残っている人は少ない。今では、結婚しても会社に退職を求められることはないのに、なぜ女性は勤め続けるよりも辞める方を選ぶのかとたずねた時、一人の女性社員は「私たちには、昇進できるポストがないんです」と答えた。さらにまたある時、男女いっしょに仕事をしたプロジェクトで、私たちが皆いっしょにエレベーターに乗った時のことだった。私が「開」ボタンを押したまま、女性が先に降りるのを待っていると、私が先に降りるのを待っていた男性社員が大きな声で独り言を言った。「教授のおかげで女子職員を待たなきゃならん」すると、その女性は「結構じゃないの」と言い返したのだった。

結論

古典的組織論は「自民族中心主義（エスノセントリズム）」に感染しており、組織の形成や経営の実践への影響といった面での政治的、社会的、経済的環境の重要性を無視している。

マクレガー［McGregor 1960: 17］

本書を生み出した弁証法は、フィールドワークの後も健在だった。目にし、耳にしたことを正しく理解できていないのではないかという不安から、私はテスンでの経験の記録を読み返し、それについて考え続けてきた。メディアを通じて知り、また、九か月半を彼らの職場でともに過ごした友人と再会した折に知った、韓国の、またテスンの出来事は、一部私のフィールドワークに新しい意味を見出しなさい、と私を駆り立てていた。

次期大統領選の全斗煥の後継者として指名されていた盧泰愚による六月二九日の民主化宣言にともない、報道の自由そのほかの重要な自由化が緒についたが、その変革が果たしてじゅうぶんなものだったかどうかという議論が続いている。六か月後には二人の野党候補が選挙で過半数を占めたものの、その過半数の票が割れ、二人は盧泰愚に敗れた。こうして全斗煥の政党は引き続

き権力を維持し、批判する側はまもなく盧泰愚の第六共和国を五・五共和国と呼ぶことになった。しかし、一九八八年春には国会議員選挙で野党が過半数を獲得し、大企業グループとの関係を含む全斗煥政府の「悪事」（五共非理 오공비리）に関する尋問をおこない、その模様をテレビ中継するのにじゅうぶんな野党連合を形成した。

オリンピックが終わると、野党議員たちはただちに、大ビジネスグループ（大財閥）の政治的貢献に対して特恵が与えられたのかどうか、また巨額の寄付は強制されたものだったのか否かを暴こうとした。「四大財閥」の会長の一人が、その捜査結果をもっとも巧みに要約していたが、その表現は国民の多くの関心を集めた。全斗煥政権への自らの献金や、ほかのビジネスグループからの資金のとりまとめについて説明するよう迫られたその会長は、資金は「物事が楽に進むように」提供したと述べ、政府と大ビジネスグループとのあいだで利益交換の関係が続いていることを示唆したのだった。「朝鮮日報」は一九八八年一〇月一九日の社説で、韓国の日常会話の喩え「妹の得は義理の兄の得」（「あなたが背中を掻いてくれれば、わたしもあなたの背中を掻いてあげる」とするのがもっともわかりやすい翻訳だが）を使って国と大財閥との関係を表現していた。

しかしいっぽう、数年も経たないうちに、国と大財閥との関係が少々冷却化したことを示すさまざまな出来事が起こった（一九九一年一一月一九日付け「朝鮮日報」）。たとえば一九九一年一一月、国税当局は、四大財閥の創設者の一人に対して未納税額一億八〇〇〇万ドルを納めるように求め、その後その創設者は新たな野党政党を結成することになった。そして同じ月に、盧泰愚は、投獄経験のある反政府活動家たちが中心となって結成したある小政党の指導者と会談したが、その党は主要産業の国有化を支持していた。「韓国大統領と左派政治家が会談するのは一九四八年以来のことだった」と「ファー・イースタン・エコノミック・レビュー」誌（一九九一年一二月一九日号、三〇頁）が記していた。

盧泰愚が民主化宣言をおこなった一九八七年六月二九日のおよそ一週間後、テスン財閥はソウル南部の、国会にもそう遠くない、新しくてはるかに大きなオフィスビルに本部を移転した。テスンのもとの本部は、大統領府の近く、日本の植民地時代に建てられたソウル駅正面の旧市街にあった。新しい本部は、まっすぐな道路が格子状に延び、高級店やアパートメントやその他ソウルに住む新中流階級のライフスタイルの象徴が立ち並んだ、新開発地域に建つ高層ビルだった。アメリカの会社がテスンのために設計した新しい本部ビルは、韓国式障子の日除けや大きな陶器甕（オンギ）の灰皿こそ備えていなかったが、抽象的な、あるいは韓国的なモチーフの彫刻作品が敷地を飾っていた。

軍隊生活の禁欲を思い起こさせるものはすっかり姿を消していた。新本部は一面にカーペットが敷かれ、トイレではお湯が出て、最高幹部にはプライベートエレベーターが備えられ、各階には自動販売機がずらりと並んでいた。もはやコングロマリットは、型押しした金属プレートで職員に定食を出してはおらず、陶磁器製の食器を使い、さまざまな料理をカフェテリアスタイルで供していた。テスンの社員や管理職は、もはや月に一度集合することもなく、各階の戦略拠点に設置された大画面モニターに流されるプレゼンテーションを月の初めに見ているのだろう。その画面には、毎日昼下がりに短い柔軟体操のプログラムが映されるのだが、手を止めて体操をする社員はほとんどいない。そのプログラムを話題にすると、オフィスで柔軟体操をするのは日本の慣行だという声がきまって聞こえた。

財閥が新本部に移転した数週間後、テスン社員が新しいランチの手順と通勤スケジュールに慣れてきた頃に、私は韓国でのフィールドワークを終え、大学で教えるためにアメリカに戻った。英語を教え、通信文を添削していた部署からは、ありがたくも私に記念品が贈られ、何人かはディナーに誘ってくれた。私はなるべく多くの個人や課の人たちにランチやディナーの返礼をすることで最大限の感謝を示そうとしたが、それにはまた新しいギフトと接待が返されるので、私はますます追いつけなくなるのだった。

フィールドワークの後にテスンをはじめとするコングロマリットで起こったこともまた、私の理解を更新し続け、目撃したことは単なる支配と抵抗ではなく、韓国がその政治経済を形成してゆく過程における歴史のひとこまだったと、私は結論づけるにいたった。さらなる民主化を求める声が韓国中に起こり、それが財閥に変化を促すことにもなったようだ。一九八九年一一月一八日付けの「東亜日報」の記事は、以前に比べ、はっきり自分の意思を示して退勤後の飲み会を断る若い社員が増えたと報じている。

Lグループに所属するC部長はこう述べた。「最近入社した若い社員は、仕事の後で飲みに行こうと私が誘っても断ってくることが多いですよ」

ほんの数年前までは、仕事の後でどこかに飲みに行こうと誘われれば、上司や先輩について行くことがごく当たり前だったが、今ではその慣習は「考えてから決める」ことの一つになっていたのである。

財閥のカンパニーマガジン一九九〇年一一月号で、私は、女性社員に対する呼びかけ方の慣行がはっきり変えられたことを知った。オフィスでの正しい呼び方を社員に教える短いエッセイが載っていて、女性社員の姓にミス Miss を付けるのは不可、としていたのである。[1] 一九九一年春、韓国の新聞各紙が伝えるところでは、テスン財閥は平日午後七時にオフィスの照明スイッチを切り、七時以前に社員が帰宅するよう促すと宣言したという。コングロマリットの経営上層部が、労働時間に対する姿勢をはっきりと変えたのである。フィールドワークを通じて親しくなった友人の一人は「それでも仕事を続けたい人は、七時以降も明かりをつけておいて欲しいと書面で申請することになりました」と説明した。

1. 韓国の資本主義をつくる

これまで各章で述べてきたブルジョワジーと新中流階級の実践は、西欧の資本主義の容赦のない進出、あるいは、交換し取引する人間の自然な性向の必然的な結果、などという説明ですますことはできない。資本主義への「移行」を一般論として概括しようとする人たちを批評して、トンプソンは、二〇年以上前に、いかなる社会においてもその移行自体が文化的に形成されることは避けられないと論じていた［Thompson, E. P. 1967: 80］。

たった一つのタイプの「移行」があったわけではない。移行のストレスは文化全体に及ぶ。変化に対する抵抗と承認は文化全体から起こってくる。そしてその文化には、権力システム、資産関係、宗教組織等々が含まれていて、それを無視すると、現象をひたすら平板にし、分析をつまらないものにしてしまう。

それぞれの地域の文化がどのようにして資本主義を形成するのかに関しては、ほかの研究者たちも同様の意見を述べている。

既存の生産様式からの転換が、スムーズな直線的プロセスだったことはほとんどない(Meillassoux 1972)。発展する資本主義システムは、それまでのすべてを一掃することも、土着の文化形式を新しい社会とイデオロギーの構造に置き換えることもまったくかなわず、重要な点で、自らが飲みこもうとするローカル・システムに明確に規定されてきたのである[Foster-Carter 1978; Marks and Rathbone 1982; Comaroff 1985: 2]。

韓国に見られる経営方式をはじめ、ほかのさまざまなビジネス活動の多くが、資本主義のローカル・バージョンの形成を露わにしていた。世界のどこの資本主義社会システムにも必須とみなされている慣行が、韓国には欠如していたか、まったく姿を変えていて、しばしば資本主義に対立するとされる慣習のほうが、韓国の政治経済においては重要な役割を担っていたのである。確かに、このような違いは、ローカルな影響力以上のものから生じている面もある。世界システムにおける韓国の位置、とくにアメリカとの軍事同盟、先例から見た韓国の歴史的発展段階[Amsden 1989; Gerschenkron 1962]、国際貿易の拡大[Haggard and Moon 1989: 33]、そして一九八〇年代後半以前からのアメリカの覇権の低下などが、その構造の形成に影響していた。

しかし、ローカルな原因は大きかった。多国籍企業や国内の個人のイニシアチブに依存するのではなく、政府が国際信用市場におけるリスクのかなりの部分を保証し、世界のどこの国でも資本主義的起業家が引き受けていた（産業分野の選定、輸出促進などの）さまざまな役割を政府が果たしていた。政府は、資本市場や、ホワイトカラーとブルーカラーの労働、生産、輸入、そして消費をコントロールした。

大財閥のオーナー経営者と新中流階級のビジネスの実践もまた、ローカルな資本主義づくりを証言している。それらの実践の多くは、ほかの社会の資本主義的企業には見られないものであるし、それらはまた、国家が、あるいは世界システムが押しつけてくる制約の避けられない結果だというわけでもない。コングロマリットという組織形態そのものは、韓国の公式の金融システムや法制度の外部に、あるいはそれらとは別の次元に存在している。財閥の親族集団（ファミリー）と彼らの中央集権的な経営は、その管理が経営専門家に任され、より低い階層に意思決定が分散された後にも依然として健在である［Chandler 1977; Moskowitz 1989］。ただし、財閥ファミリーや中央集権的経営の慣行が彼らの利益を最大化した、という証拠はほとんど見出せないのだが。

韓国の財閥は、成長を正当化し、主要な生産手段の所有権を護るために、幅ひろい努力を続けている。不動産投資は、とくに財閥に道徳的な非難が集まりやすいので隠蔽された。株主総会を運営する独特の方法と粉飾決算の実践によって、少数株主をコントロールする力を維持し続けた。物質的利益の拡大を確実にする手段として、「協調（cooperation）」が契約（contracts）にすり替えられた。そしてなによりも、ホワイトカラー社員の採用、管理、そして解雇のために、一部韓国式を取り入れた人事管理システムが作られていた。

2. 韓国の伝統をつくる

人事管理も、ほかの韓国資本主義のローカルな特徴も、「伝統的」あるいは「土着的」な慣行ということで説明がつくものではない。出身が農村であれ都市であれ、テスンの社員たちが経験した韓国社会は、過去四〇年のあいだに変化してきている。それに加えて、韓国社会は、その表象の多様性ゆえに、現代企業と自らとの関係をきわめて難しいものにしている。学校、都市、そして軍役は、職場の慣行に数多くの、フーコーの言う「類似（similitudes）」［Foucalt 1971］を提供した。ちょうど農村の慣行が同じような役割を演じたように。農村の生活とオフィスライフの部分的な類似点を寄せ集めて、より古い伝統の慣性的な継承として説明しようとするならば、その慣性的な継承はきわめて選択的だったことになる。一元的なトップダウンの系統的指揮命令システムは、韓国の伝統のせいにされることが多いが、韓国資本主義のほかのどの特徴と比べても、それが農村の諸経験により深く根差しているようには見えない。そのような権力の集中は、現代の韓国社会に普及している軍隊の影響を示すものだと言えるかもしれない。げんに最年少の部下たちはそう言っていた。表面的な人の和と協調を維持する戦略は、単に農村での生活経験によって身についたものではない。それは、儒教思想の影響のようにも見える反面、新中流階級が人間関係に対して行為主体性（agency）中心型のとらえ方をするようになった結果であるようにも思われる。その行為主体性中心の見方は、位階システムへの黙従とともに、そうした賢しらなふるまいを部下に刻み込もうとするブルジョワジーの努力によって、社内研修や、監視や、社のイデオロギーの定期的な注入、さらには象徴的であり物質的でもある褒賞と処罰を通じて、きわめて広範囲に推進されたのだった。

西欧社会とは大きく異なる慣行のなかには、ひろく報告されている日本の慣行と似ているものがある。漢字のハングル表記からは、ビジネス用語のかなりの部分があの島国から取り入れられたことがわかる。しかしながら、この主要な伝播のルートは、現代韓国のビジネス慣行のごく一部を説明するにすぎない。ひと目見て日帝の「残滓」とわかる表現が、なぜ根強く残るのか、また、そのほかのものも、なぜ引き続き日本から持ちこまれるのかが説明できないのである。政府が民衆のじゅうぶんな支持を得た上で日本の映画や雑誌や新聞の輸入をブロックして、韓国から日本文化の影響を一掃しようとしてきたにもかかわらず。

さらに重要なのは、朝鮮史上のさまざまな時期に日本の慣行（たとえば、財閥から日々の職場の体操まで）が取り入れられたことであり、フーコーのいう「系譜」［Foucalt 1984］が、何年にもわたって複製され差し替えられながら、いまだに持続していることである。その結果、一見日本的に見える数々の行動が、日本で目にする行動とは多くの重要な点で異なっている。さらに、日本の影響という場合、なぜある実践が取り入れられたのに、ほかの実践が著しく姿を変えたのか、あるいは拒絶されたのかを説明できない。たとえば、現代韓国の「財閥（チェボル）」は第二次大戦以前の日本の「財閥（ざいばつ）」と似てはいるが、韓国の財閥には資金提供する系列銀行がない。そのことが、日本の経済産業省（ＭＩＴＩ）をはじめとする政府機関が持つことのできない、財閥をコントロールする手段を韓国政府に与えたのである。

多くの日本のホワイトカラー社員のキャリア形成（安定した長期雇用と年功序列）は会社間の流動性（転職率）の低さから導かれるが、韓国では終身雇用が暗黙裡に保証されているわけではない。資本主義的活動を擁護するためにナショナリズムを強引に利用することは、過去の日本の慣行を思わせるが［Yoshino 1968: 23-29］、財閥の不正蓄財が日本人にとって重大な問題だったことはなさそうだ［Hadley 1970: 15; Gordon 1985: 48］。家族を会社の雛形として用いることは、日本のメタファーと似ているが［Yoshino 1968: 42; Nakane 1970］、韓国の家族が男系親族以外の者の組み入れ（養子縁組）を受け入れていないことを思い起こす必要もある。日本の労働者は家族のメタファーをひろく受け入れているように見え、またそれを雇用側に対する武器として用いているが、韓国では底辺のホワイトカラー労働者は家族のメタファーを拒絶している。韓国と日本の部下たちは課長に対して「課長」という同じ呼称を使うが、上司の課長に敬称の「様（ニム）」を付けて「課長様」と呼ぶのは韓国だけであり、テスン従業員の評釈では、韓国のほうが（課長と部下の）社会的距離ははるかに大きいからだという。職階による役職手当や机の配置などは日本に似ているが［R. Clark 1979: 109-10; Rohlen 1974］、ブルーカラーとホワイトカラーのあいだの流動性がないこと［Hattori

1988: 202; R. Clark 1979: 109〕や、ホワイトカラーの一般社員や職階の低い管理職を閉め出した、あからさまで高圧的なトップダウン型意思決定のひろがりは、日本の企業でこうした階層制度が使い古された経緯とは、一致するどころか、むしろ対照的であるといえる〔Rohlen 1974:24-28; R. Clark 1979:126-34; Ouchi 1981; 一九八七年三月二日付け「エイジアン・ウォール・ストリート・ジャーナル」、六面〕。

したがって、日本と韓国のあいだの一見よく似ていると思われる事柄の数々は、双方の国をアメリカと比較することから生じる幻影だということになる。日本と韓国の多くの研究者が、それぞれの社会の経営慣行の重要な違いを指摘している〔Hayashi 1988; Yoo and Lee 1987; Ch'a 1987〕。

韓国型資本主義の判定にアメリカや日本の資本主義を使うべきではない。韓国の政治経済がとくに変わったものであるとか、その資本主義システムが歪んでいると結論づけるべき理由はほとんどない。どの資本主義システムも、さらに言うならどの政治経済も、社会的につくり上げられ、文化的に特徴づけられた人間のユニークな創造物なのである。

マルクスのもっとも実り豊かな洞察は、引用されることの多い商品フェティシズムに関する議論にもっとも鮮やかにみられるのだが〔Marx 1977 (orig. 1867) : 163-77〕、それは、資本主義という概念の脱構築であり、資本主義は自然が生んだシステムではなく、人間による人工物であることを示すものだった。よしんば一九八九年以降の東欧における変革が示すように、マルクスの名において打ち立てられた資本主義の代替物のほうも、資本主義に負けず劣らず不自然なものに見えるとしても。

3. 階級

独立しているとされる政治経済的、文化的システムを、単独に取り出しても、あるいはいくつか組み合わせてみても、テスンのホワイトカラー社員の資本主義的な実践を正確に説明することはできない。そこで私は、ブルジョワジーと新中流階級の部下が、韓国の資本主義をつくり、つくり直すことに寄与したそのプロセスに光をあてようと試みた。

国営企業よりも私企業による生産の拡大を選択し、資本の源として外国企業の誘致よりも海外からの借り入れを優先することで、過去二、三〇年のあいだ、政府当局者は韓国ブルジョワジーと彼らの新中流階級の部下たちを支援してきた。こうして、彼ら韓国社会のエリートたちは国の資本主義的変容の第一の行為主体となり、受益者ともなった。彼らの共通利益の追求が、西欧資本主義や国の方針への単なる追従ではなく、資本主義的変容を媒介するよう積極的に彼らを導いたのである。この二つの階級は、可能なかぎり国の規制を回避し、国内の批判には応じ、国際取引の場で彼らを不利に追い込むアメリカの資本主義的慣行や象徴的支配の形に抗いながら、自らがその下で選択をおこなう条件に抵抗し、その条件を再解釈し、あるいはそれに変更を加えようとさえしたのだった。

けれども、ブルジョワジーと新中流階級のあいだには、利害の対立もあって、彼らの闘いの展開が、現在の多くのビジネス慣行の系譜をたどる上では重要だった。ちょうど、韓国政府が時にはアメリカの要求に譲歩しなかったように、またブルジョワジーが政府の方針に従い、また巧みに身を躱したように、新中流階級もブルジョワジーの単なる道具にとどまりはしなかった。コングロマリットが用いた広範な支配のメカニズムや、監視のテクニックや、イデオロギー的テーマなどは、抵抗するか、順守するか、対抗手段に出るか、といった新中流階級の選択のいかんに左右された。ほかの中流階級やプロレタリアートによる広範な財閥批判は言うまでもないが、ブルジョワジーと彼らに雇用されたホワイトカラーとの対立は、こうした制度と支配の慣行が、自身の慣性によって持続しているとか、あるいは社会化や文化適応によって自ずと再生産された揺ぎない文化と堅固な社会構造によって説明される、などといった言説を疑う、さらなる理由を提供した。

ブルジョワジーだけでなく彼らの部下たちも、長く続く対立のなかで成功を収めてはいなかった。若い社員と管理職はブルジョワジーが押しつける家族のメタファーに抵抗したが、四〇歳以上のほとんどの管理職はそれを自らの支配を正当化するために都合のいいモデルだと考えていた。おそらく、ポール・ウィリス〔Willis 1981: 123〕やニコラス・エイバークロンビー Nicholas Abercrombie とスティーヴン・ヒル Stephen Hill とブライアン・S・ターナー Bryan S. Turner たち〔Abercrombie,

Hill, and Turner 1980〕が論じたように、皮肉なことに、イデオロギーは神秘化することによってこそ支配者の利益に役立つのである。そのいっぽうで部下たちもまた、ときには小さな争いに勝利し、その結果、慣行の一部刷新をもたらしたが、彼らの成果は、私のフィールドワークが終わるまでに明らかにはなっていなかった。(2)

4. フリーライダー、文化中毒者、合理的愚者

テスンの新中流階級の社員と若手管理職は、(私が知るかぎりの話) 変化をもたらすために暴力やストライキ、大規模なデモそのほかの派手な対立的集団行動に訴えることはなかったが、採用面接に関する新聞記事が示すように、ブルジョワジーは、ホワイトカラー社員と工場労働者が手を結ぶのではないかと頭を痛めていた。(3) オフィスの職員は非組合員 (フリーライダー) ではないが、労働者階級が彼らの利益にもなるはずの変化をもたらすべく活動している時に、静観をきめこんでいた。しかし、じつは彼らの個人的行動の集積は、政治経済的、文化的変革に寄与していたのである。週次部課長会で沈黙を守ったり、一服するためにそこから抜けだすことで、彼らは (ブルジョワジーへの) 協力をさし控えた。一時的に滞在したアメリカ人の研究者に会社への不満をもらしたり、同僚とは互いに愚痴をこぼし励まし合ったりした。名前の呼び方の性差をなくしてほし

いと要求したり、父親の祭祀に参列するために夜は空けておきたいと言って退勤後の飲み会を避けたり、ブリーフケースよりも便利だとポジャギを絶賛したり、若い部下に「兄さん（ヒョン）」という敬称をつけて呼びかけたり、真面目なはずのQCサークル（能力啓発活動）のレポートで笑いをとったり、他部署への配転を願い出たり、あるいはただ退職した。

これら対決色の薄い抗議行動は、個人的なものではなかった。そしてそれゆえに、オフィスの同僚を支援することで協力関係を維持しようとしたテスンの社員は、フリーライダーにならずにすんだのだ。社員たちは生活時間を家族よりも社員同士の交流にあてており、それゆえ、ポシンタン（犬鍋）が好きか否か、ナショナリスティクなジョークに腹の底から笑うか否か、アメリカの通商要求や経営支配を批判するか否か、ブルーカラー社員に同情するか否か、といった事柄を仕事仲間に隠しておくことは難しかった。

韓国資本主義の文化的慣行の創造、再創造にかかわる日々の選択や戦略について、新中流階級の人たちと話し合っていると、彼らの説明にはたびたび物質的利益の追求が顔をのぞかせる。したがって、彼らの証言が「個人は自分自身の利益を増進するために行動する」という合理的選択理論の主な論点と矛盾するとは思われない。しかし、彼らの言葉や行動と折り合いをつけるのがいっそう困難なのは、観念論対唯物論という本質論としての二分法（essentialist dichotomization）と、合理的選択理論が経営手法を理解しようとする多くの試みとともに依って立つ構造決定論である［Callinicos 1988: esp. 200; cf.Little 1991b; Elster 1986］。

むしろ、テスンにおける物質的利益にかかわる選択と行動は、無原則に移り変わるさまざまな文化理解の集合と、それ自体も偶然の産物で変化しやすい社会関係に基礎を置いていた。私は、残りのパラグラフで、〈観念論と唯物論〉と〈構造と行為主体性〉という二元論を乗り越えるために、それらの選択の意味するところを示してみようと思う。

韓国の資本主義は、象徴的な資源や物質的な資源をめぐる争いを通じて構築され、再構築されてきた。テスンのオーナー経営者たちは、自らの目的に都合のよい韓国文化のバージョンを前面に押し出すことで物質的利益を追求しようとしていたので、自分たちへの反抗が見てとれるほかの文化のバージョンとは闘った。彼らは、たとえば露骨な支配の拡大を事実ではないと否認するのではなく、父親が息子をいかに支配するかについての共通認識の、都合の良い部分だけを利用して、支配を事実と認めたうえで正当化する道を選んだ。

「管理職＝父」というメタファーをより魅力的にするために、オーナー経営者たちは、自らの支配が部下の最善の利益であるかのように示したり（たとえば、社員研修）、気前のよい給与の追加給付と引き替えに規律の厳格化をはかった。彼らはまた、自分たちの企業は、自分たちの利益のためではなく、国家の利益のために設立され、維持されてきたかのように見せかけた。このような戦略によって、オーナー経営者たちはホワイトカラー社員が負うべき道徳的義務を暗黙のうちに提起し、社員たちの心からの支持を求めたのである。

しかしながら、部下たちはこの戦略を完全に信じこんだわけではなかった。彼らは、自分たちの防衛を形にするために、しばしばオーナー経営者とは異なる文化理解を打ち出した。財閥は家族だというブルジョワジーの宣言に対して、部下たちは、ほかならぬ自分たちの家族に対する義務を強調したり、「家父長的」経営慣行を軍国主義的な慣行として描き出したりした。そして上司が「父が一番よく知っている」と公言すると、それに応えて若手管理職は、会社全体の繁栄をはかるためには部下のアイデアが役に立つこともあります、と主張したのだった。

文化的な構築物の利用と物質的利益の追求がどのように一体化していったかを示す例を、また別の道徳的主張のなかに見ることができるかもしれない。平等な競争の場、共通のルール、契約の順守などにもとづく公正さを一方的に求めるアメリカ人に対して、新中流階級は、人情の道徳的性格と、世界の政治経済的パワーの不均衡を指摘した。さらに新中流階級は労働者に同情を示し、ブルーカラー労働者への譲歩を認めることが、どちらかといえば、彼らの物質的利益を損なうより増進すると思われるかぎりにおいて、彼らの怒りの正当性を認めていた。

文化をめぐる解釈が争われたのは、まさに道徳的主張とメタファーが利益を増進する戦いの武器だったからである。父と息子の関係に見られる権威対互酬、そのそれぞれに与えられた重要性、現代韓国社会への儒教の影響の適用可能性、そして公平な競争の場と各プレイヤーの身の丈の重要性、これらはすべて、思想上の争いがいかに経済的な含意を持つかを物語っている［Roseberry 1989: 26］。選択は、文化的に決定された道徳的責務と物質的な動機とのあいだでどちらを選ぶか、ではなく、物質的な結果と文化的な意味が等しく混じり合った複数のあれかこれかの代替行動

（alternative actions）のあいだでおこなわれなければならなかった。

私は、道徳性なるものへのシニカルな見方を暗に伝えようとしているわけではない。多くのアメリカ人は、取引相手は双方とも同じルールに従い、契約を尊重すべきだという考えに誠実に従っているし、テスンの社員は人情にはあまり動かされないのでは、と疑う理由も私にはない。私自身は、私の調査が理解を深めてくれると信じているが、異なる関心を抱く人が違った解釈を定式化し、それにも同じように説得力があると考えることもありうる。私欲と、道徳的主張の一面性（虚偽性ではない）こそが、なぜ彼らがそうした関心にコミットする気になったのかを説き明かしてくれる。

文化は利益の認識を媒介し、利益を追求する戦略に影響を与える、と多くの人が述べている［Bloch 1983: 135-36］。しかし、その指摘は、ヘゲモニーと虚偽意識、そして「真の」利益を暴いたり隠蔽したりするといわれる文化的知識の議論にのみ通じていることが多い。そのような観念（文化）と物質（利益）の問題の定式化では、新中流階級における物質的豊かさの追求と文化との関係を説明することはできない。

この新中流階級という階層の成員として、テスンの社員は、利害が対立したり矛盾したりするさまざまな立場に立ち、それぞれの立場は、ブルデューの言う経済資本、社会関係資本、文化資本などさまざまな資本によって後押しされていた［Bourdieu 1977: 62; 1990: 110-111］。彼らの人生の可能性は、とりわけ家族、会社、部署、財閥、階層、国家、そして世界の可能性に結びついていた。これらの属性や資本の形式のなかから一つを選び取るために彼らが導き出した算法は、どれもそれ自体が一個の文化的な構成概念であり、それは他者の将来の反応に対する期待〔Bourdieu 1977: 4-8〕や、ほかのさまざまな将来の不確実性〔Callinicos 1988: 101〕、リスクの認識〔Douglas and Wildavsky 1982〕、所有権の主張の正当性〔Reeve 1986〕、さらには国際的同盟関係の安定性、文化的に構築された会計原則などによって特徴づけられていた。テスンでの会話や議論が明らかにしたように、これらは単に個人が考えをめぐらす問題ではなかった。テスンの社員のまわりには、自分たちの利益が何かを理解するための選択肢があふれていたが、それらはどれも部分的で、客観的に実証できるものは一つもなかった。

結局のところ、新中流階級の選択は、文化的な価値を選ぶか物質的な豊かさを選ぶか、ではなく、さまざまな利益、資本、人のつながりのなかで何を選ぶか、であった。アレックス・カリニコス Alex Callinicos が述べているように〔Callinicos 1988: 156, 205〕、個人は利益を一人で追求することもあれば、家族、階層、国家、会社、その他利益を共有する者同士で形成した集団的な行為主体の一員として追求したりもする。このような複合アイデンティティは、そこから合理的選択がおこなわれるはずの選択肢を生み出す。

ものの見方が変われば選択もまた変わる。エバンズ＝プリチャード Evans-Pritchard が描いて見せたサブサハラのアフリカ社会の「分節的リネージシステム」〔Evans-Pritchard. 1940: 142-150〕とは対照的に、現代韓国の社会的アイデンティティの優先順位には一貫した序列はないように見える。

むしろ、同盟関係はうつろいやすく、新しい経験に再考を促されて、アイデンティは一〇年ごと、年ごと、日ごとに、そしておそらく分刻みで組み替えられる。ソビエト連邦が韓国の旅客機を撃墜してから、アメリカと戦うソビエト連邦のバスケットボールチームをソウルオリンピックで韓国の観客が応援するまでは、わずか五年しか経っていなかった。ブルーカラーの賃上げ要求に対する新中流階級からの支援の声は、何度かストライキが打たれるうちに雲散霧消した。同僚の一人から反論を受け、テスンのトップダウンの経営システムへの批判を休止しただけではなく、批判そのものを撤回した社員は、こうした選択がいかにうつろいやすいものかを白日にさらした。[4]

ブルジョワジーも新中流階級の人びとも、与えられた選択肢の中から選ぶしかないような囚人ではなかった。むしろ、彼らはさまざまな可能性を考慮し、新しい選択肢を考え出し、自分たちが選択をおこなった条件自体を変えようとさえした。世界システムによる構造的制約は、すべてを彼ら自身が選択したわけではなかったが、アメリカ人や政府の当局者に、あるいは自らの上司に異議を申し立てることによって、彼らの領分を規定し直そうと試みることはできた。彼らの合理的選択を概念化するにあたっては、単に選択の対象となる複数の行動のあいだに選択の余地を残すだけではなく、彼らの複合アイデンティティからはしばしば相矛盾する利益が派生するため、予想される複数の行動の評価にも選択の余地を与えなければならない。さもないと、彼らの「さまざまな選択」について、物質的な利益の追求には、プログラムされたコンピュータの動作と同じように、人間の決断よりも計算が必須なのだ、と判定されてしまうだろう。判定を下すのは「合理的愚者（rational fools）」［Sen 1982］だが、ちなみに彼らは、「文化中毒者（cultural dopes）」とは掲げる動機の性格が違うだけの存在である。[5] テスンの人びとは、人間がいかにして、文化と政治経済の構造をつくり、つくり変えることに、熱心にまた細心の配慮をしながら取り組む思慮深い行為主体たり得るかを示したのである。

注

（1）数か月後の朝鮮日報（一九九一年七月三日、一〇面）は、韓国中の企業で女性の呼称に「ミス」を使わなくなっていると報じ、その変化に別の意味を与えた。「ミスター」も「ミス」も外国語と考える傾向が顕著になっており、使用は避けたほうがよいと勧めていたのである。

（2）これらの変化をもたらす中流階級の能力には、おそらく彼らの仕事の性質が与って力があった。労働集約型から知識集約型への産業のシフトが、韓国の資本主義産業化を進めるなかでの新中流階級の協調の重要性をますます高めた。プロレタリアートの肉体労働とは異なり、ホワイトカラー社員の頭脳労働は、過度に強制することがいっそう困難だったのである［Gross and Etzioni 1985: 110］。

（3）街頭デモに参加したと自分から伝えてきた人は誰もいなかったし、私もたずねなかった。私が知る社員たちには、おそらく週末を除けばデモに参加する機会はまずなかった。しかし、最大規模のデモがあった日には、道路が混雑、ラッシュアワーの通勤が難しくなるので、ほとんどの社員は、いつもより早めに帰宅させられていた。

（4）さらに、もしフィリピンが民主主義に向かって大きな一歩を踏み出すのがわずかに遅れていたら、またもし一九八七年に韓国の警察が二人の学生を殺害していなければ、そしてまた大統領の地位が早い者勝ちでなかったのなら、おそらく一九八七年の学生デモに中流階級が加わることはなかったのだろう。

(5) 近年、ギデンズ［Giddens 1990］は、こうした用語と社会構造についてのパーソンズ主義的概念との類似性を認めている。多くの合理的選択理論の支持者［e.g. Little 1991a: 55-57］が好む「囚人のジレンマ」は、きわめて厳しく制約された環境の下でパターン化されたもので、囚人たちに許されているのは非常に狭い選択肢の中からの選択である。これに対して、テスンの社員の行動は、司法取引や弁護士への接見要求に似ており、また、自分たちに対抗する反証について、それが得られた方法そのものの適法性を問題にする異議申し立てのようでもある。

〈参考文献〉

Abegglen, James C.

1958 The Japanese Factory: Aspects of Its Social Organization. Glencoe, Ill.: The Free Press.（『日本の経営』〈新訳版〉山岡洋一訳、2004年、日本経済新聞出版）

Abercrombie, Nicholas, Stephen Hill, and Bryan S. Turner

1980 The Dominant Ideology Thesis. London: Allen and Unwin.

Allen, Chizuko T.

1990 Northeast Asia Centered Around Korea: Ch´oe Namsŏn's View of History. *Journal of Asian Studies* 49: 787-806.

Allgeier, Peter F.

1988 Korean Trade Policy in the Next Decade: Dealing with Reciprocity. In Danny M. Leipziger, ed., Korea: Transition to Maturity. New York: Pergamon Press.

Althusser, Louis

1971 Ideology and Ideological State Apparatuses（Notes Towards an Investigation). In Louis Althusser, Lenin and Philosophy and Other Essays. Ben Brewster, trans. New York: Monthly Review Press.（『再生産について―イデオロギーと国家のイデオロギー諸装置』西川長夫他訳、2010年、平凡社ライブラリー）

Amsden, Alice H.

1989 Asia's Next Giant: South Korea and Late Industrialization. New York: Oxford University Press.

Anderson, Benedict

1983 Imagined Communities: Reflections on the in and Spread of Nationalism. London: Verso.『想像の共同体――ナショナリズムの起源と流行』白石隆他訳、2007年、書籍工房早山）

Archer, Margaret S.

1988 Culture and Agency: The Place of Culture in Social Theory. New York: Cambridge University Press.

Arrow, Kenneth

1963 Social Choice and Individual Values. 2d ed. New York: John Wiley.（『社会的選択と個人的評価』長名寛明訳、2013年、勁草書房）

Bank of Korea

1989　Economic Statistics Yearbook, 1989. Seoul: Bank of Korea.

Ban Sung Hwan, Moon Pal Yong, and Dwight H. Perkins

1982　Rural Development. Studies in the Modernization of the Republic of Korea, 1945-1975. Cambridge, Mass.: Council on East Asian Studies, Harvard University.

Bendix, Reinhard

1956　Work and Authority in Industry: Ideologies of Management in the Course of Industrialization. New York: John Wiley.（『産業における労働と権限―工業化過程における経営管理のイデオロギー』大東英祐他訳、1980年、東洋経済新報社）

Bhaskar, Roy

1979　The Possibility of Naturalism: A Philosophical Critique of the Contemporary Human Sciences. Atlantic Highlands, N.J.: Humanities Press.（『自然主義の可能性―現代社会科学批判』式部信訳、2006年、晃洋書房）

Bloch, Maurice

1983　Marxism and Anthropology: The History of a Relationship. Oxford: Oxford University Press.（『マルクス主義と人類学』山内昶・山内彰訳、1969年、法政大学出版局）

1989　From Cognition to Ideology. In Maurice Bloch, Ritual, History, and Power: Selected Papers in Anthropology. London School of Economics Monographs on Social Anthropology, no. 58. London: Athlone Press.

Bourdieu, Pierre

1977　Outline of a Theory of Practice. Richard Nice, trans.Cambridge: Cambridge University Press.

1988　Homo Academicus. Peter Collier, trans. Stanford: Stanford University Press.（『ホモ・アカデミクス』石崎晴己他訳、1997年、藤原書店）

1990　In Other Words: Essays Towards a Reflexive Sociology. Matthew Adamson, trans. Stanford: Stanford University Press.

Brandt, Vincent S. R.

1971　A Korean Village: Between Farm and Sea. Cambridge, Mass.: Harvard University Press.

1980　Appendix A: Case Studies of Small and Medium Enterprises.

In Leroy P. Jones and SaKong Il, Government, Business, and Entrepreneurship in Economic Development: The Korean Case. Studies in the Modernization of the Republic of Korea, 1945-1975. Cambridge, Mass.: Council on East Asian Studies, Harvard University.

Buci-Glucksmann, Christine

1980 Gramsci and the State. David Fernbach, trans. London: Lawrence and Wishart.（『グラムシと国家』大津真作訳、1983年、合同出版】

Callinicos, Alex

1988 Making History: Agency, Structure and Change in Social Theory. Ithaca, N.Y.: Cornell University Press.

Chandler, Alfred D.

1977 The Visible Hand: The Managerial Revolution in American Business. Cambridge, Mass.: Harvard University Press.（『経営者の時代─アメリカ産業における近代企業の成立（上下）』鳥羽欽一郎他訳、1979年、東洋経済新報社）

Chandra, Vipan

1986 Sentiment and Ideology in the Nationalism of the Independence Club（1896-1898）. *Korean Studies* 10: 13-34.

Ch'a Sangp'il, comp

1987 Han'guk—che 2 ŭi Ilbon in'ga: Han'guk kwa Ilbonnŭn ŏttŏk'e tarŭn'ga [Korea—Is it a second Japan?: How are Korea and Japan different?]. Seoul: Taehan sanggong hoeŭiso [Korean Chamber of Commerce].

Chira, Susan

1990 Introduction. In Michael Shapiro, The Shadow in the Sun: A Korean Year of Love and Sorrow. New York: Atlantic Monthly Press.

Cho Dong-Il

1974 Oral Literature and the Growth of Popular Consciousness. In Chun Shin-Yong, ed., Folk Culture in Korea. Korean Culture Series, no. 4. Seoul: International Cultural Foundation.

Cho Dong Sung

1984 The Anatomy of the Korean Trading Company. *Journal of Business Research* 12: 241-55.

Ch'oe Kilsŏng

1988 Nai e ŭihan sahoe punhwa [Social differentiation by age]. In Kim Tonguk et al., Han'guk minsokhak [Korean folklore]. Seoul: Saemunsa.

Cho Haejoang

1986 Male Dominance and Mother Power: The Two Sides of Confucian Patriarchy in Korea. In Walter H. Slote, ed., The Psycho-Cultural Dynamics of the Confucian Family: Past and Present. Seoul: International Cultural Society.

Choi In-hak

1979 A Type Index of Korean Folk Tales. Seoul: Myong Ji University. （崔仁鶴著『韓国昔話の研究ーその理論とタイプインデックス』1976年、弘文堂）

Choi Jai-seuk [Ch'oe Chaesŏk]

1975 Han'guk nongch'on sahoe yŏn'gu [Studies on Korean rural society]. Seoul: Ilchisa.

Choi Jang Jip

1983 "Interest Conflict and Political Control in South Korea: A Study of the Labor Unions in Manufacturing Industries, 1961-1980." Ph.D. diss., Department of Political Science, University of Chicago, 1983.

1989 Labor and the Authoritarian State: Labor Unions in South Korean Manufacturing Industries, 1961-1980. Seoul: Korea University Press.

Cho Oakla

1979 "Social Stratification in a Korean Peasant Village." Ph.D. diss., State University of New York at Stony Brook.

Cho Oh-Kon

1988 Traditional Korean Theatre. Berkeley: Asian Humanities Press.

Choo Hakchung

1985 Estimation of Size Distribution of Income and Its Sources of Change in Korea, 1982. *Korea Social Science Journal* 12: 90-105.

Cho Sehŭi.

1990 A Dwarf Launches a Little Ball. In Peter H. Lee, comp. and ed., Modern Korean Literature: An Anthology. Honolulu:

University of Hawaii Press.

Cho S. K.
1985 The Dilemmas of Export-Led Industrialization: South Korea and the World Economy. *Berkeley Journal of Sociology* 30: 65-94.

Christian Institute for the Study of Justice and Development, ed.
1988 Lost Victory: An Overview of the Korean People's Struggle for Democracy. Seoul: Minjungsa.

Christie, Donald Earl
1972 "Seoul's Organization Men: The Ethnography of a Businessmen's Association in Industrializing Korea." Ph.D. diss., University of Illinois.

Chung Kae H. and Lee Hak Chong, eds.
1989 Korean Managerial Dynamics. New York: Praeger.

Chung Young-lob
1987 Capital of Chaebŏl in Korea During the Early Stages of Economic Development. *Journal of Modern Korean Studies* 3: 11-41.

Chun Kyung-Soo
1984 Reciprocity and Korean Society: An Ethnography of Hasami. Seoul: Seoul National University Press.

Clark, Donald N.
1986 Christianity in Modern Korea. Lanham, Md.: University Press of America.

Clark, Donald N. ed.
1988 The Kwangju Uprising: Shadows over the Regime in South Korea. Boulder, Colo.: Westview Press.

Clark, Rodney
1979 The Japanese Company. New Haven, Conn.: Yale University Press.（『ザ・ジャパニーズ・カンパニー』端信行訳、1981年、ダイアモンド社）

Clegg, Stewart, Paul Boreham, and Geoff Dow
1986 Class, Politics and the Economy. London: Routledge and Kegan Paul.

Clifford, James
1986 Introduction: Partial Truths. In James Clifford and George

E. Marcus, eds., Writing Culture: The Poetics and Politics of Ethnography. Berkeley: University of California Press.

Clifford, James, and George E. Marcus, eds.
1986 Writing Culture: The Poetics and Politics of Ethnography. Berkeley: University of California Press.

Cole, David C., and Park Yung Chul
1983 Financial Development in Korea, 1945-1978. Studies in the Modernization of the Republic of Korea, 1945-1975. Cambridge, Mass.: Council on East Asian Studies, Harvard University

Comaroff, Jean
1985 Body of Power, Spirit of Resistance: The Culture and History of a South African People. Chicago: University of Chicago Press.

Commission on Theological Concerns of the Christian Conference of Asia, ed.
1984 Minjung Theology: People as the Subjects of History. Maryknoll, N.Y.: Orbis Books.

Cornfield, Daniel B., and Teresa A. Sullivan
1983 Fieldwork in the Oligopoly: Protecting the Corporate Subject. *Human Organization* 42: 258-63.

Crapanzano, Vincent
1986 Hermes' Dilemma: The Masking of Subversion in Ethnographic Description. In James Clifford and George E. Marcus, eds., Writing Culture: The Poetics and Politics of Ethnography. Berkeley: University of California Press.

Crozier, Michel
1964 The Bureaucratic Phenomenon. Chicago: University of Chicago Press.

Cumings, Bruce
1981 The Origins of the Korean War: Liberation and the Emergence of Separate Regimes, 1945-1947. Princeton, N.J.: Princeton University Press.（『朝鮮戦争の起源』鄭敬謨他訳、2012年、明石書店）

1984 The Legacy of Japanese Colonialism in Korea. In Ramon H. Myers and Mark R. Peattie, eds., The Japanese Colonial Empire, 1895-1945. Princeton, N.J.: Princeton University Press.

1987 The Origins and Development of the Northeast Asian Political Economy: Industrial Sectors, Product Cycles, and Political Consequences. In Frederic C. Deyo, ed., The Political Economy of the New Asian Industrialization. Ithaca, N.Y.: Cornell University Press.

1989 The Abortive Abertura: South Korea in the Light of Latin American Experience. *New Left Review* 173: 5-32.

Deal, Terrence E., and Allen A. Kennedy

1982 Corporate Cultures: The Rites and Rituals of Corporate Life. Reading, Mass.: Addison-Wesley.

Democratic Coalition in Korea Against Military Dictatorship

1982 Is America Our Ally? *Korea Scope* 2(6): 3-17.

DeVos, George A.

1986 Confucian Family Socialization: The Religion, Morality, and Aesthetics of Propriety. In Walter H. Slote, ed., The Psycho-Cultural Dynamics of the Confucian Family: Past and Present. Seoul: International Cultural Society.

Dix, [Mortimer] Griffin

1977 "The East Asian Country of Propriety": Confucianism in a Korean Village. Ph.D. diss., University of California, San Diego.

1987 The New Year's Ritual and Village Social Structure. In Laurel Kendall and Griffin Dix, eds., Religion and Ritual in Korean Society. Korea Research Monograph 12. Berkeley: Institute of East Asian Studies, University of California.

Dore, Ronald P.

1973 British Factory-Japanese Factory: The Origins of National Diversity in Industrial Relations. Berkeley: University of California Press.（『イギリスの工場・日本の工場』山之内靖他訳、1993年、ちくま学芸文庫）

Douglas, Mary, and Aaron Wildavsky

1982 Risk and Culture: An Essay on the Selection of Technological and Environmental Dangers. Berkeley: University of California Press.

Dredge, C. Paul

1987 Korean Funerals: Ritual as Process. In Laurel Kendall and Griffin Dix, eds., Religion and Ritual in Korean Society. Korea

Research Monograph 12. Berkeley: Institute of East Asian Studies, University of California.

Duus, Peter

1984 Economic Dimensions of Meiji Imperialism: The Case of Korea, 1895-1910. In Ramon H. Myers and Mark R. Peattie, eds., The Japanese Colonial Empire, 1895-1945. Princeton, N.J.: Princeton University Press.

Eagleton, Terry

1991 Ideology: An Introduction. London: Verso.（『イデオロギーとは何か』大橋洋一訳、1999年、平凡社ライブラリー）

Eckert, Carter J.

1986 "The Origins of Korean Capitalism: The Koch'ang Kims and the Kyŏngsŏng Spinning and Weaving Company, 1876-1945." Ph.D. diss., University of Washington.（『日本帝国の申し子―高敞の金一族と韓国資本主義の植民地起源1876～1945』小谷まさ代訳、2004年、草思社）

1990 The South Korean Bourgeoisie: A Class in Search of Hegemony. *Journal of Korean Studies* 7. 115-48.

Economic Planning Board [South Korea]

1988 Major Statistics of Korean Economy, 1988. Seoul: National Bureau of Statistics, Economic Planning Board.

Ehrenreich, Barbara, and John Ehrenreich

1977 The Professional-Managerial Class. *Radical America* 11（2）: 7-31.

Eikemeier, Dieter

1980 Documents from Changjwa-ri: A Further Approach to the Analysis of Korean Villages. Wiesbaden: Otto Harrassowitz.

Elster, Jon

1986 Introduction. In Jon Elster, ed., Rational Choice. New York: New York University Press.

Evans, Peter

1979 Dependent Development: The Alliance of Multinational, State, and Local Capital in Brazil. Princeton, N.J.: Princeton University Press.

1987 Class, State, and Dependence in East Asia: Lessons for Latin Americanists. In Frederic C. Deyo, ed., The Political Economy

of the New Asian Industrialization. Ithaca, N.Y.: Cornell University Press.

Evans, Peter B., Dietrich Rueschemeyer, and Theda Skocpol, eds.

1985 Bringing the State Back In. Cambridge: Cambridge University Press.

Evans-Pritchard, E. E.

1940 The Nuer: A Description of the Modes of Livelihood and Political Institutions of a Nilotic People. Oxford: Oxford University Press.（『ヌアー族－ナイル系一民族の生業形態と政治制度の調査記録』向井元子訳、1997年、平凡社ライブラリー）

Federation of Korean Industries

1987 Korea's Economic Policies（1945-1985）. Seoul: Federation of Korean Industries.

Flanagan, James G.

1989 Hierarchy in Simple "Egalitarian" Societies. *Annual Review of Anthropology* 18: 245-66.

Foley, Douglas E.

1990 Learning Capitalist Culture: Deep in the Heart of Texas. Philadelphia: University of Pennsylvania Press.

Foster-Carter, Aidan

1978 The Modes of Production Controversy. *New Left Review* 107: 47-77.

Foucault, Michel

1971 The Order of Things: An Archeology of the Human Sciences. New York: Pantheon Books.（『言葉と物―人文科学の考古学』渡辺一民他訳、1974年、新潮社）

1978 Discipline and Punish: The Birth of the Prison. Alan Sheridan, trans. New York: Vintage Books.（『監獄の誕生―監視と処罰』田村俶訳、1974年、新潮社）

1984 Nietzsche, Genealogy, History. In Paul Rabinow, ed., The Foucault Reader. New York: Pantheon Books.

Fox, Richard G.

1990 Introduction. Richard G. Fox, ed., Nationalist Ideologies and the Production of National Cultures. American Ethnological Society Monograph Series, no. 2. Washington, D.C.: American Anthropological Association.

Friedland, Roger, and A. F. Robertson, eds.
1990 Beyond the Marketplace: Rethinking Economy and Society. New York: Aldine de Gruyter.

Frykman, Jonas, and Orvar Löfgren
1987 Culture Builders: A Historical Anthropology of Middle-Class Life. Alan Crozier, trans. New Brunswick, N.J.: Rutgers University Press.

Geertz, Clifford
1973 The Interpretation of Cultures. New York: Basic Books.（『文化の解釈学』吉田禎吾他訳、1987年、岩波現代選書）

Gellner, Ernest
1983 Nations and Nationalism. Ithaca, N.Y.: Cornell University Press.（『民族とナショナリズム』加藤節監訳、2000年、岩波書店）

Gerschenkron, Alexander
1962 Economic Backwardness in Historical Perspective. Cambridge, Mass.: Harvard University Press.

Giddens, Anthony
1979 Central Problems in Social Theory: Action, Structure and Contradiction in Social Analysis. London: Macmillan Press.（『社会理論の最前線』友枝敏雄訳、1989年、ハーベスト社）

1981a The Class Structure of the Advanced Societies. 2d ed. London: Hutchinson.（『先進社会の階級構造』市川統洋訳、1977年、みすず書房）

1981b A Contemporary Critique of Cultural Materialism. Vol. 1, Power, Property and the State. Berkeley: University of California Press.

1984 The Constitution of Society: Outline of the Theory of Structuration. Cambridge, Eng.: Polity Press.（『社会の構成』門田健一訳、2015年、勁草書房）

1987 The Nation-State and Violence. Vol. 2 of A Contemporary Critique of Cultural Materialism. Berkeley: University of California Press.（『国民国家と暴力』松尾精文他訳、1999年、而立書房）

1990 Review of Jon Elster, The Cement of Society: A Study of Social Order. *American Journal of Sociology* 96: 223-25.

Gill, Stephen, and David Law
1988 The Global Political Economy: Perspectives, Problems and Policies. Baltimore: The Johns Hopkins University Press.

Gilpin, Robert
1987 The Political Economy of International Relations. Princeton, N.J.: Princeton University Press.（『世界システムの政治経済学―国際関係の新段階』大蔵省世界システム研究会訳、1990年、東洋経済新報社）

Goffman, Erving
1959 The Presentation of Self in Everyday Life. Garden City, N.Y.: Doubleday and Company.（『行為と演技―日常生活における自己呈示』石黒毅訳、1974年、誠信書房）

Gordon, Andrew
1985 The Evolution of Labor Relations in Japan: Heavy Industry, 1853-1955. Cambridge, Mass.: Council on East Asian Studies, Harvard University.（『日本労使関係史――1853～2010』二村一夫訳、2012年、岩波書店）

Graham, John L., et al.
1989 Buyer-Seller Negotiations Around the Pacific Rim. In Kim Dong-Ki and Kim Linsu, eds., Management Behind Industrialization: Readings in Korean Business. Seoul: Korea University Press.

Grajdanzev, Andrew J.
1944 Modern Korea. New York: Institute of Pacific Relations.

Gramsci, Antonio
1971 Selections from the Prison Notebooks. Quinton Hoare and Geoffry Smith, eds., New York: International Publishers.

Gross, Edward, and Amitai Etzioni
1985 Organizations in Society. Englewood Cliffs, N.J.: Prentice-Hall.

Gudeman, Stephen
1986 Economics as Culture: Models and Metaphors of Livelihood. Boston: Routledge and Kegan Paul.

Haboush, JaHyun Kim
1991 The Confucianization of Korean Society. In Gilbert Rozman, ed., The East Asian Region: Confucian Heritage and Its Modern Adaptation. Princeton, N.J.: Princeton University

Press.

Hadley, Elanor M.

1970 Antitrust in Japan. Princeton, N.J.: Princeton University Press. (『日本財閥の解体と再編成』小原敬士他訳、1973年、東洋経済新報社)

Haggard, Stephan, and Cheng Tun-Jen

1987 State and Foreign Capital in the East Asian NICs. In Frederic C. Deyo, ed., The Political Economy of the New Asian Industrialization. Ithaca, N.Y.: Cornell University Press.

Haggard, Stephan, and Moon Chung-in

1983 The South Korean State in the International Economy: Liberal, Dependant, or Mercantile? In John Gerard Ruggie, ed., The Antinomies of Interdependence: National Welfare and the International Division of Labor. New York: Columbia University Press.

Haggard, Stephan, and Moon Chung-in, eds.

1989 Pacific Dynamics: The International Politics of Industrial Change. Boulder, Colo.: Westview Press.

Hamabata, Matthews Masayuki

1990 Crested Kimono: Power and Love in the Japanese Business Family. Ithaca, N.Y.: Cornell University Press.

Hamilton, Clive

1986 Capitalist Industrialization in Korea. Boulder, Colo.: Westview Press.

Han Dongse

1972 Maturity in Korea and America. In William P. Lebra, ed., Transcultural Research in Mental Health. Vol. 2 of Mental Health Research in Asia and the Pacific. Honolulu: University Press of Hawaii.

Han'guk insa kwalli hyŏphoe [Korean Personnel Management Association]

1988 Insa kokwa silmu p'yŏllam, 2 ch'a kaejŏng chŭngbo p'an [Handbook of personnel-evaluation practices, revised and enlarged ed.]. Seoul: Han'guk insa kwalli hyŏphoe.

Han'guk minsokhakhoe [Korean Folklore Society], ed.

1972 Han'guk soktam chip [A collection of Korean proverbs]. Seoul: Sŏmundang.

Han'guk minsok sajŏn p'yŏnch'an wiwŏnhoe [Compilation Committee for the Korean Folklore Dictionary]

1991 Han'guk minsok taesajŏn [Unabridged Korean folklore dictionary]. Seoul: Minjok munhwasa.

Han'guksa yŏn'guhoe [Korean Historical Research Society], ed.

1981 Han'guksa yŏn'gu inmun [Introduction to Korean historical research]. Seoul: Chisik sanŏpsa.

Han Sang-Jin

1987 Bureaucratic Authoritarianism and Economic Development in Korea during the Yushin Period: A Reexamination of O'Donnell's Theory. In Kim Kyong-Dong, ed., Dependency Issues in Korean Development: Comparative Perspectives. Seoul: Seoul National University Press.

Hardacre, Helen

1986 Kurozumikyō and the New Religions of Japan. Princeton, N.J.: Princeton University Press.

Hattori Tamio

1986 Han'guk kwa Ilbon ŭi taegiŏp gŭrup pigyo [A comparison of Korea's and Japan's large-enterprise groups]. In Lee Hak Chong [Yi Hakchong], Jung Ku-Hyun [Chŏng Kuhyŏn], et al., Han'guk kiŏp ŭi kujo wa chŏllyak [The structure and strategy of Korean enterprises]. Seoul: Pŏmmunsa.

1988 Ilboni pon Han'guk kongŏphwa ŭi chŏngch'i kyŏngjehak [A political-economic study of Korea's industrialization, as seen from Japan]. Seoul: Sanŏp yŏn'guwŏn.

1989 Japanese Zaibatsu and Korean Chaebol. In Chung Kae H. and Lee Hak Chong, eds., Korean Managerial Dynamics. New York: Praeger.

Hayashi Shuji

1988 Culture and Management in Japan. Frank Baldwin, trans. Tokyo: University of Tokyo Press.

Heffner, Robert W.

1990 The Political Economy of Mountain Java: An Interpretive History. Berkeley: University of California Press.

Henderson, Gregory

1991 Human Rights in South Korea: 1945-1953. In William Shaw,

ed., Human Rights in Korea. Cambridge, Mass.: East Asian Legal Studies Program of the Harvard Law School and the Council on East Asian Studies, Harvard University.

Hobsbawm, Eric, and Terrence Ranger, eds.

1983 The Invention of Tradition. Cambridge: Cambridge University Press.

Hurst, G. Cameron, III

1985 "Uri Nara-ism": Cultural Nationalism in Contemporary Korea. USFI Reports, no. 33, Asia.

Husserl, Edmund

1962 Ideas: General Introduction to Pure Phenomenology. W. R. Boyce Gibson, trans. London: Collier Macmillan.（『イデーンⅠ・Ⅱ・Ⅲ』渡辺二郎・立松弘孝他訳、1979-2010みすず書房）

Hwang Pyŏngjun

1985 Uri nara kiŏp ŭi kyŏngyŏng inyŏm [The managerial ideology of our nation's enterprises]. In Hwang Pyŏngjun et al., Han'guk kyŏngyŏng non [Studies in Korean management]. Seoul: Tosŏ ch'ulp'an Hanul.

Im Hyug Baeg

1987 The Rise of Bureaucratic Authoritarianism in South Korea. *World Politics* 39. 231-57.

Janelli, Dawnhee Yim

1984 Strategic Manipulation of Social Relationships in Rural Korea. *Korea Journal* 24(6): 27-39.

Janelli, Roger L.

1975 "Korean Rituals of Ancestor Worship: An Ethnography of Folklore Performance." Ph.D. diss., University of Pennsylvania.

Janelli, Roger L., and Dawnhee Yim Janelli

1982 Ancestor Worship and Korean Society. Stanford: Stanford University Press.（『祖先祭祀と韓国社会』樋口淳他訳、1993年、第一書房）

Janelli, Roger L., and Dawnhee Yim

1988-89 Interest Rates and Rationality: Rotating Credit Associations among Seoul Women. *Journal of Korean Studies* 6: 165-91.

Jang Song-Hyon

1988 The Key to Successful Business in Korea. Seoul: S. H. Jang and

Associates.

Jeong Kap-young

1990 Market Adjustment and Industrial Concentration in Korea. *Korean Social Science Journal* 16: 61-75.

Johnson, Chalmers

1982 MITI and the Japanese Miracle: The Growth of Industrial Policy, 1925-1975. Stanford: Stanford University Press.（『通産省と日本の奇跡』矢野俊比古監訳、1982年、TBSブリタニカ）

1987 Political Institutions and Economic Performance: The Government-Business Relationship in Japan, South Korea, and Taiwan. In Frederic C. Deyo, ed., The Political Economy of the New Asian Industrialization. Ithaca, N.Y.: Cornell University Press.

Jones, Leroy P., and SaKong Il

1980 Government, Business, and Entrepreneurship in Economic Development: The Korean Case. Studies in the Modernization of the Republic of Korea, 1945-1975. Cambridge, Mass.: Council on East Asian Studies, Harvard University.

Joo In-Ki

1991 The Korean Accounting System and the Prospect of Opening Capital Markets. *Korean Social Science Journal* 17: 67-84

Jung Ku-Hyun [Chŏng Kuhyŏn]

1987 Han'guk kiŏp ŭi sŏngjang chŏllyak kwa kyŏngyŏng kujo [The growth strategy and managerial structure of Korean firms]. Seoul: Taehan sanggong hoeŭiso [Korean Chamber Commerce].

Kang Chŏlgyu, Ch'oe Chŏngp'yo, and Chang Chisang

1991 Chaebŏl: Sŏngjang ŭi chuyŏk in'ga, t'amyok ŭi hwasin in'ga [Chaebŏl: Driving force of growth or incarnations of greed?]. Seoul: Pibong ch'ulp'ansa.

Kang Man'gil

1981 Minjok baebang undong ŭi palchŏn [Development of national liberation movements]. In Yi Kawŏn, et al., Han'gukhak yŏn'gu inmun [Introduction to Korean studies]. Seoul: Chisik sanŏpsa.

Kang Shin-pyo

1987 Korean Culture, the Olympic and World Order. In Kang Shin-pyo, John MacAloon, and Roberto DaMatta, eds., The Olympics and Cultural Exchange: The Papers of the First International Conference on the Olympics and East/West and South/North Cultural Exchange in the World System. Ansan, South Korea: The Institute for Ethnological Studies, Hanyang University.

Kang Sŏk-kyŏng

1989 A Room in the Woods. In Kang Sŏk-kyŏng, Kim Chi-wŏn and O Chŏng-hŭi, Words of Farewell: Stories by Korean Women Writers. Bruce and Ju-chan Fulton, trans. Seattle: Seal Press.

Kang Sŭnghan

1987 Chojingnae kaeinŭn hoegirhwa twaeyahamnikka? [Do individuals in organizations have to be standardized?]. 2000 *nyŏn* [The year 2000], July, pp. 148-49.

Kang Younghill

1931 The Grass Roof. New York: Charles Scribner's.

Kearney, Robert P.

1991 The Warrior Worker: The Challenge of the Korean Way of Working. New York: Henry Holt.

Kendall, Laurel

1985 Shamans, Housewives, and Other Restless Spirits: Women in Korean Ritual Life. Honolulu: University of Hawaii Press.

1988 The Life and Hard Times of a Korean Shaman: Of Tales and the Telling of Tales. Honolulu: University of Hawaii Press.

Kim Choong Soon

1988 Faithful Endurance: An Ethnography of Korean Family Dispersal. Tucson: University of Arizona Press.

1992 The Culture of Korean Industry: An Ethnography of Poongsan Corporation. Tucson: University of Arizona Press.

Kim Dae Jung

1985 Mass-Participatory Economy. [Cambridge, Mass.]: Center for International Affairs, Harvard University.

Kim E. Han

n.d. Corporate Financial Structure in Korea: Theory, Evidence and the Need for Reform. Paper presented at the International

Conference of Korean Economists, Aug. 18-19, 1986, Seoul.

Kim Eun Mee

1987 "From Dominance to Symbiosis: State and Chaebol in the Korean Economy, 1960-1985." Ph.D. diss., Brown University.

Kim Jin-Hyun

1988 Vortex of Misunderstanding: Changing Korean Perceptions. In Robert A. Scalapino and Lee Hongkoo, eds., Korea-U.S. Relations: The Politics of Trade and Security. Berkeley: Institute of East Asian Studies, University of California.

Kim Jinwung

1989 Recent Anti-Americanism in South Korea: The Causes. *Asian Survey* 29: 749-63.

Kim Joochul

1988 Urban Renewal in Korea: A Tale of Sangge-Dong. In Lim Gill-Chin, ed., Korean Development into the 21st Century: Economic, Political, and Spatial Transformation. Urbana, Ill.: Consortium on Development Studies.

Kim Joo-Hee [Kim Chuhŭi]

1978 Affective Differences in Interpersonal Relations as Reflected in Emotional Terms: Comparison Between Korea and Japan. *Illyuhak nonjip* [*Anthropological Papers*] 4: 59-95.

Kim Kwang Chung and Kim Shin

1989 Kinship Group and Patrimonial Executives in a Developing Nation: A Case Study of Korea. *Journal of Developing Areas* 24 (Oct.): 27-46.

Kim Kwang Suk

1985 Lessons from South Korea's Experience with Industrialization. In Vittorio Corbo, Anne O. Krueger, and Fernando Ossa, eds., Export-Oriented Development Strategies: The Success of Five Newly Industrializing Countries. Boulder, Colo.: Westview Press.

Kim Kyong-Dong

1976 Political Factors in the Formation of the Entrepreneurial Elite in South Korea. *Asian Survey* 16: 465-77.

Kim Kyong-Dong, ed.

1987 Dependency Issues in Korean Development: Comparative

Perspectives. Seoul: Seoul National University Press.

Kim Seong Nae
1989 Lamentations of the Dead: The Historical Imagery of Violence on Cheju Island, South Korea. *Journal of Ritual Studies* 3 : 251-85.

Kim Seung-kyung
1992 Women Workers and the Labor Movement in South Korea. In Frances Abrahamer Rothstein and Michael L. Blim, eds., Anthropology and the Global Factory: Studies of the New Industrialization in the Late Twentieth Century. New York: Bergin and Garvey.

Kim Sookun
1982 Employment, Wages, and Manpower Policies in Korea: The Issues. Korea Development Institute Working Paper Series, no. 82-04.

Kim Taik-Kyoo [Kim T'aekkyu]
1964 Tongjok purak ŭi saenghwal kujo yŏn'gu [A study of the structure of life in a single-lineage village]. Taegu: Ch'ŏnggu College Press.

Kim Tuhŏn
1949 Ghosŏn kajok chedo yŏn'gu [A study of the Korean family system]. Seoul: Ŭryu munhwasa.

Kim Yŏng-nok
1973 On Korean Entrepreneurship. In Marshall R. Pihl, ed., Listening to Korea: A Korean Anthology. New York: Praeger.

Kondo, Dorinne K.
1990 Crafting Selves: Power, Gender, and Discourses of Identity in a Japanese Workplace. Chicago: University of Chicago Press.

Koo Bon Ho
1988 Trade Policy Issues: A Korean Perspective. In Robert A. Scalapino and Lee Hongkoo, eds., Korea-U.S. Relations: The politics of Trade and Security. Berkeley: Institute of East Asian Studies, University of California.

Koo Hagen
1987 The Interplay of State, Class, and World System in East Asian Development: The Cases of South Korea and Taiwan. In

Frederic C. Deyo. ed., The Political Economy of the New Asian Industrialization. Ithaca, N.Y.: Cornell University Press.

1991 Sectoral and Class Aspects of the Korea-U.S. Trade Conflict: The Notion of Fairness. *Korean and Korean-American Studies News Bulletin* 4 (nos.I-2): 51.

n.d. Middle-Class Politics in the New East Asian Capitalism: The Korean Middle Classes. Paper presented at the American Sociological Association Meeting, San Francisco, August, 1989.

Koo Hagen and Herbert Barringer

1977 Cityward Migration and Socioeconomic Achievement. *Rural Sociology* 42: 42-56.

Koo Hagen and Hong Doo-Seung

1980 Class and Income Inequality in Korea. *American Sociological Review* 45: 610-26.

Korean Institute of Certified Public Accountants

1985 Financial Accounting Standards. Seoul: Korean Institute of Certified Public Accountants.

Krause, Lawrence B., and Kim Kihwan, eds.

1991 Liberalization in the Process of Economic Development. Berkeley: University of California Press.

Krueger, Anne O.

1985 The Experience and Lessons of Asia's Super Exporters. In Vittorio Corbo, Anne O. Krueger, and Fernando Ossa, eds., Export-Oriented Development Strategies: The Success of Five Newly Industrializing Countries. Boulder, Colo.: Westview Press.

Kuznets, Paul W.

1977 Economic Growth and Structure in the Republic of Korea. New Haven: Yale University Press.

1985 Government and Economic Strategy in Contemporary South Korea. *Pacific Affairs* 58: 44-67.

1988 Contemporary Korean Macroeconomic and Industrial Policies. In Robert A. Scalapino and Lee Hongkoo, eds., Korea-U.S. Relations: The Politics of Trade and Security. Berkeley: Institute of East Asian Studies, University of California.

Lee Chae-Jin and Sato Hideo

1982 U.S. Policy Toward Japan and Korea: A Changing Influence Relationship. New York: Praeger.

Lee Chong-Sik

1985 Japan and Korea: The Political Dimension. Stanford: Hoover Institution Press.

Lee Chong-Sik. trans. and ed.

1977 Materials on Korean Communism, 1945-1947. Honolulu: Center for Korean Studies, University of Hawaii.

Lee Du-Hyun

1974 Korean Folk Play. In Chun Shin-Yong, ed., Folk Culture in Korea. Korean Culture Series, no. 4. Seoul: International Cultural Foundation.

Lee Du-Hyun [Yi Tu-hyŏn]

1975 Mask Dance-Dramas. In Traditional Performing Arts of Korea. Seoul: Korean National Commission for Unesco.

Lee Hak Chong [Yi Hakchong]

1984 The American Role in the Development of Management Education in Korea. In Karl Moskowitz, ed., From Patron to Partner: The Development of U.S.-Korean Business and Trade Relations. Lexington, Mass.: Lexington Books.

1986 Han'guk usu kiŏp ŭi t'ŭkching [Distinctive characteristics of superior Korean enterprises]. In Lee Hak Chong, Jung Ku-Hyun [Chŏng Kuhyŏn], et al., Han'guk kiŏp ŭi kujo wa chŏllyak [The structure and strategy of Korean enterprises]. Seoul: Pŏmmunsa.

1989a Managerial Characteristics of Korean Firms. In Chung Kae H. and Lee Hak Chong, eds., Korean Managerial Dynamics. New York: Praeger.

1989b Kiŏp munhwa non: Iron, kipŏp, sarye yŏn'gu [A study of corporate culture: Theory, techniques, and case studies]. Seoul: Pŏmmunsa.

1990 Chojik haengdong non [A study of organizational behavior]. Seoul: Segyŏngsa.

Lee Hak Chong [Yi Hakchong], Jung Ku-Hyun [Chŏng Kuhyŏn], et al.

1986 Han'guk kiŏp ŭi kujo wa chŏllyak [The structure and strategy

of Korean enterprises]. Seoul: Hyŏnmunsa.

Lee Joung-woo

1986-87 Economic Development and Wage Distribution in South Korea. *Korean Social Science Journal* 13: 78-94.

Lee Kwang-Kyu [Yi Kwanggyu]

1984 Family and Religion in Traditional and Contemporary Korea. In George DeVos and Sofue Takao, eds., Religion and Family in East Asia. Senri Ethnological Studies, no.11. Osaka, Japan: National Museum of Ethnology.

1990 Taehak e tŭrŏgan adŭl ege [To my son who entered college]. Seoul: Chiphyŏnjŏn.

Lee Kwang-rin

1986 The Rise of Nationalism in Korea. *Korean Studies* 10: 1-12.

Lee Man-Gap [Yi Man'gap]

1960 Han'guk nongch'on ŭi sahoe kujo [The structure of rural Korean society]. Seoul: Han'guk yŏn gu tosŏgwan.

1970 Consanguineous Group and Its Function in the Korean Community. In Reuben Hill and René König, eds., Families in East and West: Socialization Process and Kinship Ties. Paris: Mouton.

1982 Sociology and Social Change in Korea. Seoul: Seoul National University Press.

Lew Young Ick

1990 The Conservative Character of the 1894 Tonghak Peasant Uprising: A Reappraisal with Emphasis on Chŏn Pong-jun's Background and Motivation. *Journal of Korean Studies* 7: 149-80.

Lih Jeong-duc

1966 Home Is a Distant Heart. *Korea Journal* 6(2): 23-31.

Lim Hyun-Chin

1985 Dependent Development in Korea: 1963-1979. Seoul: Seoul National University Press.

Lim Youngil

1981 Government Policy and Private Enterprise: Korean Experience in Industrialization. Berkeley: Institute of East Asian Studies, University of California.

Little, Daniel

1991a Varieties of Social Explanation. Boulder, Colo.: Westview Press.

1991b Rational Choice Models and Asian Studies. *Journal of Asian Studies* 50: 35-52.

Luedde-Neurath, Richard

1986 Import Controls and Export-Oriented Development: A Reassessment of the South Korean Case. Boulder, Colo.: Westview Press.

Lyotard, Jean-François

1984 The Postmodern Condition: A Report on Knowledge. Minneapolis: University of Minnesota Press.（『ポストモダンの条件』小林康夫訳、1986年、水声社）

Marcus, George E., and Michael M. J. Fischer

1986 Anthropology as Cultural Critique: An Experimental Moment in the Human Sciences. Chicago: University of Chicago Press.

Marks, Shula, and Richard Rathbone, eds.

1982 Industrialization and Social Change in South Africa: African Class Formation, Culture, and Consciousness, 1870-1930. London: Longman.

Marx, Karl

1977 Capital: A Critique of Political Economy. Vol. 1. Ben Fowkes, trans. New York: Vintage Books.（『資本論1』資本論翻訳委員会訳、1982年、新日本出版社）

Mason, Edward S., et al.

1980 The Economic and Social Modernization of the Republic of Korea. Studies in the Modernization of the Republic of Korea, 1945-1975. Cambridge, Mass.: Council on East Asian Studies, Harvard University.

McCann, David

1988 Confrontation in Korean Literature. In Donald N. Clark, ed., The Kwangju Uprising: Shadows over the Regime in South Korea. Boulder, Colo.: Westview Press.

McGinn, Noel F., et al.

1980 Education and Development in Korea. Studies in the Modernization of the Republic of Korea, 1945-1975. Cambridge, Mass.: Council on East Asian Studies, Harvard

University.

McGregor, Douglas

1960 The Human Side of the Enterprise. New York: McGraw-Hill. (『企業の人間的側面――統合と自己統制による経営』〈新版〉高橋達男訳、1970年、産業能率短期大学)

McNamara, Dennis L.

1988 Toward a Theory of Korean Capitalism: A Study of the Colonial Business Elite. In Korean Studies, Its Tasks and Perspectives: Korean Society (Sociology, Anthropology, Folklore). Sŏngnam: Academy of Korean Studies.

1989 The Keishō and the Korean Business Elite. *Journal of Asian Studies* 48: 310-23.

1990 The Colonial Origins of Korean Enterprise. Cambridge: Cambridge University Press.

Meillassoux, Claude

1972 From Reproduction to Production: A Marxist Approach to Economic Anthropology. *Economy and Society* 1: 93-105.

Michell, Tony

1984 Administrative Traditions and Economic Decision-making in South Korea. *IDS Bulletin* 15 (2): 32-37.

1988 From a Developing to a Newly Industrializing Country: The Republic of Korea,1961-82. Geneva: International Labor Office.

Ministry of Education [South Korea]

1970 Statistical Yearbook of Education. Seoul: Ministry of Education.

Ministry of Labor [South Korea]

1985 Yearbook of Labor Statistics. Seoul: Ministry of Labor.

1987 Report on Occupational Wage Survey. Seoul: Ministry of Labor.

Mintz, Sidney M.

1985 Sweetness and Power. New York: Viking.（『甘さと権力ー砂糖が語る近代史』川北稔他訳。1988年、平凡社）

Mizoguchi Toshiyuki and Yamamoto Yūzō

1984 Capital Formation in Taiwan and Korea. In Ramon H. Myers and Mark R. Peattie, eds., The Japanese Colonial Empire, 1895-

1945. Princeton, N.J.: Princeton University Press.

Montagna, Paul

1986 Accounting Rationality and Financial Legitimation. *Theory and Society* 15: 103-38.

Moon Pal-Yong and Kang Bong-Soon

1989 Trade, Exchange Rate, and Agricultural Pricing Policies in the Republic of Korea. Washington, D.C.: World Bank.

Morgan, Gareth

1986 Images of Organization. Beverly Hills, Calif.: Sage.

Morishima Michio

1982 Why Has Japan Succeeded?: Western Technology and the Japanese Ethos. Cambridge: Cambridge University Press.

Moskowitz, Karl

1974 The Creation of the Oriental Development Company: Japanese Illusions Meet Korean Reality. In James B. Palais, ed., Occasional Papers on Korea, no. 2. New York: Joint Committee on Korean Studies of the American Council of Learned Societies and the Social Science Research Council.

1979 "Current Assets: The Employees of Japanese Banks in Colonial Korea." Ph.D. diss., Harvard University

1989 Ownership and Management of Korean Firms. In Chung Kae H. and Lee Hak Chong, eds., Korean Managerial Dynamics. New York: Praeger.

Myers, Ramon H., and Mark R. Peattie, eds.

1984 The Japanese Colonial Empire, 1895-1945. Princeton, N.J.: Princeton University Press.

Myers, Ramon H., and Yamada Saburō

1984 Agricultural Development in the Empire. In Ramon H. Myers and Mark R. Peattie, eds., The Japanese Colonial Empire, 1895-1945. Princeton, N.J.: Princeton University press.

Nakagawa Keiichiro and Yang Tien-yi

1989 Introduction. *East Asian Cultural Studies* 28: 1-11.

Nakane Chie

1970 Japanese Society. Berkeley: University of California Press.

Nam Sango

1985 Hyŏnhaeng hoegye ŭi munjejŏm kwa kaesŏn panghyang

[Problems and directions toward improvement in current accounting]. In Hwang Pyŏngjun et al., Han'guk kyŏngyŏng non [Studies in Korean management]. Seoul: Tosŏ ch'ulp'an Hanul.

Nash, June

1979 Anthropology of the Multinational Corporations. In Madeline Barbara Léons and Frances Rothstein, eds., New Directions in Political Economy: An Approach from Anthropology. Westport, Conn.: Greenwood Press.

National Bureau of Statistics, Economic Planning Board, Republic of Korea

1989 Korea Statistical Yearbook, 1989. National Bureau of Statistics, Economic Planning Board.

1990 Major Statistics of Korean Economy, 1990. Seoul: National Bureau of Statistics, Economic Planning Board.

Odell, John S.

1984 Growing Trade and Growing Conflict between the Republic of Korea and the United States. In Karl Moskowitz, ed., From Patron to Partner: The Development of U.S.-Korean Business and Trade Relations. Lexington, Mass.: Lexington Books.

O'Donnell, Guillermo A.

1973 Modernization and Bureaucratic-Authoritarianism. Berkeley: Institute of International Studies, University of California.

Ong, Aihwa

1987 Spirits of Resistance and Capitalistic Discipline: Factory Women in Malaysia. Albany: State University of New York Press.

Osgood, Cornelius

1951 The Koreans and Their Culture. New York: Ronald Press.

Ouchi, William G.

1981 Theory Z: How American Business Can Meet the Japanese Challenge. New York: Avon.（『セオリーZ ―日本に学び、日本を超える』徳山二郎監訳、1981年、ソニー出版）

Pack, Howard, and Larry E. Westphal

1986 Industrial Strategy and Industrial Change: Theory versus Reality. *Journal of Development Economics* 22: 87-128.

Pak Kidong

1978 Kiŏp kyŏngyŏng ŭi issŏsŏ nep'ot'ijŭm e kwanhan yŏngu [A study of nepotism in business management]. *Sahoe munhwa nonch'ong* [*Journal of culture and society*] I: 53-83.

Pak Ki-hyuk

1975 The Changing Korean Village. Seoul: Shin-hung.

Pak Pyŏngyun

1982 Chaebŏl kwa chŏngch'i [The chaebŏl and politics]. Seoul: Tosŏ ch'ulp'an Han'guk yangsŏ.

Palais, James B.

1975 Politics and Policy in Traditional Korea. Cambridge, Mass.: Harvard University Press.

1985 Human Rights in the Republic of Korea. In Human Rights in Korea. New York: Asia Watch Committee.

Peale, Norman Vincent

1952 The Power of Positive Thinking. New York: Prentice-Hall.（『積極的考え方の力』〈新訳〉月沢李歌子訳、2012年、ダイアモンド社）

Poulantzas, Nicos

1974 Classes in Contemporary Capitalism. David Fernbach, trans. London: Verso.

Pugh, D. S., and D. J. Hickson

1976 Organizational Structure in Its context: The Aston Programme I. Lexington, Mass.: Lexington Books.

Rabinow, Paul

1977 Reflections on Fieldwork in Morocco. Berkeley: University of California Press.（『異文化の理解 ― モロッコのフィールドワークから』井上順孝訳、1980年、岩波現代選書）

Reeve, Andrew

1986 Property. Atlantic Highlands, N.J.: Humanities Press International.

Rhee Yang-Soo

1981 A Cross-Cultural Comparison of Korean and American Managerial Styles: An Inventory of Propositions. *Journal of East and West Studies* 10(2): 45-63.

Ricoeur, Paul

1986 Lectures on Ideology and Utopia. George H. Taylor, ed. New York: Columbia University Press.（『イデオロギーとユートピ

ア』川崎惣一訳、2011年、新曜社）

Roberts, Frederic Marc, and Chun Kyung-Soo

1984 The Natives are Restless: Anthropological Research in a Korean University. *Korea Fulbright Forum* I: 67-92.

Robinson, Michael [Edmundson]

1984 Colonial Publication Policy and the Korean Nationalist Movement. In Ramon H. Myers and Mark R. Peattie, eds., The Japanese Colonial Empire, 1895-1945. Princeton, N.J.: Princeton University Press.

1988 Cultural Nationalism in Colonial Korea, 1920-1925. Seattle: University of Washington Press.

1991 Perceptions of Confucianism in Twentieth-Century Korea. In Gilbert Rozman, ed., The East Asian Region: Confucian Heritage and Its Modern Adaptation. Princeton, N.J.: Princeton University Press.

Rohlen, Thomas

1974 For Harmony and Strength: Japanese White-Collar Organization in Anthropological Perspective. Berkeley: University of California Press.

Rorty, Richard

1979 Philosophy and the Mirror of Nature. Princeton, N.J.: Princeton University Press.（『哲学と自然の鏡』野家啓一監訳、1993年、産業図書）

Roseberry, William

1988 Political Economy. *Annual Review of Anthropology* 17: 161-85.

1989 Anthropologies and Histories: Essays in Culture, History, and Political Economy. New Brunswick, N.J.: Rutgers University Press.

Rostow, Walter

1960 The Stages of Economic Growth: A Non-Communist Manifesto. Cambridge: Cambridge University Press.（『経済成長の諸段階――一つの非共産主義宣言』木村健康他訳、1961年、ダイヤモンド社）

Rueschemeyer, Dietrich, and Peter B. Evans

1985 States as Promoters of Economic Development and Social Redistribution. In Peter B. Evans, Dietrich Rueschemeyer, and

Theda Skocpol, eds., Bringing the State Back In. Cambridge: Cambridge University Press.

Rutt, Richard

1964 Korean Works and Days. Rutland, Vt.: Charles E. Tuttle.

Said, Edward

1979 Orientalism. New York: Random House.（『オリエンタリズム』今沢紀子訳、1993年、平凡社ライブラリー）

Sakai Tadao

1985 Yi Yulgok and the Community Compact. In Wm. Theodore de Bary and JaHyun Kim Haboush, eds., The Rise of Neo-Confucianism in Korea. New York: Columbia University Press.

Salaman, Graeme

1980 Classification of Organizations and Organization Structure: The Main Elements and Interrelationships. In Graeme Salaman and Kenneth Thompson, eds., Control and Ideology in Organizations. Cambridge, Mass.: MIT Press.

1981 Class and the Corporation. Douglas, Isle of Man: Fontana.

Salaman, Graeme, and Kenneth Thompson, eds.

1980 Control and Ideology in Organizations. Cambridge, Mass.: MIT Press.

Samsŏng ch'ulp'ansa p'yŏnjipkuk [Editorial Board of Samsŏng Publishing Company], ed.

1987 Insa kokwa irŏk'e handa: Taegiŏp esŏ sangjŏm kkaji [This is how personnel evaluation is done: From large enterprises to small shops]. Seoul: Samsŏng ch'ulp'ansa p'yŏnjipkuk.

Samuelson, Paul A., and William D. Nordhaus

1985 Economics. 12th ed. New York: McGraw Hill.（『サムエルソン経済学』都留重人訳、1992年、岩波書店）

Scott, James C.

1985 Weapons of the Weak: Everyday Forms of Peasant Resistance. New Haven: Yale University Press.

1990 Domination and the Arts of Resistance: Hidden Transcripts. New Haven: Yale University Press.

Sen, Amartya

1982 Rational Fools: A Critique of the Behavioral Foundations of Economic Theory. In Amartya Sen, Choice, Welfare and

Measurement. Cambridge, Mass.: MIT Press.

Seoul National University, School of Business Administration, Management Research Institute, ed.

1985 Han'guk kiŏp ŭi hyŏnhwang kwa kwaje [The present condition and issues of Korean enterprises]. Seoul: Seoul National University Press.

Shin Eui Hang and Chin Seung Kwon

1989 Social Affinity Among Top Managerial Executives of Large Corporations in Korea. *Sociological Forum* 4: 3-26

Shin, Susan S.

1978-79 The Tonghak Movement: From Enlightenment to Revolution. *Korean Studies Forum* 5: 1-79.

Shin Yoo Keun [Sin Yugŭn]

1984 Han'guk kiŏp ŭi t'ŭksŏng kwa kwaje [The characteristics and issues of Korean enterprises]. Seoul: Seoul National University Press.

Shin Young Moo

1983 Securities Regulations in Korea: Problems and Recommendations for Feasible Reforms. Seattle: University of Washington Press.

Smith, Robert J.

1989 Presidential Address: Something Old, Something New—Tradition and Culture in the Study of Japan. *Journal of Asian Studies* 48: 715-23.

Smith, Thomas C.

1988 Peasant Time and Factory Time in Japan. In Thomas C. Smith, Native Sources of Japanese Industrialization, 1750-1920. Berkeley: University of California Press.

Song June-ho [Song Chunho]

1987 Chosŏn sahoesa yŏn'gu [A study of the social history of the Chosŏn dynasty]. Seoul: Ilchogak.

Sorensen, Clark W.

1988 Over the Mountains Are Mountains: Korean Peasant Households and Their Adaptations to Rapid Industrialization. Seattle: University of Washington Press.

Steers, Richard M., Shin Yoo Keun, and Gerardo R. Ungson

1989 The Chaebol: Korea's New Industrial Might. Grand Rapids,

Mich.: Harper and Row.
Taehan muyŏk chinhŭng kongsa [Korean Traders' Association]
1988 Such'ul sijang 100-kaeguk t'onggye [Statistics of 100 countries of the export market]. Seoul: Taehan muyŏk chinhŭng kongsa.
Taussig, Michael
1980 The Devil and Commodity Fetishism in Latin America. Chapel Hill: University of North Carolina Press.
Tayeb, Monir H.
1988 Organizations and National Culture: A Comparative Analysis. London: Sage.
Thompson, E. P.
1966 The Making of the English Working Class. New York: Vintage Books.
1967 Time, Work-Discipline, and Industrial Capitalism. *Past and Present* 38: 56-97.
Thompson, John B.
1984 Studies in the Theory of Ideology. Berkeley: University of California Press.
Toelken, J. Barre
1968 The Folklore of Academe. In Jan Harold Brunvand, The Study of American Folklore: An Introduction. New York: W.W. Norton.
To Hŭngyŏl and Yi Hŭidŏk
1988 Taehaksaeng ŭi hyŏndaesa insikkwa ŭisik chŏngdo [College students' perceptions of modern history and their degree of political consciousness]. Hyŏndae sahoe [*Modern society*] 30: 114-29.
Tosi, Henry L.
1984 Theories of Organization. 2d ed. New York: John Wiley.
Turner, Victor W.
1969 The Ritual Process: Structure and Anti-Structure. Chicago: Aldine.（『儀礼の過程』富倉光雄訳、1976年、思索社）
Tu Wei-Ming
1986 An Inquiry on the Five Relationships in Confucian Humanism. In Walter H. Slote, ed., The Psycho-Cultural Dynamics of the Confucian Family: Past and Present. Seoul:

International Cultural Society.

Verdery, Katherine

1991 Theorizing Socialism: A Prologue to the "Transition." *American Ethnologist* 18: 419-39.

Wallerstein, Immanuel

1974 The Modern World-System I: Capitalist Agriculture and the Origins of the European World-Economy in the Sixteenth Century. San Diego: Academic Press.（『近代世界システムI—農業資本主義と「ヨーロッパ世界経済」の成立』川北稔訳、2013年、名古屋大学出版会）

1979 The Capitalist World-Economy. Cambridge: Cambridge University Press.（『資本主義世界経済I・II 藤瀬浩司他訳、1987年、名古屋大学出版会）

Weems, Benjamin B.

1964 Reform, Rebellion and the Heavenly Way. Tucson: University of Arizona Press.

Weiss, Richard M.

1986 Managerial Ideology and the Social Control of Deviance in Organizations. New York: Praeger.

Wells, Kenneth

1985 The Rationale of Korean Economic Nationalism Under Japanese Colonial Rule, 1922-1932: The Case of Cho Man-sik's Products Promotion Society. *Modern Asian Studies* 19: 823-59.

Willis, Paul

1981 Learning to Labor: How Working Class Kids Get Working Class Jobs. New York: Columbia University Press.（『ハマータウンの野郎ども—学校への反抗・労働への順応』熊沢誠他訳、1996年、ちくま学芸文庫）

Wolf, Arthur P., and Huang Chieh-shan

1980 Marriage and Adoption in China, 1845-1945. Stanford: Stanford University Press.

Wolf, Eric

1982 Europe and the People Without History. Berkeley: University of California Press.

Woo Jung-en

1991 Race to the Swift: State and Finance in Korean Industrialization.

New York: Columbia University Press.

World Bank

1987a Korea: Managing the Industrial Transition, Vol. 1. Washington, D.C.: World Bank.

1987b Korea: Managing the Industrial Transition. Vol. 2. Washington, D.C.: World Bank.

1988 Korea: The Management of External Liabilities. Washington, D.C.: World Bank.

1990 World Development Report 1990. Oxford: Oxford University Press.

Wright, Eric Olin

1985 Classes. London: Verso.

Wright, Eric Olin, et al.

1989 The Debate on Classes. London: Verso.

Yi Changnyŏl

1965 Han'guk ŭi kŭmyung kwa chabon tongwŏn [Financial and capital formation in Korea]. Seoul: Korea University Press.

Yi Chŏngho

1985 Uri nara hoegye ŭi paltal [The development of accounting in our nation]. In Hwang Pyŏngjun et al., Han'guk kyŏngyŏng non [Studies in Korean management]. Seoul: Tosŏ ch'ulp'an Hanul.

Yi Hogwang

1988 Kosŭt'op konghwaguk [The Go-stop republic]. Seoul: Tosŏ ch'ulp'an Ch'ŏngŭm.

Yi Hŭisŭng

1982 Kugŏ taesajŏn [Unabridged Korean Dictionary], rev. ed. Seoul: Minjung sŏrim.

Yi Ki-baik

1984 A New History of Korea. Edward W. Wagner with Edward J. Shultz, trans. Seoul: Ilchogak Publishers.

Yi Kiŭl

1988 Minjok munhwa wa Han'gukchŏk kyŏngyŏnghak [National culture and the study of Korean management]. Seoul: Pŏmmunsa.

Yim Suk-jay [Im Sŏkchae]

1974 Legendary Tales. In Survey of Korean Arts: Folk Arts. Seoul: National Academy of Arts.

1987 Han'guk kujŏn sŏlhwa: P'yŏnganpukto—I [Korean orally transmitted tales from North P'yŏngan Province, I]. Im Sŏkchae chŏnjip [Yim Suk-jay's collected works], I. Seoul: P'yŏngminsa.

1988 Han'guk kujŏn sŏlhwa: P'yŏnganpukto—II [Korean orally transmitted tales from North P'yŏngan Province, II]. Im Sŏkchae chŏnjip [Yim Suk-jay's collected works], II. Seoul: P'yŏngminsa.

Yoon Jeong-Ro

1989 "The State and Private Capital in Korea: The Political Economy of the Semiconductor Industry, 1965-1987." Ph.D. diss., Harvard University, 1989.

Yoon Suk Bum

1984 Prospects of Korea's Trade with East European Socialist Countries. *Journal of East and West Studies* 13 (1): 29-40.

Yoo Sangjin and Lee Sang M.

1987 Management Style and Practice of Korean Chaebols. *California Management Review* 39(4):95-110

Yoshino, Michael

1968 Japan's Managerial System: Tradition and Innovation. Cambridge, Mass.: MIT Press

Yŏ Tongch'an [Roger Leverrier]

1987 Ibangini pon Han'guk • Han'gugin [Korea Koreans as seen by an outsider]. Seoul: Chungang ilbosa.

Yu Eui-Young

1990 Regionalism in the South Korean Job Market: An Analysis of Regional-Origin Inequality Among Migrants in Seoul. *Pacific Affairs* 63: 24-39.

Yun Heung-gil

1989 The Man Who Was Left as Nine Pairs of Shoes. In Yun Heung-gil, The House of Twilight. Martin Holman, trans and ed. London: Readers International.

〈解説〉ジャネリ夫妻の仕事

樋口　淳

本書は、Janelli, Roger L., with Dawnhee Yim Janelli. 1993. Making Capitalism: the Social and Cultural Construction of a South Korean Conglomerate. Stanford: Stanford University Press の翻訳である。著者であるロジャー・ジャネリは、本書の刊行を待つことなく二〇二一年一月一九日に彼岸に旅立った。私たちはここに、優れた民俗学者、人類学者、韓国研究者であったジャネリに哀悼の意を表わすとともに、本書と併せて、彼の主著である『祖先祭祀と韓国社会』(参考文献①)と関連論文「韓国農村における祖先祭祀と資本主義的工業化」(参考文献③)を通して、彼の韓国研究の貴重な成果の一端を紹介してみたい。

1. ティソンディ——『祖先祭祀と韓国社会』から「韓国農村における祖先祭祀と資本主義的産業化」へ

おそらく同世代のエッカート(Carter Eckert)やブラント(Vincent Brandt)のような韓国研究者と同じく、ジャネリもまたベトナム戦争の最中に、直接戦争に関わることをさけるために韓国で働くことを志願したのだと思う。すでにペンシルヴァニア大学ウォートンスクール(Wharton School)で取得ずみのMBAの資格を生かして、ジャネリは韓国軍の財政顧問(budget advisor for the Korean army)としてベトナムから韓国に転任し、仕事の合間に重いテープレコーダーを背負って韓国各地の農村を訪れ、大好きな民謡を記録して歩いた。そうしたなかで訪れた民俗博物館で任敦姫と出会う。任敦姫はソウル大学で学んだ若手文化人類学研究者だったが、なにより彼女の父の任晳宰は、韓国民族音楽研究の第一人者だった。現在では、韓国学中央研究院のデジタルアーカイヴにアクセスすれば、誰でも彼が韓半島各地で記録した民謡の数々を聞くことができる。

その後、ジャネリは任敦姫と結ばれ、ともにペンシルヴァニア大学で人類学を学び、ジャネリはアメリカ民族音楽研究の宝庫であるインディアナ大学、任敦姫はソウルの東国大学で教職に就くこととなる。

『祖先祭祀と韓国社会』は、この若い研究者カップルが一九七三年九月にソウル近郊の農村ティソンディに居を構え、翌年の七月に村を離れた後も研究・調査を重ね、一九七七年一二月に再び約八か月の追加調査をおこない、一九八二年に公表したフィールドワークの成果である。

そのあいだに、ジャネリはペンシルヴァニア大学に博士論文「韓国祖先祭祀の儀礼（"Korean Rituals of Ancestor Worship"）」を提出し、博士号を得ている。

『祖先祭祀と韓国社会』（一九八二）から、本書『資本主義をつくる』（一九九三）を経て、「韓国農村における祖先祭祀と資本主義的産業化」（二〇〇二）にいたるジャネリと任敦姫の研究の基本は、辛抱強い参与観察（participant observation）であり、参与観察が陥りがちな客観的な情報の不足を、参与観察の対極にある崔在錫（チェジェソク）の『韓国農村社会研究』（一九七五）のような組織的な農村社会学調査や、同じく参与観察にもとづくブラントや金宅圭の違ったタイプの農村民俗調査と重ね合わせることで補強している。

ジャネリと任敦姫がフィールドワークをおこなったティソンディは、米空軍基地と京釜高速道路インターチェンジのある烏山に近い農村で、ソウルから約五〇キロだが高速道路を利用すればそれほどの距離ではない。

ティソンディは、韓国最大の氏族（リネージ）である安東権氏（アンドンコン）の一七代目の子孫・権堢（コンポ）が開城を離れて、水原の南に移り住み一族の本拠地としたことに始まる。権堢の一族は、さらに五つの派に分かれ、一九代祖の権撥（コンパル）が現在の村に根をおろして、ティソンディ権氏一族が誕生した。

ジャネリ夫妻が訪れた一九七三年のティソンディには五六世帯が居住し、うち三三世帯が権氏、

表1　1973年と1993年の内里の住人の推移（参考文献③P.177）

年	安東権氏	義理の息子（婿）	親族関係なし
1973年	33	7	16
1993年	28	10	142

七世帯が権氏の女婿の世帯、残り一六世帯が姻戚関係のない世帯だったが、この姻戚関係のない世帯のうちティソンディに土地を所有していたのはわずか二世帯で、彼らの多くは権氏の営む農作業に労働を提供するために移り住んだ「出たり入ったりする人たち」にすぎなかった（表1参照）。権氏の人びとは、けっして特別に豊かであるとは言えないが、村の大半の土地を所有し、両班としての誇りを持ち、祭祀を行うことで一族の結束を固めていた。

ジャネリは、後に彼が「弁証法的（dialectic）」と名づけたインフォーマント（村人）との徹底的な対話（dialogue）を通じて、この都市近郊のありふれた両班村でフィールドワークを行う。

その方法は、いわば「時間制限のない、計画性の乏しい調査」で、後に彼が『資本主義をつくる』を執筆するために財閥企業の一部署でフィールドワークを始めた時、統括本部長がそれを見かねて、もっときちんとした計画を立てて、できれば彼の部署のそれぞれの課で数か月ずつ働いてはどうか、とアドバイスしたほどだった。彼は人類学の発見的性格（heuristic aspect）を尊重して、その非効率な方法を貫いた（参考文献②　二二六頁）。

私が、ジャネリの参与観察の「発見的性格」について教えられたのは、一九九三年に『祖先祭祀と韓国社会』の日本語訳を上梓し、当時は珍しかったソウルのイタリアンレストランでお祝いの会食をした時に彼が語った"Where is the garbage?"という愉快なエピソードを通してだった。

一九七三年秋に彼らがティソンディに移り住んだ時、村にはどこにもゴミ箱がなく、引っ越しの晩、ジャネリは任敦姫に「いったいこの村のゴミ箱はどこにあるんだ（"Where is the garbage?"）」と尋ねたのだ。

一九七三年のティソンディは完全なリサイクル社会で、酒瓶もサイダー瓶も缶詰の缶も再利用され、生ごみは庭に穴を掘って埋められていた。それが、わずか四年後の一九七七年一二月には、村の一角にはゴミ集積所ができ上がり、ジャネリは、ビンや缶と、ビニール袋に詰まった生ゴミの山に出会うことになったのだ。

人類学や民俗学が研究の基礎とする民族誌は、こうしたごく当たり前の日常を記述するが、気をつけてみればじつは小さな驚きと発見に満ちている。ジャネリと任敦姫は、ティソンディで調査を始めた時、まず村の人たちの心を開き「心の通い合う関係（rapport）」を築くことから始めた。そして少しずつ親しくなった村人から大切な族譜を見せてもらい、一族の系譜をたどり、次第に秋夕（チュソク）などの一族祭祀の見学を許され、家内祭祀に参加し、心からの信頼を得た人びとからは、彼らの願いや喜びや苦しみを打ち明けられて、次第に彼らの世界に触れ、その社会、親族、家族、祭祀、扶助、遊興などの諸組織を観察記録し、その知識を深めていった。

五つの成果

私は、『祖先祭祀と韓国社会』の忠実な民族誌がもたらした成果は大きく言って五つあると考える。

その第一は、〈長子相続・永代父系直系家族〉を理想とし〈孝行〉を至上とする男性的な氏族組織が行う公的な祭祀の〈男性原理〉に対して、女性が主宰する私的なシャーマニズム祭祀の〈女性原理〉の存在を明確に示したことである。

ジャネリと任敦姫が最初の著書の冒頭で指摘したように、東アジアの祖先祭祀研究は「祖先の優しくて保護者的な性向」を強調し、祖先の祟り(たた)りを認めたがらない傾向がある。

そして韓国の場合は、この「祖先の優しくて保護者的な性向」は、男性中心の祖先祭祀に集中し、その対極にある祖先〈祖霊〉の祟りは女性中心のシャーマニズム儀礼に集中する。

その理由は単純明快で、それは男性たちのアイデンティティの基礎となる〈父系直系家族〉至上主義が、父系直系の男子を生むことができずに〈非業の死〉をとげた女性や男性を、儀礼の対象から排除して〈鬼神〉や〈客鬼〉の地位に貶(おとし)めたこと、それによって周縁に追いやられた祖霊の祟りを、女性が主宰するシャーマニズムの儀礼が引き受けたからである。祀るべき死者を父系直系家族に限定すれば、そこに加わることのできない死者は無数の鬼神・客鬼となって宇宙に満ち溢れ、子孫に祟りをなすことになる。

女性の主宰するシャーマニズムの儀礼は、祀られることのない無数の死者の無念の声を聞き、饗応し、慰労し、無事にあの世に送り返す役割を果たしている。ジャネリと任敦姫は、第六章の「ムーダン（巫堂）と祖先」で男性を排除した女性たちの巫儀を記述することで、この女性原理の役割を具体的な事例をもって明らかにした。

『祖先祭祀と韓国社会』の第二の成果は、死者を祀る祭儀が「互酬（Reciprocity）」の原理に支えられていることを明らかにしたことにある。

祖先祭祀は、〈死者である祖先〉に〈生きている子孫〉が礼を尽くし、死者を讃え、死者に様々のものを贈り、豪華な食事を共にし、死者と一体化して、その返礼として死者の優しい保護を受け取る〈祖先と子孫のプレゼント交換〉の儀礼である。

たとえば、ティソンディの祖先祭祀の起点にある一族祭祀（時祭）の場合には、各地域の権堢を始祖とする権氏各派が墓に集まり、権堢に豪華な食事を饗し酒を酌み交わして、権堢と一体化し、一族に対する保護を願うと同時に、次回の祭祀の次第や費用の負担などを話し合って一族の結束を固める。

より小規模な権撥の祭祀にも同様の機能がある。

また、ティソンディ権氏が祭祀を行う大切な祖先の墓の近くには墓守が住み、権氏から土地を与えられる代償として墓を守り、祭祀の準備一切を整えて対価を支払うという、互酬の原理が生きている。

「チバン」または「堂内（タンネ）」と呼ばれる八寸（八親等）までの親族集団間で行われる親族祭祀の場

合も、親族間の相互扶助（互酬）のルールに準じている。いずれの祖先祭祀も〈祖先に対する贈物〉とその返礼として与えられる〈子孫に対する保護〉の交換という互酬の儀礼である。

第三の成果は、この祖先と子孫との絆が、〈孝行〉によって結ばれるという、韓国の祖先祭祀の特徴の意味が明らかに示されたことである。

韓国の小さな両班村ティソンディで息子の世代が父に対して孝養を尽くさねばならないのは、父がその父母と祖先に対して孝養を尽くし、祖先と〈孝の絆〉で結ばれ、祖先の保護を継承して来たからであり、父が〈祖先の保護と息子の世代を媒介する存在〉だからである。

息子の世代が父母に孝養を尽くす義務があるのは、息子が身体髪膚をはじめとするすべてを父母から受けたためであるが、父もまたその父母からすべてを受けて父母に孝養を尽くし祖先を敬ってきた。したがって、息子が祖先の保護を受けることができるのは父の果たした孝行と祖先祭祀のおかげであり、息子にとって父は祖先との結節点であり、父は〈死せる祖先〉と息子を繋ぐ〈生きた祖先〉にほかならない。だから息子たちは歳拝（新年の挨拶）や還暦の祝いなど、機会あるごとに父とその伴侶である母を、祖先と同じように礼拝するのである。

そして第四の成果は、この祖先と父と息子を結ぶ祭祀と孝行の関係の韓国における独自性が、じつは〈資産相続〉という現実的な利益配分の形態にもとづくことを指摘したことである。

ジャネリと任敦姫が第七章「東アジアの祖先祭祀」で述べているように韓国の〈長子相続・永代父系直系家族至上〉の原理は、均等相続の中国や、女婿が祭祀権を継承することも可能な日本と違って、父と息子のあいだに韓国独自の複雑な関係を生み出すことになる。

祭祀権と戸主権を相続する長男は、家の資産を次男以下の兄弟より多く受け継ぐ代わりに、家族における祖先祭祀の権利と義務を負う。

この資産継承者としての長男とその兄弟のあいだの複雑な関係は、フランスの社会学者ピエール・ブルデュー（Pierre Bourdieu）の提起した①経済資本、②文化資本、③社会関係資本、④象徴資本という四つの資本概念を使用することで、少しわかりやすく説明することができるだろう。

ティソンディで長男とその兄弟が父親から相続するのは、目に見える家と土地と金銭という〈経済資本〉だけではない。彼らは、経済資本のほかに祖先祭祀という無形の資産を（長男はその主宰権を）継承する。祖先祭祀は、韓国の伝統文化（文化資本）であると同時に、親族や村人や権氏一族の人たちとの関係を維持し発展させるために欠かせない〈社会関係資本〉でもある。

そして立派に祖先祭祀をおこなうことは、何よりも、彼らの両班としての地位を保つために重要な〈象徴資本〉である。この目に見えない象徴資本は、婚姻や社交などの社会関係の形成と社会進出に役立つが、何よりも彼らに「自らが両班である」というアイデンティティとプライドを与え、彼らに生きがいを与えることになるだろう。

そしてジャネリと任敦姫の克明な民族誌によって明らかにされる第五の成果は、長男とその兄弟によって相続される資産が、個人の資産でありながら、同時に〈我々（우리）〉によって共有される資産であり、その資産の維持管理は、長男個人に属しながら、同時に兄弟のあいだで維持さ

れ、兄弟とその家族の監視（surveillance）を受けているということの指摘である。

一九七〇年代の韓国農村の多くに見られたように、ティソンディ在住の権氏成員にとって、村は〈우리村〉であり、家族は〈우리家族〉、一族祭祀を共催するのは、〈우리 権堡公派〉や〈우리権撥公派〉であるが、それらは、誰か特定の個人によって独占的に支配されたり所有されたりしているわけではない。家族も、村も、地域を越えた氏族集団も、その構成資本はすべて〈우리（我々）〉によって共有され、相互に監視され、維持されているのである。

その個人による独占と逸脱を監視する〈우리〉の機能をもっともわかりやすく示すのは、家族の要（かなめ）であり、子どもたちにとって絶対の孝行の対象であるはずの父親に対する子どもたちの監視である。

子どもたちは、自分たちを支配しようと監視する父親や目上の世代の老人たちに対して、表面上は礼儀正しく、目に見える対立を避けるが、その言葉にけっして素直に従おうとはせず、彼らの命令や要求をはぐらかしたり、ごまかしたりして、結局、自分たちの要求を通してしまう。ティソンディの父親は、敬意を表されはするが、その権限はじつは息子や娘たちのチェック（監視）を受けており、父親個人の裁量による権限の逸脱は厳しく否定されたり無視される。

このことに気づいたジャネリと任敦姫は、繰り返しその具体的な場面を記述し、父親世代と息子たちとの相互監視システムの働きを指摘している。

この〈監視（surveillance）〉という概念は、ジャネリが『資本主義をつくる』で重視したミッシェ

ル・フーコー（Michel Foucault）のキーワードの一つだが、『祖先祭祀と韓国社会』では明確な形で使用されることはなかった。しかし一九九三年の本書では、都市と企業と国家のさまざまな〈監視〉が一九七〇年代のティソンディにおける〈監視〉と対比され、その〈우리〉による資産の共有と監視が、時代を越えた韓国社会の特性として繰り返し語られることになるだろう。

人間関係の組み替え

ジャネリと任敦姫は、ジャネリが韓国最大のコングロマリット（仮名をテスン Taesŏng としている）でのフィールドワークを終え、その成果である『資本主義をつくる』の刊行を終えた一九九三年の秋と一九九九年の春に、ふたたびティソンディを訪れ、週に二日か三日は村に住み、残りはソウルで過ごすというかたちで調査を行った。最初の調査から二〇年ほどのあいだに韓国では「漢江の奇跡」と呼ばれる爆発的な経済成長とそれにともなう社会的変化が進行し、ソウルから遠くないティソンディはその強い影響を受けた。二人の再調査の目的は、ティソンディ権氏の祖先祭祀の変化を検討し、そのあいだに村で起こった社会の変化を村人がどう受けとめているかを理解することにあった。

このティソンディ再調査の結果は「韓国農村の祖先祭祀と資本主義的産業化」（参考文献③）として公表されたが、その成果は、やはり大きく分けると二つあると思う。

その一つは、祖先祭祀の変容の具体的な記述とその連続性の発見である。二〇年の歳月を経た

ティソンディは確かに大きく変化したが、幸いなことに一九七三年に出会ったティソンディ権氏のほとんどの家族が村の暮らしを続けていた。ジャネリと任敦姫が、村人たちに「村に起こった変化をどう思っているか」と尋ねると、男たちの多くは、「〈개인주의（個人主義）〉が増加して、村人のあいだに自己中心的で〈각박하다（刻薄）〉な態度が生まれた」と答えたが、女たちには、むしろ自分たちが過去に経験した厳しい貧困や飢餓と比べて「現在は相対的に楽になった」と答えた者が多かった。

二人は過去二〇年にわたる一族祭祀（時祭）、名節祭祀（茶礼）、家内祭祀（忌祭祀）という重要な祭祀の形態の変化を調査し、その結果、祖先祭祀を初めとする村の人間関係はけっして個人主義的になり刻薄になったわけではないと考えるにいたる。

男たちによって神聖な義務とされる祖先祭祀は、じつは〈昔からずっと、（互酬のもたらす）現実的利益と理想との双方に動機づけられてきた〉のであり、ティソンディ権氏の人間関係は、とくに〈個人主義〉的になったわけではなく、新しい結束のために新しい相互扶助システムを求めて変化し、その過程で祖先祭祀の形態も変化したのだというのが、その理由である。

その「新しい結束のために築かれた新しい形の相互扶助システム（互酬関係）」をもう一度ピエール・ブルデューの経済資本、文化資本、社会関係資本、象徴資本という四つの資本概念を用いて整理してみよう。

まず基本となるのは、経済資本の変貌である。

一九七〇年代のティソンディはすでに純農村というわけではなく一九七三年にはすでに精米所があり、二世帯の権氏の世帯主がソウルにバスを利用して通勤し、生活費を近隣の建設現場で働くことで得る者も数名いた。一九七七年には村から数百メートルのところに工場が二カ所と養鶏場があり、建設労働者や工員が新住民として流入し、小規模なアパート経営も始まっていた。しかし権氏の世帯の大部分は農業に依存する生活をしており、経済資本の基本は土地であり、権氏の人びとはプマシ（품앗이）という共同労働をはじめとする相互扶助的な労働の交換（互酬）をごく自然に受け入れ、享受していた。

ところが一九九〇年代に入ると、経済資本は多様化し、土地はアパートや工場の経営に利用され、不動産投機の対象となり、耕作農地は周縁に追いやられ、便利な農機具の出現で、プマシのような共同労働慣行の必要もほぼ消滅した。

近隣に生まれた大小二四の工場で働くために新住民が流入し、村の世帯数は増大し、権氏とその女婿一族三八世帯に対して新住民一四二世帯と逆転して、権氏は有力な土地所有者ではあっても人口的にはマイノリティに追いやられた（表1参照）。

かつて村の現金収入を支えた精米所は姿を消し、新たに食料品店四、食堂一、美容室一、レンタルビデオ店一、ドライクリーニング店一、文房具店一が出現し、商品作物の果樹栽培も始まり、アパート経営とあいまって、村の経済資本は多様化し、農業資本を圧倒する。

こうした経済資本の変化を受けて、文化資本としての儒教も姿を変える。

ティソンディ権氏は、名門安東権氏に属し、両班の数がかぎられていた朝鮮王朝中期までは中央政庁の要職を占める者を輩出したが、両班の数が激増する一八世紀から二〇世紀初頭にかけてはあふれる中小両班の波に呑み込まれた。

そして両班の数が増えれば増えるほど、各両班の保持する族譜の数も増え、その威信を支えるために男系の長子相続に連なる家系を守り、女子を排除する相続システムと祖先祭祀が強化される。一九七〇年代までのティソンディ権氏が、権埰を一七代祖とする北村谷などの権氏四派とともに、一族の祖の墓を守るために墓守（はかもり）に土地を与え、祭祀の準備を整えさせて、毎年の決められた日に一族祭祀（時祭）をおこなってきたのは、地域の両班一族としての威信と結束を誇示するためである。

しかし一九七〇年代以降の経済成長によって、全韓国の経済構造が変化し、その影響がティソンディまで及ぶと、文化資本も多様化し、儒教とそれにともなう祖先祭祀などの儀礼、男女有別という規範、孝行・貞節・礼節などの倫理も変化する。

たとえば新築した住居の形式が西欧風であれば、それまで寝室を分けていた夫婦は共通のベッドルームで眠ることになり、男女に分かれていた食卓の〈膳〉も家族全員が一つの〈テーブル〉を囲むことになり、学校や会社や軍隊では、両班であるか否かは問題にされず、男女が席を同じくし、年下の女性上司が年長男性の部下に指示を与えることも当然とされる。

家族や村といった小さな共同体で守られてきた儒教的な文化資本が、日常生活の場で解体し組み替えられたのである。

この経済資本と文化資本の組み換えを、社会関係資本も敏感に反映する。

経済資本が行使される経済活動の範囲は、たとえば長男が卒業や結婚を契機としてソウルに転居し、会社勤めをすることになれば、長男にとってだけでなく両親にとっても、社会関係と人間関係の範囲と形態が村を越えて拡大し、複雑に変化し、社会関係資本（人間関係）が組み替えられる。

一九七〇年代までは家族や村やティソンディ権氏一族の範囲にとどまっていた住民たちの〈ウリ・우리〉の範囲（社会関係資本）が、ティソンディとその一帯を越えて、ソウルという大都市・大市場と直結し、個別化し、それぞれの個人や家族における〈ウリ・우리〉の人間関係の組み換えが始まったのだ。

ティソンディ権氏が、①一七代祖の権堢に始まる地域の一族祭祀を放棄したこと、②ソウルに本部を置く安東権氏の全国組織（宗親会）との連携を重視し、権堢を飛び越えて始祖の権幸（コンヘン）を戴く慶尚北道安東の宗家に連なろうとしたこと、③村に一族の直接の祖である一九代の権撥以下の祖先を祀る祭閣を建立して、ティソンディ権氏個別の威信を示そうとしたこと、④それまで各祖先の墓を訪れておこなっていた名節の祭祀を合理化して祭閣で一括しておこなうことにしたこと、という四点にわたる祖先祭祀の形態の変化は、一連の資本の変化の結果である。

韓国でもっとも由緒正しい両班家系の一つである安東権氏は、首都ソウルでも知名度が高く、誰からも一目置かれるが、安東権氏の末端にすぎない権氏一族など誰も知らないし、その一員であることには社会関係資本としての価値がない。

一九七〇年代までは、祖先祭祀と族譜と長子相続によって蓄積され、再生産されてきた一族と地域の社会関係資本は、一九九〇年代には祖先祭祀を合理化し、維持しながら、地域を越えた全国組織との関係へと変貌し、ティソンディ権氏の範囲を越えて、新たに流入した新住民たちを巻き込んださまざまの親睦会や、小・中・高等学校の同窓会や父母会、結婚式、還暦祝いやロータリークラブなどのパーティー活動のうちに組み込まれた。

一九九〇年代に村人のあいだに登場したさまざまの親睦会やパーティーは雑多な構成員同士を結びつける〈名刺交換会〉であり、主催者や参加者の地位（アイデンティティ）を明らかにし交換する機能を持つ。この象徴的な地位の交換会は、再びブルデューの用語を用いれば、参加者の目に見えぬ象徴資本（権威・地位）を誇示し、相互の情報交換を促し、ロータリー等の奨学金の獲得や新しいビジネスチャンスという現実的利益をもたらす。

親睦会やパーティーで費やされる贅沢な食事や飲み物は、祖先祭祀で先祖に捧げられた供物と同じく、〈社交という新しい儀礼〉の参加者に対するプレゼントであり、提供者にその対価として社会関係資本の保証と新たな象徴資本を付与する。

祖先祭祀と親睦会とパーティーは、社会関係資本の維持や象徴資本の維持と付与という同じ機能を持つ。一九七〇年代までは、祖先祭祀が社会関係資本の維持と象徴資本の付与をほぼ独占していたが、一九九〇年代にいたってその様相を改め、親睦会やパーティーと役割を分かち合うにいたった。

この現実的な利益をもたらす親睦会やパーティーは、たしかに儒教的な孝行の理想からは遠く、世俗的ではあるが、一九七〇年代とそれ以前に伝統的な祖先祭祀がもたらした両班の地位の権威とそれにまつわる現実的な利益と比べて、特別に世俗的で個人主義的で刻薄であるということはない。

身体化された儒教

ジャネリと任敦姫の二つ目の成果は、この二〇年間における女性の役割の変化を具体的に示したことである。

二人は祖先祭祀における女性の役割の変化をこう記述する。

「もう一つの目覚ましい変化と考えられるものは、いくつかの家内祭祀への女性の参列である。一九七三年の旧暦の元旦にティソンディ権氏のある家で行われた祭祀では、男性といっしょに拝礼する思春期前の娘が数人いたが、その娘らの参列はつけ足しにすぎなかった。祭祀で重要な役割を与えられた娘は一人もいなかったのである。しかし、一九九〇年代には、ティソンディ権氏の夫を失った一人の未亡人が、夫の生家で夫の祭祀をおこなうために村を訪れただけではなく、未婚だが成人した三人の娘を同伴し、長女に亡き父のために酒を奉げる役を務めさせた。祭祀で重要な役割を果たすための扉が女性に開かれたのである。(……)移動の容易さは結婚して家を出た娘が生家の家族とのつながりを維持しやすくし、結婚して家を出た女性がティソンディに里帰りしたり、ティソンディに嫁いだ女性が出生地の親族を訪ねるために村を離れたりするのを、我々はしばしば見た。女性はまた、自分の生地の両親の面倒を見ることに、より積極的になった。おそらく、最近の相続法の改正が娘と息子が等しく両親の財産を相続することを認めたことが、この傾向を反映しているとともに、促進しているのである」(参考文献③ 三一五〜三一六頁)。

そして二人がとくに注目するのは、ティソンディに住むほかの一族(金氏)の例で、一九七〇年代には、金氏の長男と結婚して村に住んでいたキリスト教徒の嫁は、宗教上の理由から義父の忌祭祀の祭祀の膳の準備をすることを拒否しようとしたが、夫の叔父たちの前で、その信念を貫くことができなかった。

その後、長男はソウルに住んだので、彼の両親と父系の祖父母の祭祀はソウルで行われることになった。一九七〇年代には、長男の母の金ウンジュンは「自分の長男の妻がキリスト教徒なので、夫や夫の祖先の祭祀が将来どうなるか心配だ」と打ち明けていたが、一九九三年になると、「キリスト教は、祭祀への参列を男性だけに限定しないから、長男の妻がキリスト教式の祭祀をとりおこなうほうがいいと思うようになった」と語ったのである。

一九九九年になると、ティソンディの多くの世帯では、故人の娘が参列できるように祭祀への参列の範囲をひろげていた。義理の息子(婿)が参列できるようにした世帯もいくつかあった(参考文献③　三一七頁）。

キリスト教徒である若い嫁は、一九七〇年代には祖先祭祀の供物を準備することを拒めなかったが、一九九〇年代には村を離れソウルに移り住むことで、その義務から自由になる。夫を失って、ソウルに住む長男と同居することになった母は、当初は嫁のキリスト教を恐れていたが、後には「キリスト教は祭祀参列を男性に限定しないから、そちらのほうがいい」と思うようになる。一九九〇年代の村の女性たちは、頻繁に実家を訪れるようになった娘に頼り、女性の参加が認められた祖先祭祀に娘とともに参加し、村の親睦会などの パーティーでは女主人の役割を果たし、男たちよりはるかに生き生きと生活する。

ジャネリと任敦姫は、二〇世紀末の村の女性たちをこう描いている。

「一九九九年の春には、大規模でアクティブな女性たちのグループが見られた。そのほとんどすべては、数十年前に村に嫁いできた女性で、朝の散歩や、大きな祭祀が行われる家庭の供物の準備、ムーダン（巫堂）への訪問、営利を目的としない冬季の集まりに使われるホットク屋台の準備、各種の〈会（회）〉への参加というように、毎日のようにさまざまな集団活動に参加していた。対照的に、夫たちが仲間同士でいっしょに時間を過ごすことはほとんどなかった。明らかに、女性よりも男性のほうが、親族や同じ村民との相互扶助の喪失を経験しており、村外の人たちを巻き込むことで新しく得られた相互協力や援助よりも、そちらの喪失のほうを深刻に感じていたのである。おそらく、個人主義が台頭しているという男性の認識も、「ある種の社会的関係は、ほか

の関係よりも神聖だ」という観念から生じているにちがいない。新しい社会的な関係を築いたり、新しい地位（アイデンティティ）を誇示したりすることは、過去の社会的関係や地位の誇示より自己利益的だというわけではない。過去の社会的関係や地位の自己利益的な性格が、往々にしてイデオロギー的な正当性の陰に隠されてきたために、そうした印象を与えるの ではないだろうか」（参考文献③ 三二六頁）。

ロジャー・ジャネリと任敦姫がここで述べているとおり、とくに一八世紀以降民衆化した韓国儒教は、「男系拡大家族とリネージを絶対的に神聖化し、男系拡大家族とリネージのメンバーが手にしてきた物質的政治的な利益を見えにくくし、古い慣習のうちに隠された女性親族の過小評価を隠蔽してきた」（参考文献③ 三二六頁）。この儒教は、男性と女性のうちに身体化されたハビトゥス（habitus 習性）として埋め込まれ、形を変えながら再生産され、受け継がれてきた。女性親族の過小評価を隠蔽してきたのは、男性だけではない。女性もまたこの過小評価の再生産に加担してきたのである。

2. テスン――『資本主義をつくる』

ソウル都市圏に組み込まれた小さな農村ティソンディに続いて、ジャネリがフィールドに選んだのは韓国最大の財閥企業（コングロマリット）テスン（仮名）である。

彼は、一九八六年九月にこのコングロマリットの中枢に近い系列企業の一部署にデスクを得て、彼が「弁証法的（dialectic）」と名づけた徹底的な対話（dialogue）を通じて、九か月にわたって文化人類学者としての参与観察・調査をおこなった。

この調査はその後六年の追跡調査と考察を経て『資本主義をつくる』というみごとな成果を生んだが、ここでは、その中核にある〈ウリ・우리〉という概念を手掛かりとして、ジャネリの成果の一端を示してみたい。

ジャネリは、二〇〇八年のカリフォルニア大学の李スジェのインタビュー（参考文献④ 一三頁）で、『祖先祭祀と韓国社会』に始まり『資本主義をつくる』にいたる思考の歩みについてこう述べている。

「人は初期の仕事が後の経験を導くと考えますが、後の仕事が初期の経験に新たな意味をもたらすこともあります。たとえば、私が妻と共に一九七〇年代にフィールドワークした村（ティソンディ）で過ごした時には、私たちは村人が自分たちを〈我々韓国人（우리 한국사람）〉と表現することがないことに、一度も気づきませんでした。ほとんどの村人は自分を〈我々村人（우리 마을사람）〉あるいは〈我々ティソンディ権氏（우리 뒤성뒤권씨）〉というふうに言っていたのです。私たちが大コングロマリットでフィールドワークをするようになった時に、社員たちは、〈わが国（우리 나라）〉、〈わが国の人（우리 나라사람）〉、〈我々韓国人（우리 한국사람）〉という表現をふつう

に使っていたのですが、私たちは（一九七〇年代には）村人がその言葉を使っていなかったことに気がつかなかったのです。そして、村にテレビが入った後に、再び村を訪れた私たちは、村の人たちが自分たちを〈我々韓国人（우리 한국사람）〉と呼び始めたことにやっと気づきました。」

韓国語の〈ウリ・우리〉にかぎらず、アメリカや日本を含む世界各地で〈我々〉という言葉は〈我々以外〉と対比的に用いられ、「文化や価値観や資産や秩序を互いに共有する人びと」を意味するが、ここではこの〈ウリ（우리）〉を一つの有機的な〈構造（structure）〉ととらえ、〈ウリ〉を構成する成員を〈行為主体（actor または agent）〉としてみよう。この構造と行為主体は、ジャネリが『資本主義をつくる』を執筆するにあたって援用した社会学者のアンソニー・ギデンス（Anthony Giddens）の概念である。

テスン内部の〈ウリ（構造）〉と行為主体

ジャネリは、テスンという巨大コングロマリットの〈ウリ（構造）〉を構成する行為主体グループを大きく、①オーナー経営者、②年長の管理職（理事・部長）、③若手の社員（課長・男子社員・女子社員）の三つのグループに分ける。

この三つの行為主体グループは、いずれも〈我々のテスン（ウリ・テスン）〉という大企業グループ（構造）に所属し、テスン・ファミリーの一員として、その利益の最大化という共通の目的を持ち、その遂行のために互いに全力を尽くすが、各グループはそれぞれ個別の利益を持ち、さらに各グループの成員個人も個別の利益を追求し、〈ウリ・テスン〉という構造に働きかけ、その構造を維持したり、変革したりする働きをする。

まず、オーナー経営者は、秘書室という人事、経営戦略、金融、広報など十指にあまる担当タスクフォース（行為主体）を率い、絶対権力によるトップダウンというオーナーにとって都合のよい構造（ウリ・テスン）の維持と強化を目指す。

オーナーとタスクフォースは、その目的のために新入社員の採用、新人研修、定期的な自己管理研修、年功序列的給与体系と就業時間の管理、オフィスの机や備品の配置、会議の席次、社内報やポスターや講習会などのメディア操作など、ありとあらゆる機会をとらえて、「〈ウリ・テスン〉は一つの家族」、「人和団結（harmony）」、「〈孝行〉の遵守」などのイデオロギーを発信し、父親の指導に従う若者という韓国の伝統文化を〈ウリ・テスン〉の日常に溶け込んだ共通の文化資本とし、父親（テスン・ファミリーの指導者）に従う若者（社員）の姿を投影し、多様な利益を追求し対立し合う行為主体を、互いの利益を尊重し合う〈無葛藤な人和団結〉の状態に閉じ込めようとする。

第二の年長の管理職（理事・部長）グループは、オーナーにもっとも近い存在であり、部課長会議などを通じて直接に若手社員を指導し、テスン各部門の利益の最大化に努める立場にあり、オーナーのトップダウンの方針を具体化し、若手社員の達成した成果を厳しく監視し、怠慢を叱責する役割を果たす。自らの率いる部門を〈家族〉に見立て、伝統的な家族の長（父）として息子たち（若手社員）を指導するのは彼らであり、オーナーに代わって、直接〈ウリ・テスン〉の利益の最大化を指揮する。

しかしその一方で、彼らは年功序列と出世競争の末に理事や部長の位置についた〈成功者〉に過ぎず、定期的に開催される理事会では管轄する部門の業績報告の義務を負い、上司である社長や会長にチェック（監視）され、叱責を受ける立場にある。彼らが社長や副会長に就任し、オーナーや秘書室メンバーに加わる可能性は低く、彼らも〈ウリ・テスン〉という構造に働きかけて、常に自己利益の最大化を目指す行為主体として微妙な立場にある。

第三の若手の社員の行為主体グループは、若手管理職である課長、課長の指示で働く若手男子社員、社員の補佐として働くノン・キャリアの女子社員に分かれるが、いずれも都市生活を経験しており、とくに男子社員の場合はすべて大学生活と軍隊生活を経験している。

七〇年代の農村では、〈時間と労働を売り買いすること〉は耕作地という経済資本を持たないモスム（作男）の卑しい仕事だったが、都市では、時間と労働を売り買いする（交換する）ことが当然とされ、時間と労働を効率よく使って自己利益の最大化を図ることがもっとも重要な課題の一つとされる。

大学をはじめとする学校では、①大教室での一方的講義と、ペーパーテストによる一方的評価が主流なので、生徒や学生は一方通行の（monologic な）コミュニケーションに慣れ、②教師の与える知識のほうが、家庭教育の知識より重視されるので、祖父や父よりも教師を尊敬の対象とし、

③先輩・後輩というわずかな年齢差による序列を経験するので、企業の集団研修や年功序列、そして上意下達をたやすく受け入れる習慣を身につける。

そして軍隊で経験した上官の指揮命令に対する絶対服従は、企業における研修の過酷さや会議における上司の叱責を〈生温い〉とすら思わせた。

〈ウリ・テスン〉の行為主体の大半を占める若手の社員たちは、採用試験に応募して〈テスン・ファミリー〉の一員となった以上、テスンの利益最大化という目的に異を唱えることはしないが、オーナーの発信する「我々は一つの家族」、「人和団結」、「伝統にもとづく〈孝行〉の遵守」などのイデオロギーが、すでに時代遅れの、人為的なフィクションであり、韓国の伝統文化にもとづくものではないことをよく理解していた。

彼らは、テスンの利益の最大化のために激しく働くことは厭わないし、むしろそれを誇りに思っているが、激しい労働をトップダウンの理不尽な形で要求されることや、過剰な労働のために自分が一番大切に思っている家族や友人に対する社会的な義務を犠牲にさせられることには抵抗した。

ジャネリがフィールドワークを通じて、もっとも頻繁に対話を交わしたのはこの若手社員たちであり、記録したのは彼らの〈ウリ・テスン〉という構造への働きかけである。

〈ウリ・テスン〉とその外部

すでに述べたように〈ウリ〉は相対的な構造で、〈ウリ〉の外部には複数の〈ウリ〉があり、さらにその〈ウリ〉を包摂する外延としての〈ウリ〉がある。ジャネリの『資本主義をつくる』には、その外延としての〈ウリ〉として〈ウリ・ナラ（我が国）〉あるいは〈ウリ・ハングックサラム（我々韓国人）〉という構造が想定され、その構造を構成し、構造に働きかける行為主体グループとして①韓国政府、②民衆、③テスンが描かれている。

この〈ウリ〉のモデル化は、もちろん簡略化されていて、実際には①政府のまわりには軍や戦警（機動隊）のような暴力装置やさまざまな金融機関、②大衆のまわりには新聞やテレビのようなメディア、③テスンのまわりには競合する無数の企業や商社などがある。しかし、このように構造と行為主体の数を制限し単純化することで、いくつかの問題点が明らかになる。

テスンを始めとする韓国財閥と政府との関係は複雑で、テスンが誕生した一九三〇年代後半から今日にいたるまで、問題は複雑化の一途をたどっているが、その歴史は大きく、①日本による植民地統治時代、②一九四五年の解放（光復）直後の李承晩時代、③一九六一年の朴正煕のクーデターから一九八七年の盧泰愚による民主化宣言までの軍事政権時代、④民主化宣言からオリンピックを経て今日にいたる民主主義の時代の四つの時期に分けることができるだろう。

テスンの場合は、光復後の李承晩時代の税制や金融の優遇措置を利用して業態を多様化し、朴正煕の主導した漢江の奇跡の時代に、低賃金を梃（てこ）に①国内産業の育成と②輸出促進を図る政府の経済政策に乗って一挙に財閥として頭角を現した経緯がある。

テスンを始めとする財閥企業は、政府の経済振興策に従ってビジネスチャンスのあるすべての業界に進出したために、半導体やテレビから、デパート、ホテル、大学、病院、建設、造船などにいたるまで、ありとあらゆる場面に進出し、財力を蓄積し、技術力を高め、すべてにわたって洗練された商品とサービスを提供するにいたった。

そのために、大衆は『資本主義をつくる』が刊行された一九九三年の時点でも、自らの生活の豊かさを享受し、誇示するためには、財閥企業の提供する商品とサービスから離れて生活することが難しくなっていた。人びとは、朝起きると財閥製の歯磨きを使い、財閥製のラジオかテレビでニュースを聴き、財閥製のバスか車で職場に向かい、財閥製のビルに入ると、財閥製のエレベーターでオフィスにまで行くことになる。

しかしその一方で、新聞やテレビを始めとするメディアの報道に敏感な大衆は、テスンを始めとする財閥が、①政府の優遇措置によって成長をとげた歴史を持つこと、②財閥に対する優遇措置の多くが政府との不正な癒着によって導かれたこと、③財閥が、不正な手段によって手に入れた財を蓄積し、その財力によってさらなる発展をとげ、資金力の乏しい中小企業の発達を妨げていること、④財閥オーナー一族が、不正な手段で蓄えた資産を独占し、不動産などへの不正投資を繰り返し、自己の資産の不正な拡大をはかっていること、⑤財閥企業とそのオーナーが新たな不正蓄財をおこなうために、政府に不正な働きかけを継続していることなどを、よく知っており、ときには激しいデモなどを通じて、財閥企業やそのオーナーだけでなく、政府を窮地に陥れる危険な行為主体でもある。

事業に成功した企業やそのオーナーが、巨大な富を独占的に獲得することは、GAFAを始めとする現在のアメリカ企業ではありふれた光景であり、日本においても富の一極集中が明らかになりつつあるが、たとえばGAFAのオーナーは不正蓄財を法律的に追及されても、テスンのオーナーのように道徳的に糾弾されることはない。

こうした大衆の道徳的な批判を熟知したテスン（財閥）は、批判に対して敏感に反応し、政府と大衆に対して働きかけを怠らなかった。テスンのオーナーは、しばしば新聞のインタビューに応えて、①政府の過度な介入を批判しながら、同時に政府の適切な（都合のよい）介入を促し、②成長を続けて、新しい雇用を創出しなければならないという企業の肯定的な使命と義務を強調し、③企業の成長の原動力はブルーカラーの抑圧ではなく、高い技術力であると主張して搾取者としてのネガティブなイメージを払拭し、④自社製品の品質の高さと技術力が大衆に快適で新鮮な生活を与えるというコマーシャルをメディアに提供して、自己の立場を擁護し、政府と大衆という行為主体に働きかけた。

そしてその一方で、株主総会においては、政府機関に提出する会計報告などを都合よく書き替え、理事の任命を管理し、総会の主導権をにぎり、総会屋の力を借りてわずか四、五分で総会を終え、外部（政府と民衆）の干渉から自分たちの資産管理を守った。株主総会で政府を欺き、一般株主（大衆）をシャットアウトするみごとな演出には、年配管理職も、若手社員も、〈ウリ・テスン〉に対する協力を惜しまなかった。

誠実な参与観察者であり、文化相対主義者であったジャネリは、〈ウリ・テスン〉という構造に組み込まれながら、構造に働きかける①オーナー経営者、②年配管理職、③若手社員という三つの行為主体のそれぞれに等しく存在意義を認め、そのいずれかに加担することを注意深く避けて、彼らを〈ウリ・ナラ〉の経済資本・文化資本・社会関係資本・象徴資本に働きかけて〈ウリ・資本主義（韓国資本主義）〉をつくるうえでの対等な行為主体・登場人物（actor）として描いた。

彼は、その『資本主義をつくる』をこう締めくくっている。

「テスンの人びとは、人間がいかにして、文化と政治経済の構造をつくり、つくり変えることに、熱心にまた細心の配慮をしながら取り組む思慮深い行為主体たり得るかを示したのである」（参考文献② 四〇三頁）。

3. 韓国資本主義の大転換（一九六〇〜一九九五）——まとめ

ロジャー・ジャネリと任敦姫は、二〇一六年に「韓国の大転換（South Korea's Great Transformation）—一九六〇—一九九五」を著わし、韓国の資本主義の三五年間の歩みを次のように回顧している。

「二〇世紀の最後の四〇年間の韓国社会のもっとも顕著な変化は、資本主義的な産業化と急速な都市化だった。一九五〇年代後半にはおもに農村・農業社会であったものが、圧倒的に都市化し、多種多様な職業を追求するようになった。一九六〇年には、韓国の人口の五八パーセントが農村地帯に住んでいたが、一九九五年には、一一パーセントを切った。都市住民が人口の過半数にいたったのは、一九七〇年代半ばのことに過ぎないが、家族と親族の関係、地域社会と社会階層のあり方が並行して変容し、消費のスタイルや社会的連携と分断、そして他者に対する自己意識もまた一気に変化した。これほどの短期間で、このように大規模な社会的変化を経験した国はほかにないといえる」（参考文献⑥　五四頁）。

この「大転換」という言葉は、互酬社会から自由市場社会への「大転換」について論じたカール・ポランニーを意識したものだが、ジャネリ自身は、この問題を正面から取り上げたわけではない。しかし私たちはここで、ジャネリが繰り返し論じた〈人情（인정）〉と〈女性の役割〉という二つの視点から韓国における互酬経済から自由市場経済への転換を記述した彼のフィールドワークの意味を考えてみたい。

人情

まず〈人情〉だが、これはテスンにおける調査でジャネリが何度も出会うことになるキーワードであり、とくに対外ビジネスを担当する社員たちが発するアメリカ批判のなかに頻出する。一

九八〇年代に半導体などの新しいテクノロジーを求めてアメリカに進出し、合弁事業を進めた彼らのあいだには、「アメリカ人は利己的なまでに個人主義（개인주의）的であり、人情（他者の苦境に対する同情）に欠ける」という共通認識があり、彼らのうちには、こんな喩えをあげた者もいた。「アメリカ人たちは、下着を九九枚持っていても、それを百枚にしようとするために、たった一枚しか持っていない人にもう一枚よこせというのです。けれども、私たちはけっしてそんなことはしません。もし九九枚持っていれば、その人にもう一枚あげます。アメリカ人たちはというと、最後の一枚まで取り上げてしまおうとするでしょう」

こうした道徳的な批判は、一九九三年にジャネリがティソンディで、この二〇年間の村の変化に関して尋ねた時に、村の男たちが、人情が失われて「〈個人主義（개인주의）〉が増加して、村人のあいだに自己中心的で〈刻薄（각박）〉な態度が生まれた」と答えたのと軌を一にする。

しかし、テスンの社員が重視する〈人情〉には、村人にも共有される道徳的な価値だけではなく、経済的な価値が含まれている。彼らが、とくにアメリカのビジネスマンにストレスを感じるのは、アメリカ人が韓国のビジネス慣行を知らないからである。

韓国では、圧倒的な資金力を持つテスンのような財閥企業が立場の弱い下請け企業や顧客と提携関係を結ぶときには、細かい契約によって細部にいたるまで提携相手を縛ることはしない。相手が窮地に陥った場合にも、辛抱づよく待ち、提携を維持しながら互いに利益を分かち合う。これが〈人情〉である。

それに対して、アメリカ企業は、契約によって細部にいたるまで相手を縛り、弱い立場の企業が窮地に陥ると切り捨てる。このやり方は、提携相手を恐れさせ、韓国では契約が成立せず、大切なビジネスチャンスを失ってしまう。〈人情〉は、道徳的な資産であるばかりではなく、ビジネスを支える経済的な資産なのである（参考文献②　三一五頁）。

この韓国式のビジネスは、韓国企業と立場の弱い海外企業とのあいだの取引でも力を発揮する。たとえばテスンが提供する部品の価格が、資金力に乏しい海外企業には高価すぎる場合にも、より安い価格で安定供給を保証して、弱者である海外企業の窮地を救い、辛抱づよくビジネスを育てることが求められる。これもまた〈人情〉のなせる業なのである（同）。この〈人情〉は、一九八八年のオリンピックを契機に一挙に中国や東南アジアに進出した韓国企業の競争力拡大に大きな役割を果たしたにちがいない。

テスンの経営スタッフは、「ビジネスのあるべき姿は、よい人間関係をつくり上げたうえで、どのような問題が起きようと、ともにやり遂げることにあり、契約は人間関係をつくるためにあり、合意によって拘束するものではない」と主張するが、こうした韓国式〈人情〉ビジネスの基礎に、少なくとも二〇世紀のあいだには、資金力が強く、商品生産の圧倒的なネットワークを支配する財閥企業が、資金力の弱い個別企業とのあいだに結ぶ暗黙の〈互酬〉の経済関係が存在したことは間違いがない。テスンのような財閥企業の支援を受け、その支援と期待に応えることができた企業だけが、二一世紀の今日まで生き残ることができたのである。

〈人情〉は、韓国の人びとにとって儒教にもとづく〈孝〉とはまったく違った意味での伝統的な価値であり、文化資本であるが、じつはこれも緊密な人間関係を築く社会関係資本であり、支援者の権威を高める象徴資本であり、なによりも重要な経済資本なのである。

都市化と女性の役割の変化

つぎに女性の役割の変化について考える。韓国における女性の役割は、七〇年代以降の急速な都市化と家族構成の変化によって、強い影響を受けた。

ジャネリと任敦姫は、二〇一六年に「韓国の大転換」のなかで、韓国資本主義の三五年間の歩みを次のように回顧している。

「韓国人世帯の平均規模は一九六〇年の五・七七人から一九九五年には三・三人に減少した。これは都市化の進行の結果であるが、核家族化は資本主義的な産業化の当然の帰結だとはいえない。韓国の農村部と都市部双方の世帯規模は、一九六〇年以来一貫して減少傾向にあり、とくに一九七五年以降、農村の世帯の平均規模は都市の世帯よりも急速に減少し始め、一九九〇年までには農村の世帯規模が都市の平均を下回り、一九九五年には都市の世帯が平均三・四人であるのに対し、農村の世帯の平均規模は三・一人になっていた」（参考文献⑥　七頁）。

こうした都市化と核家族化、さらに少子化は、韓国だけの現象ではなく、同時期の日本にも見られることはよく知られているが、一九七〇年代以降の核家族化が韓国の女性に与えた影響は、日本人の私たちには想像することが難しい。

周知のとおり韓国では夫婦別姓であるが、このことは必ずしも女性の地位の独立を保障するものではない。

一九七〇年代のティソンディに見られた〈長子相続・永代父系直系家族〉を理想とする家族観のなかでは、男子を出産して主婦の座を確立した女性は、プオク（부엌）という台所に隣接する内房に起居し、家計の管理者として家の箪笥の鍵をすべて所持し、男性の主宰する祖先祭祀でその膳を用意するだけでなく、日常の食事の用意と、味噌、醤油、漬物などの保存食の準備を指揮して家内に君臨する権利を手にする。すでに述べた男たちの祖先祭祀と並立するシャーマンの儀礼を主宰するのも主婦であり、それ以上に内房やプオクや天井の柱に祀られた産神、成主（ソンジュ）（当主の守護神）、業神（オップシン）（財神）などと呼ばれる家の神々を祀るのも主婦である。

しかし、主婦の地位を築くまでの女性の地位は、きわめて危ういものである。

まず女性は、他家に嫁す者であり、ひとたび嫁してしまえば〈出嫁外人（しゅっかがいじん）〉ということで、実家との縁はなくなる。嫁いだ家に主婦がいれば、嫁として姑に仕えることになるが、伝統的な韓国家庭では嫁の立場はきわめて弱く、嫁姑（よめしゅうと）の過酷な葛藤に関する昔話は山ほどある。

また嫁が万一男子を出産できない場合は、夫のための新たな女性を同じ家庭内に迎えて、男児誕生を待つこともありうる。それでも男児を得られない場合には、離婚の対象となるか生涯〈石女（うまずめ）〉として屈辱に耐えなければならない。

離婚は、もとより問題外で、万一実家に返されれば実家の恥であり、再婚は道徳的に許されることではなかった。

こうした女性の立場は、都市化と核家族化によって劇的な変化をとげた。子どもたちが親から独立して都市に住むことになれば、嫁と姑の関係は日常生活からはほぼ消えてしまう。離婚も、ごくふつうのこととなり、韓国の離婚率の高さと出生率の低さは日本をたちまち追い越してしまった。結婚しない独身者も少なくない。

私がソウルに滞在していた一九八八年当時のテレビのトレンディドラマの一番のテーマは、都市に住む息子夫婦と農村に住む両親との葛藤だったが、二〇一〇年代以降のドラマでは、同じく都市に住む核家族の両親と息子夫婦、あるいは結婚しない娘たちの葛藤が描かれることが多い。二〇一六年に刊行されたチョ・ナムジュのベストセラー『一九八二年生まれ　キム・ジヨン』（ソウル・民音社刊）は、こうした状況を生きた祖母・母・娘という三代の女性の生き方と世界観をわかりやすく描いている。

ジャネリが『資本主義をつくる』を書く過程で、テスンで出会った若手社員たちは、ソウルという大都市に住む核家族の若者たちであり、仕事に情熱を傾けながらも、激務のなかでは子どもの寝顔しか見ることしかできず、休日に子どもと過ごそうとしても、会社仲間のピクニックに付き合わされる、そんな日々を過ごしている。

ジャネリがオフィスで出会った女性社員は、ほとんどすべてが商業高校出身のノン・キャリアの事務職だったが、私が一九八八年にソウル近郊のキャンパスで教えた学生たちのなかには女子学生が多く、大学の教員スタッフにも女性が少なくなかった。

ジャネリのオフィスでの調査が終了した一九八七年六月には、盧泰愚の民主化宣言とともに状況は大きく変化し、男女雇用平等法が施行され、テスンが本社機能の一部をソウル駅近くの旧市街から江南に移した後の一九九三年には、テスンの新会長が「女性の大学卒職員を一挙に五〇〇人採用する」と発表するにいたった。その年に全韓国で企業に就職したのは大卒女性一五〇〇人に過ぎなかったのだから、テスンはその三分の一を雇用したことになる。

ジャネリがテスンのオフィスで参与観察を開始した一九八六年九月から『資本主義をつくる』の執筆を完了した一九九三までの七年間は、偶然のこととはいえ、韓国とテスンにとってまさに〈大転換〉を迎えた特別な時期にあたることを記しておきたい。

まず、韓国国政のレベルでは、一九八六年から八七年にかけて展開された激しい反政府デモによって、ついに全斗煥の強圧的な政権が打倒され、盧泰愚による一九八七年六月二九日の民主化宣言が生まれた。ジャネリは、この経緯をテスンのオフィスでリアルタイムで記録することになった。

周知のとおり、この反政府運動は、学生たちが主体となって始められたが、一九八六年一月一五日の警察の拷問によるソウル大学生朴鐘哲の死をきっかけに広範な市民運動となり、五月二七日には宗教指導者や野党を含む「民主憲法争取国民運動本部」を立ち上げ、全国各地で多くの新中流階級を含む推定一八〇万名がデモに参加した六・二六デモにいたる「六月民衆闘争」に発展した。

民主化宣言の後に行われた韓国初の民主的な大統領直接選挙では、野党が候補を一本化できなかったために全斗煥の実質的な後継者である盧泰愚が第一三代大統領に就任することとなった。

しかし、大統領に就任した盧泰愚は一九八八年に開催されたオリンピックという絶好の機会をとらえて、それまで国交のなかった中国やソビエトを始めとする当時の社会主義圏に対して、「北方外交」と呼ばれる活発な外交を仕掛けて、一九九〇年にソビエト、一九九二年に中国と国交樹立するという目覚ましい成果を上げた。

このオリンピック外交の成功が、テスンを始めとする韓国企業に、中国、ソビエトだけでなく、ベトナム、モンゴル、東欧諸国などに乗り出すチャンスを与え、韓国企業のグローバル展開を本格化させたのである。

いっぽう、一九八六年から一九九三年は、テスンという財閥企業にとっても大きな転換期だった。

一九八六年五月には、テスン初代会長が持病の再発のために入院し、副会長であった三男がテスンの指揮をとる立場に就いたが、会長は入院中であっても会長秘書室を通して引き続き指示を出すことができた。

三男が正式に二代目会長に就任するのは、一九八七年一一月一九日に初代会長が逝去した後の一二月一日のことで、彼は就任式の席でテスンの第二創業を宣言する。しかし彼が会長として実質的な「第二創業」に踏み切るのは、父の喪が明けた一九九〇年一二月に、父の経営方針の忠実な実行者であった秘書室長を系列の生命保険会社の副会長に転出させ、その一か月後に自らの盟友を秘書室長に迎え、経営権を完全に手に入れ、秘書室役員の大半を刷新してからのことである。

そしてさらにその一年半後の一九九三年六月七日に、彼はテスンの中心的な経営メンバー二〇〇人をフランクフルトに集めて、よく知られた「妻と息子以外はすべて刷新する」というフランクフルト宣言をおこなった。大学卒の女性キャリアを一挙に五〇〇名採用すると宣言したのも、この一九九三年のことである。

この秘書室の再編成とフランクフルト宣言、そして女性社員の登用によって、ジャネリが記録したテスンの部課長会議の構成やオフィスのあり方は大きく変化したにちがいない。

以上のように、私たちは、ジャネリの残した『資本主義をつくる』と『祖先祭祀と韓国社会』、そして「韓国農村における祖先祭祀と資本主義的工業化」などの諸論考を読み解くことで、一九七〇年代から現在にいたる韓国社会の〈大転換〉を通して、韓国の何が変わり、何が変わらなかったのか、その基本となる文化・歴史・社会・経済の重層的な構造について多くを学び、現在も急速な変化をとげつつある韓国社会についての理解を深めることができるにちがいない。

一九九三年初秋のティソンディ訪問記

最後に、謙虚で慎ましく、こよなく韓国を愛し、いつも静かに笑っていたロジャーを偲んで、一九九三年にともに訪れたティソンディの一日の、村人たちとの出会いと村のたたずまいを紹介しておきたい。

ソウルから続く高速道路を下りて村に入ると、遠くに新築のアパート、手前に村の工場がある。

旧知の村の女性とあいさつ

ちょっと立ち話

旧知の男性インフォーマントに近頃の村の様子を尋ねる

女性同士は、かつて仲良く秘密を分かち合った仲。たちまちみんな集まって、なつかしい昔話。

畑のむこうにも新しいアパートを建設中。村の中にもアパートが立ち、新住民が住んでいる

肉屋さんはロッテのお菓子やアイスも売っているし、鶏のカラアゲも売っている。ビデオのレンタルショップもある。

ティソンディ権氏代々の祖霊を祀る祭閣も、長い議論の末に新築された。

考子・李孝順を顕彰する昔からの孝烈碑には、立派な解説パネルも建てられた。

最後に村の敬老会館を訪ねて、長老たちの安否を伺い、村を辞した。

一九九三年夏のこの短いティソンディ訪問は、調査というほどのものではなく、ロジャーと妻の任敦姫が、日本から訪れた友人の私に自らの調査地を案内し彼らのフィールドワークの一端を垣間見せるための「遠足」にすぎなかった。

ロジャー・ジャネリの死を悼むアメリカの友人は、その追悼文をこう結んでいる。「おそらくジャネリのもっとも深く永続的な影響は教育者ならびに指導者としての彼の役割にある。インディアナ大学でジャネリは韓国の固有遺産（vernacular heritage）、東アジアの民間信仰（popular religion）、韓国政治経済、東アジアの民族誌とアイデンティティならびに精神史（intellectual history）といった講座を担当した。

ジャネリは、東京大学、フランスの社会科学高等研究院（École des Hautes Études en Sciences Sociales）、延世大学校、テキサス大学オースチン校、ワシントン大学、リンカーン大学、メリーランド大学、そしてカリフォルニア大学バークレー校といった世界各地のキャンパスで教職につき、調査を行った。

彼は学生がさらなるレベルに進むのを助けるにはどの方法が望ましいかを決めることに多大な時間を割き、常に鋭くも丁寧な批判をもってそれにあたった。

逝去にあたり、さまざまな学問分野を代表してかつての教え子たちから寄せられた数多くの感謝の言葉が、ジャネリの影響の大きさを物語っている。そのような賛辞の一つにこういう言葉がある。「彼は常に人間的でした。いつも思いやりがあり、いつも優しい人でした」

人間的で、思いやりがあり、優しい人、これほどロジャーにふさわしい言葉はない。

参考文献

①Janelli, Roger L. and Dawnhee Yim Janelli. 1982. Ancestor Worship and Korean Soceiety. Stanford: Stanford University Press.（『祖先祭祀と韓国社会』近藤基子、金美榮、樋口淳訳、東京、第一書房、一九九三年）

②Janelli, Roger L. with Dawnhee Yim Janelli. 1993. Making Capitalism: the social and cultural construction of South Korean conglomerate. Stanford: Stanford University Press.（『資本主義をつくる』笹本弘一、中西康貴訳、東京、民話の森、本書）

③Janelli, Roger L. and Dawnhee Yim Janelli. 2002. Ancestor Rites and Capitalist Industrialization In a South Korean Village.Seoul: Korean Journal vol. 42 No.4.（「韓国農村の祖先祭祀と資本主義的産業化」樋口淳・中西康貴訳「専修大学人文科学年報・第五〇号」二〇二〇年三月）

④Folklore of East Asia Folklore Forum, 38.1（2008）Gage 102, “Conversation with Roger”, L. Janelli Sue-Je Lee Gage University of California at Berkeley. https://folkloreforum.net/2008/02/22/2conversation-with-roger-l-janelli/（20 January 2021）

⑤American Folklore Society（AFS Review: In Memoriam）“Roger L. Janelli, 1943-2021” https://www.afsnet.

org/news/548148/Roger-L.-Janelli-19432021.htm（20 January 2021）

⑥Janelli, Roger L. and Dawnhee Yim Janelli. "South Korea's Great Transformation（1960-1995）", in（학술원 논문집（인문、사회과학편）제55집 1호（2016）pp.53-120.

⑦"Ilban Gagye ui Jungsancheung Uisik Gwangye Seolmun Josa (Survey Regarding the Middle-Class Consciousness of Households)", (Seoul: Hanguk Gyeongje Yeonguwon, April 12, 1999) http://www.hyundai.co.kr/hyundainews/1999/99_04132.htm (27 April 2000).

【備考】　ジャネリは、「韓国農村の祖先祭祀と資本主義的産業化」（参考文献③）において、調査対象とした村の名前を「ティソンディ（Twisongdwi）」ではなく「内里」（仮名）としているが、これはアメリカ人類学会が「調査地の名前に〈仮名〉を使用する」と倫理規定を改めたためである。本稿では、『祖先祭祀と韓国社会』（参考文献①）との連続性を考慮し、調査地の名前を変更せず、一九八二年時点の「ティソンディ（Twisongdwi）」のままに留めることとした。

【著者・訳者紹介】

〔著者〕**ロジャー・L・ジャネリ　Roger L. JANELLI**(1943–2021)

ジョージタウン大学を卒業後ペンシルヴァニア大学で博士号を取得。インディアナ大学民俗学科教授として、同大学で韓国の固有遺産、東アジアの民間信仰、韓国政治 経済、東アジアの民族誌などの講座を担当するかたわら、東京大学、延世大学、テキサス大学オースチン校、ワシントン大学等で教鞭をとり、また調査を行った。任敦姫との共著『祖先祭祀と韓国社会』(第一書房・1993年)などがある

〔協力〕**任敦姫**(1944–)
ソウル大学を卒業後ペンシルヴァニア大学で博士号を取得。東国大学史学科教授などを歴任。夫ロジャーとともに1972年よりフィールドワークを開始し、韓国における戦後の社会変動、経済活動、民間宗教の政治経済的側面などに深い関心を抱き、夫とともに比較民俗学会理事として研究活動を行ってきた。ユネスコ世界無形遺産登録国際審査委員を務め宗廟祭礼、パンソリ、農楽など17の無形文化の指定に尽力した。現在、韓国学士院会員、東国大学名誉教授。

〔訳〕**中西康貴（なかにし・やすたか）**
1957年和歌山県生まれ。1976年に専修大学入学。卒業後、団体職員を経て翻訳に従事。翻訳に、ロジャー・ジャネリ／任敦姫著「韓国農村の祖先祭祀と資本主義的産業化」（専修大学人文科学年報第50号)、訳書にフランセス・カーペンター著『ハルモニが語る朝鮮王朝末の暮らしと文化』（民話の森・2023年）などがある。

〔訳〕**笹本弘一（ささもと・こういち）**
1945年神奈川県生まれ。1964年に東京大学入学。卒業後、出版社勤務を経てフリーの編集者に。共訳書に『ペローの昔話集 ——知識人の教養と民衆の伝承 ——』（近刊、民話の森)。

【解説者略歴】

樋口淳（ひぐち・あつし）
1964年に東京教育大学入学。ベルギー政府給費留学生としてルーヴァン大学に学び、1975年に帰国し専修大学に勤務。翻訳にロジャー・ジャネリ／任敦姫著『祖先祭祀と韓国社会』（第一書房・1993)、崔仁鶴／厳鎔姫編著『韓国昔話集成・全八巻』（悠書館・2013-2020）などがある。

民話の森叢書 7　資本主義をつくる ── ある韓国コングロマリットの社会的文化的創成

発行日　2024年7月1日　初版発行

著者　ロジャー・ジャネリ
翻訳　中西康貴／笹本弘一
解説　樋口淳
装丁・組版　戸坂晴子　牧ヶ野靖子
発行　民話の森
〒150-0047　東京都渋谷区神山町11-17-307
TEL 03-5790-9869 / 090-6037-4516
発売　株式会社国際文献社
〒162-0801　東京都新宿区山吹町358-5　アカデミーセンター
TEL 03-6824-9360
印刷・製本　株式会社国際文献社

printed in Japan　ISBN978-4-910603-34-6
定価はカバーに表示してあります